故宮六百年

【從太和殿易主到皇權的終結】

下

SIX HUNDRED
YEARS OF THE
FORBIDDEN CITY

閻崇年 著

自序

一

六百年前，在北京、在中國、在世界，發生了一件具有政治、文化意義的大事：明永樂十八年（一四二〇）十一月初四日，永樂皇帝朱棣在北京皇宮奉天殿（今太和殿）暨殿前廣場舉行盛典，向臣民、向天下，莊嚴宣告：北京宮殿「爰自營建以來，天下軍民，樂於趨事，天人協贊，景貺駢臻，今已告成」（《明太宗實錄》卷二三一）。以北京皇宮壇廟告成，接受朝賀，大宴群臣。這就表明，明朝北京宮殿於永樂十八年（一四二〇）十一月初四日，已經建成。

同年十二月二十九日，再次表明：

初營建北京，凡廟社、郊祀、壇場、宮殿、門闕，規制悉如南京，而高敞壯麗過之。復於皇城東南建皇太孫宮，東安門外東南建十王邸，通為屋八千三百五十楹。自永樂十五年六月興工，至是成。（《明太宗實錄》卷二三二）

北京故宮博物院在一九八七年被列入世界文化遺產。因此，故宮既是中國的，也是世界的。北京故宮有過輝煌、有過凱歌，也有過滄桑、有過悲泣。這是在中華民族歷史演進中，一座巍巍高山的歷史見證，一段滾滾江河的歷史實錄。

二〇二〇年恰逢北京故宮建成六百年，筆者繼在中央電視臺《百家講壇》講「大故宮」之後，應喜馬拉雅之邀約，在網路音訊平臺講故宮，分作一百講，每週播出兩講，共計五十週，幾乎占一年的時間。在整整一年的準備過程中，經過草稿、一稿、書稿、錄音稿和定稿，五易其稿，雖不免有瑕疵，卻是盡了心力。

二

北京故宮，文化元素紛繁燦爛，琳琅滿目，但其核心因素，主要有以下三個：

其一，是建築。故宮占地面積七十二萬平方公尺，建築占其最多的空間。這些中華古典建築，殿堂臺閣，宮院亭榭，壯麗輝煌，豐富多彩。

其二，是藏品。今北京故宮博物院珍藏一百八十多萬件文物，其器物、書畫、典籍、檔案、珍玩、瓷器、絲綢、珠寶、家具、陳設等，物華天寶，珠玉華翠，天祿琳琅，美輪美奐。

其三，是人物。這裡的人物指的是宮廷建築的設計者、建造者、使用者、守護者，從帝王將相到太監宮女，從文化精英到外域使臣，從各色工匠到宮廷帝后，都離不開故宮建築的舞臺、場景。這裡的人物還指的是故宮藏品的製造者、使用者、欣賞者、收藏者。可以說，自北京故宮建成六百年來，中國幾乎所有的名人，都同北京、同故宮有著直接或間接的關係。

所以，故宮的建築、藏品、人物三者以及其他元素的互動、演繹，成為故宮六百年的歷史。

三

此前，我在中央電視臺《百家講壇》講過「大故宮」第一、二、三、四共四部，八十三講。所講的文字稿《大故宮》第一、二、三卷，先由長江文藝出版社出版，近由北京故宮出版社出版其修訂本。

《大故宮》與《故宮六百年》的相同點是，系統簡述故宮的歷史、文化、建築、人物、事件、文物等。其不同點是，《大故宮》主要特點是橫向，以故宮空間為經線，以故宮建築為場景，時空交叉，講述故宮六百年的歷史故事；而《故宮六百年》主要特點是縱向，以故宮時間為經線，以故宮歷史為場景，時空交叉，講述故宮六百年的歷史故事。

今人看故宮，可縱觀，可橫覽，縱橫交叉，互相切換，對故宮六百年的建築、藏品、人物等故事，會更豐富、更系統、更全面、更立體地了解，從而，熱愛故宮、關心故宮、學習故宮、守護故宮。

《大故宮》是用電視視頻的形式，《故宮六百年》是用網路音訊的形式，還分別用圖書的形式，總之用視頻、音訊、網路、圖書四種媒體形式，來再現六百年的北京故宮。

故宮是個歷史大劇場，也是個歷史小舞臺。在這座劇場裡，在這個舞臺上，帝王將相、后妃女侍，百官眾卿、御史諫臣，文化精英、書畫名家，能工巧匠、太監宮女，佛道僧侶、域外使臣，悉數登場。其人物之精采，事件之離奇，故事之生動，器物之精美，正邪之相搏，學人之才華，小人之奸詐，後宮之玄祕，英雄之豪氣，庶民之苦難，精采紛呈，再現了那個時代的江河波瀾與涓溪暗流。我力求從六百年歷史長河中，沙裡淘金，金中剔沙，加以展現，進行表述。

《故宮六百年》講述明代故宮、清代故宮、民國故宮和新中國故宮四個時期的歷史，從明永樂十八年（一四二〇），到當下二〇二〇年，整六百年。本書按時間分作耄耋者說一、二、三、四、五、六，共計六個部分。為了閱讀方便，將一百講的文稿，分上下兩冊。

請看書吧！請聽課吧！

是為序。

目次

下冊

耄耋者說四　開創與鼎盛

北京故宮平面圖

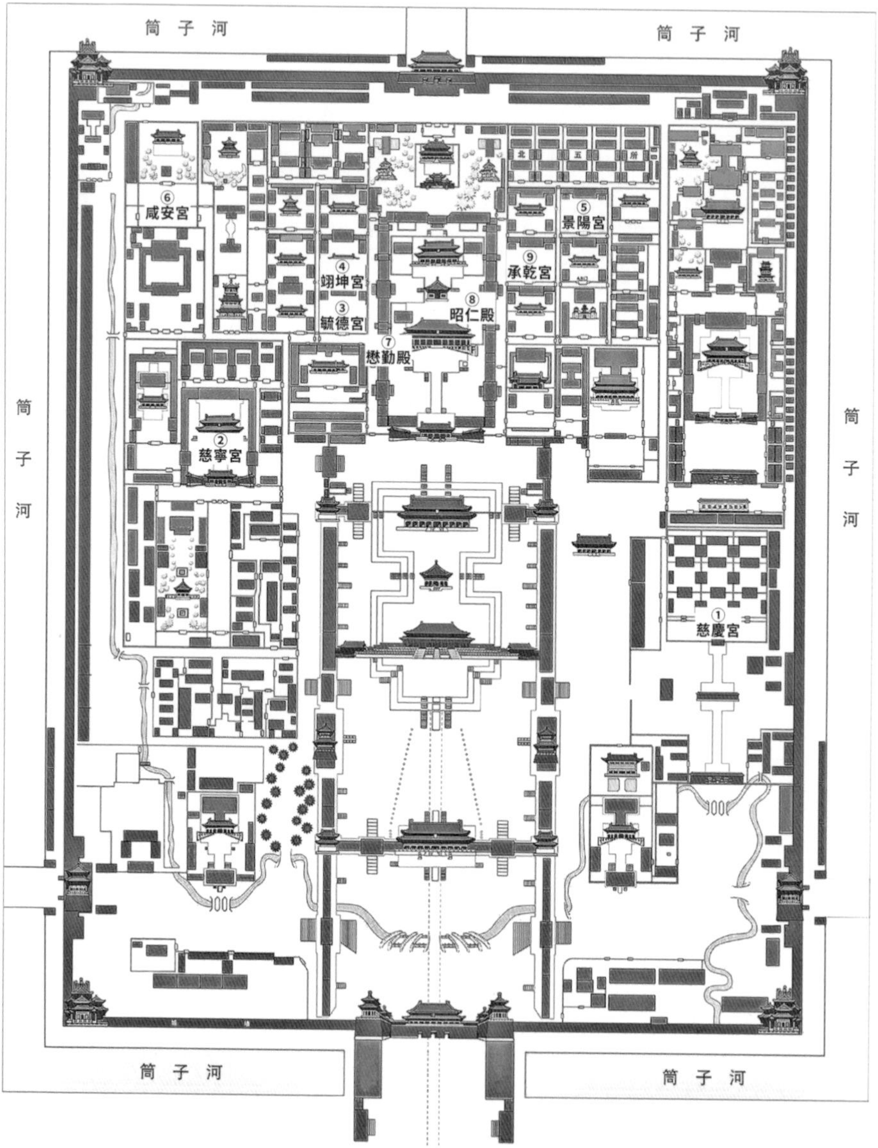

① 慈慶宮
② 慈寧宮
③ 毓德宮
④ 翊坤宮
⑤ 景陽宮
⑥ 咸安宮
⑦ 懋勤殿
⑧ 昭仁殿
⑨ 承乾宮

第51講

慌亂繼位

天啟帝朱由校是明朝第十五位皇帝。明朝此時已經走過二百多年，進入了衰亡的軌道，政治腐敗，民變四起，後金崛興，災害頻仍，到明朝覆亡僅剩下二十三年。這種不祥的端倪，從他繼承皇位時的混亂之中，就顯露出來。

無知頑童

萬曆三十三年（一六〇五）十一月十四日晚上，朱由校出生在皇宮，他的父親朱常洛正盼著早點生個兒子，以維持皇太子地位，又怕萬曆帝不喜歡他生兒子，忐忑不安。「光廟（即朱常洛）差年老宮人到仁德門外報喜。光廟於星月之下獨步殿陛，彷徨不安。先監（陳）矩立奏神廟（即萬曆帝），即轉奏慈聖皇太后，闔宮歡忭。宮人還報，光廟乃喜。」（《酌中志》卷二）

明熹宗朱由校像（臺北故宮博物院典藏）

皇長孫朱由校的出生並沒有激起萬曆帝絲毫的熱情。過了一個月，才下詔通告全國。來年二月，他並沒有進封朱由校的祖母王氏以及生母王氏，而是過了兩個多月以後，才晉封朱由校的祖母王氏為皇貴妃，晉封朱由校的生母王氏為才人。

直到萬曆帝駕崩，在長達近十五年的時間內，無論廷臣怎樣奏請，萬曆帝都不同意冊立長孫為皇太孫，也不讓他出閣讀書。

萬曆四十二年（一六一四）二月，李太后逝世。她在彌留之際遺囑，令立朱由校為皇太孫。一年多以後，萬曆帝也曾傳諭聖母遺囑，欲冊立皇太孫（《明神宗實錄》卷五八四）。但就是不立皇太子為「儲君」，皇太孫為「儲貳」。在皇權時代，立「儲貳」與立「儲君」同樣重要。

不僅如此，萬曆帝也反對讓朱由校出閣讀書。

不做皇太孫，不讀書，又生活優裕，朱由校每天在宮裡做什麼呢？爬樹、掏鳥窩、養貓、鬥雞、逮蟋蟀、捉迷藏、爬山、賞花、划船、溜冰、遊戲、看戲、演戲、騎馬、打獵。他小時候，宮裡正在修建三大殿，他對泥瓦工、木工、雕刻等，都不陌生，據說是個很好的木匠。

我重點說一下他養貓的事。大約從宣德朝開始，宮中養貓漸成風氣。朱由校這位皇孫更對貓有特殊的嗜好，他不僅愛貓，而且對貓的特性還頗有研究，知道貓吃了一種草，就會醉得昏迷不醒。為了取樂，他就故意給貓吃這種草，讓貓死去活來。他所餵養的貓，雄

乾清宮月臺前丹陛下的「老虎洞」

的稱某小廝，雌的稱某丫頭。後來當了皇帝，他好貓如故，還給貓封官晉爵。凡是有頭銜的，稱某老爺，或某管事，並按照賞賜宮中太監的慣例，給牠們發賞，無聊透頂。

在乾清門月臺前，丹陛下面，有一條暗道，俗稱「老虎洞」，高一．八公尺，寬一．二公尺，長約十公尺，供太監們穿行。朱由校晚上常在洞中同太監、宮女玩「捉迷藏」遊戲。此洞至今完好。

萬曆四十七年（一六一九）三月，就在薩爾滸大戰敗報傳來時，朱由校的母親王才人病逝。王氏，順天府人，一入宮，就在東宮侍候皇太子朱常洛，後為選侍。在東宮時，長期遭到皇太子寵妃李選侍的凌辱和毆打，心情憂鬱，常在夜裡偷偷哭泣流淚，以致年紀較輕就離開了人世。母親去世一年多，剛登上皇位一個月的皇父又去世了。

本來爺爺萬曆帝臨死前留下遺囑：皇長孫宜及時冊立、進學（《明光宗實錄》卷二）。但是皇長孫還沒來得及立，皇太子朱常洛繼位成了皇帝，皇長孫朱由校變成了皇長子。泰昌帝諭旨九月初九日冊立朱由校為皇太子，但這個吉日良辰還沒到，泰昌帝朱常洛就死了。

從九月初一日泰昌帝去世，到九月初六日朱由校繼位。在這短短的五天中，尚未繼位的朱由校置身於後宮、內廷和外朝的爭鬥之中，史稱「移宮案」。這年他虛歲十六。

儲皇移宮

泰昌帝剛去世，就發生「移宮案」。這個案子，包括兩次「移宮」：一次是儲皇「移宮」，另一次是西李「移宮」。

朱由校的母親死了，泰昌帝就把朱由校交代給「西李」照料。泰昌帝吞下「紅丸」死後，「西李」封為皇后的幻想破滅，封為皇貴妃的願望也落空，便緊緊抓住小朱由校，以鞏固自己在宮中的地位。怎麼辦呢？這位「西李」想了一招，自己和小皇帝同住在一起，天啟小皇帝住乾清宮，自己也住乾清宮。這是有先例的，當年萬曆帝十歲登極，他的生母李太后就曾搬到乾清宮住，與萬曆帝朝夕相處，有時母子還睡在一張床上。可李太后是萬曆帝的親媽，而「西李」不是天啟帝的親媽！為了鞏固地位，她在乾清宮與心腹太監李進忠等人，策劃挾持朱由校，不讓他離開乾清宮。這個李進忠，就是魏忠賢的原名。她甚至將朱由校藏閉在乾清宮暖閣裡，不讓他出來為泰昌帝守靈。

大臣們認為誰擁有少主朱由校，誰就能控制皇權，「西李」非可託之人，要儘快使朱由校暫時離開乾清宮，擺脫「西李」的控制，才能穩定大局。哀悼儀式一結束，大學士劉一燝等責問道：「皇長子當柩前即位，今不在，何也？」原東宮伴讀、司禮監秉筆太監王安說：「為李選侍所匿耳！」劉一燝大聲喝道：「誰敢匿新天子者！」王安說：「徐之，公等慎勿退。」（《明史・劉一燝傳》）說完，便入宮請見朱由校，但「西李」不同意。首輔方從哲及諸大臣趕到乾清宮門外，要見朱由校，把守宮門的太監手持木棍，不讓進入。這時，兵科都給事中楊漣，衝出人群，對著太監，大罵道：「奴才！皇帝召我等，今已晏駕，若曹不聽入，欲何為！」太監們自知理虧，慢慢退開，諸臣直入，呼喊萬歲。王安乘其不防，衝進暖閣，把朱由校拉出來。諸臣見到朱由校，立即叩頭，高呼「萬歲」，拉著朱由校就往宮外走。太監從寢閣急出，大呼：「拉少主何往？主年少畏人！」有的太監撕扯衣服，要奪朱由校回宮裡。楊漣等邊推搡、邊斥責太監說：「殿下群臣之主，四海九州，莫非臣子，復畏何人！」（《明史・楊漣傳》）群臣簇擁著朱由校往外走。「西李」著急，馬上派李進忠等眾太監追出來，要朱由校回到乾清宮。楊漣、王安等人奮力推開眾太監，保駕護行；大臣分列左右，連扶帶推，擁著朱由校往外跑。剛跑到乾清宮門外，宮

乾清門

內眾太監又追了上來，緊緊拉著朱由校的衣服不放，並號叫：「你們挾持皇長子到何處？」楊漣毫不畏懼，一面嚴厲怒斥他們，一面與諸臣一起把朱由校抱入轎內，直奔文華殿。辰時（七至九時），諸臣行禮完畢，「西李」又派人來糾纏，要朱由校回到乾清宮。諸臣見勢如此，經過緊急商議之後，迅速把朱由校請到太子居住過的慈慶宮居住。

朱由校避居慈慶宮，暫時擺脫了「西李」的控制；但「西李」仍占居乾清宮，直接妨礙朱由校舉行登極典禮。下一步，是「西李」移出乾清宮，把乾清宮騰給新繼任的皇帝朱由校。

西李移宮

九月初二日起，諸臣的目標轉為要「西李」離開乾清宮，到宮妃養老之地仁壽殿。時內閣首輔方從哲兩邊討好，主張緩議。劉一燝等則說：「西李」既不是嫡母，也不是生母，按照本朝家法，必須搬出，不容遲緩！大多朝臣，給予支持。這時「西李」仍不搬出乾清宮。群臣激動，憤恨不已。

初五日，楊漣等大臣，不顧一切，勸首輔方從哲，要按原定時間舉行登極大典。這時，「太監往來如織」，氣氛異常緊張，「西李」爪牙紛紛出來，進行威脅。楊漣怒斥道：「能殺我則已，否則，今日不移，死不去！」大學士劉一燝等也催促，聲色俱厲，聲徹御前。朱由校這幾天是由太監王安陪伴，王安告訴他母親曾被「西李」欺侮之事，朱由校痛哭，這才派人傳達他的諭旨：「先帝選侍李氏等，著於仁壽殿居住，即日搬移。」（《明熹宗實錄》卷一）

「西李」無奈，在責罵聲中，於當天午時離開乾清宮，移居仁壽殿。皇長子朱由校在同一天，由慈慶宮回到乾清宮。這兩場「移宮」鬧劇，演出五天，落下帷幕。

初六日，按照預定計畫，舉行新君登極大典，這位新君就是天啟皇帝。

在明朝的皇帝中，只有朱由校一人在登極的時候，還是一個既不是皇太子，又沒有念過書的可憐蟲。這個皇帝在慌亂中繼位，又在未來的七年裡，不僅把明朝推向更深的災難，而且自己也在二十三歲死去，成為明朝歷史上最短命的皇帝。

第52講

客、魏當道

天啟朝政治的一個特點，是客、魏當道。客，是指天啟帝保母客氏；魏，是指太監魏忠賢。這兩人狼狽為奸，沆瀣一氣，依靠並控制天啟帝，排斥異己，打擊忠良，弄得朝廷內外烏煙瘴氣。

狼狽為奸

明代後宮規定，後妃生下孩子，都有專門保母伺候，時稱「奶婆」、「奶口」。客氏（一五八一～一六二八年），北直隸定興縣（今在河北）人，侯二之妻，生下一個兒子侯國興，十八歲入宮做朱由校乳母。兩年後，侯二死，客氏未再嫁，長期住在宮裡，伺候朱由校。朱由校從小被她伺候，特別喜歡吃她做的飯，所以對她既信任，又離不開。客氏為人「淫而狠」，她有點文化，身材苗條，有幾分姿色，性情放蕩，心狠手辣。

魏忠賢（一五六八～一六二七年），原名李進忠，北直隸肅寧縣（今在河北）人，有妻、女。好騎射，擅弓法，有膽識，善決斷。但他從小不走正路，吃喝嫖賭，打架鬥毆，無所不為，是個地痞無賴。因欠下賭債，自宮當太監。後來設法到皇長孫朱由校的母親王才人身邊，為她打理膳食，從而接近朱由校，千方百計討好他。魏忠賢為人「猜忍陰毒」，就是猜忌心強，陰險毒辣。

魏忠賢自從勾搭上客氏，地位迅速上升。客氏住在乾清宮西北的咸安宮，這裡本是太后太妃居所。乾清宮與永壽宮之間的鳳彩門，是客氏與魏忠賢約會之地。他們還各自在西市街（今北京豐盛胡同）建造豪宅，客氏居街北，魏忠賢居街南，相距很近。

這一對男女，一個淫而狠，一個陰而毒，他們利用天啟帝的信任，依仗天啟帝的羽翼，獲得無限權力、地位、封賞和榮譽。大字不識的魏忠賢，竟然晉升為司禮監秉筆太監。按照內閣大臣擬寫的意見，替皇帝批答奏章，從而執掌大權。他們戕害忠良，擾亂後宮，結為閹黨，無惡不作。

逛一逛

咸安宮

位於壽康宮後，長庚門內，為明代建築。清康熙二十一年（一六八二）改建。康熙時廢太子允礽也曾被禁錮在這裡。雍正七年（一七二九）設咸安宮官學。乾隆十六年（一七五一）改壽安宮。

明代太監塑像

戕害忠良

先說楊漣。天啟四年（一六二四）春，京畿地帶連續發生地震，宮殿搖動，天啟帝也生了病。六月，都察院左副都御史楊漣寫了一份奏疏，羅列魏忠賢二十四大罪狀，並寫道：「掖廷之內，知有忠賢而不知有皇上。」「羽翼將成，騎虎難下，太阿倒持，主勢益孤，不知皇上之宗社何所托！」（文秉《先拔志始》卷上）請求將魏忠賢正法，敕客氏搬出皇宮。但這份奏章卻擺在魏忠賢面前。

魏忠賢閱疏，特別害怕。於是，他每天盤算著殺楊漣。後閹黨大理丞徐大化彈劾楊漣招權納賄，並捏造楊漣收熊廷弼賄賂。許顯純乃自編獄詞，坐楊漣貪贓兩萬，將楊漣逮捕。士民數萬，擁道呼號，所歷村市，焚香建醮，祈祐楊漣生還。楊漣下錦衣衛獄後，錦衣衛指揮僉事、掌鎮撫司許顯純，酷法拷訊，體無完膚。次年七月，在夜間將楊漣擊斃，死時其年五十四。

再說萬燝。萬燝，江西南昌人。萬曆四十四年（一六一六）進士，任刑部主事。後調為工部營繕司主事，升員外郎，負責鑄造錢幣之事。當時修建明泰昌帝慶陵的工程，經費奇缺，鑄錢所需銅料更加匱乏，萬燝急得焦頭爛額。他向寶源局的人詢問儘快得到銅料的辦法，寶源局的人都說：宮裡內官監堆積著許多破爛銅器，估計不下數百萬，只要移文索要，旦夕可得。萬燝移文內官監，請撥給廢銅。魏忠賢認為這是無視他的權威，未予理睬。

萬燝等銅下爐，託熟人打聽，才知道是因魏忠賢所阻。萬燝上疏，請求查發內官監廢銅以便鑄錢，供給慶陵工程。在魏忠賢挑撥下，朱由校下旨詰責萬燝（《三朝野記》和《明史．萬燝傳》）。

這時，萬燝已遷工部屯田司署郎中事，督建慶陵。他又奏言廢銅、陵工諸事，痛斥魏忠賢的罪惡：魏忠賢曾經侍奉先帝，陛下寵愛忠賢，恐怕也是因為其曾經侍奉先帝的緣故吧。但魏忠賢對於先帝的陵工，卻毫不在意。臣曾章發廢銅，竟不肯給。我前些日子曾去過香山碧雲寺，見到忠賢為自己建造的墳墓，規制甚為弘敞，可以與祖宗陵寢相比。還建有生祠、佛宇，所費金銀當有數百萬。為自己墳墓則如此，為先帝陵寢則如彼，忠賢之罪，已足誅殺。

當時天啟帝正因為皇次子夭折而難過，魏忠賢便趁機挑唆，說萬燝選在皇上哀痛之時上疏，這是明擺著有意刁難皇上。天啟帝發出諭旨：

陵工費用浩繁，內府廢銅能幾，局中何人見知？萬燝輕信奏請，前旨已明。今又僭言瀆擾，陷朕不孝，且皇子薨逝，便來激聒，好生狂悖無禮。著錦衣衛拿來午門前，著實杖一百棍，革了職為民，永不敘用。（《明熹宗實錄》卷四十三）

聖旨一下，數十名小太監蜂擁衝入萬燝寓所，抓頭髮，扯衣服，把萬燝拖出門來。一路上宦官們拳打腳踢，棒擊棍毆，到行刑地點時，萬燝已氣息奄奄。來到午門前，喝令重打。一百杖畢，萬燝昏死。太監們又拽住萬燝的腳，倒拉著轉了三圈。往外拖時，兩邊又擁上來數十名小宦官，拿著利錐照著萬燝身上亂戳，萬燝被扎得千孔流血，四天後死去。客、魏就是要讓大臣們知道，誰想與魏忠賢過不去，誰就要被杖死，氣焰何等囂張！

擾亂後宮

天啟帝的皇后張嫣為人正派，知書達理，客、魏便把張皇后當作天敵，用計使皇后墮胎，造謠皇后出身卑賤，挑撥帝后的關係。

裕妃張氏懷孕，遭到客、魏忌恨。裕妃逾期未產，客、魏卻在天啟帝面前撥弄是非。天啟帝便命把張裕妃關進冷宮，斷絕飲食。裕妃在雨天爬到院中喝房簷流下的雨水，最後淒慘死去。

惠妃范氏生下皇二子，晉為貴妃。後皇二子死，范貴妃失寵，又得罪客氏，被打入冷宮。

成妃李氏侍寢時，偷向皇帝為范妃求情，客、魏得知後，挑撥天啟帝革其封號，幽禁冷宮，斷其飲食。因李成妃記取張裕妃被餓死的教訓，藏些食物，堅持半個月，後來被斥為宮人（《明宮詞》）。

馮貴妃更慘。天啟帝出宮郊祀，客、魏竟派人殺死馮貴妃，謊稱病死。天啟帝竟然信以為真，不作追究。

總之，凡是天啟帝臨幸過的宮妃，客、魏必下毒手。泰昌帝遺下的趙選侍跟客、魏不和，客、魏便傳旨令她自殺。趙選侍把泰昌帝早年賜予的珠寶等羅列在桌上，沐浴禮佛，投繯而死。

客、魏之所以屢屢得手，是因為依仗天啟帝的信任、支持和放縱。而堂堂天啟皇帝，不僅善惡不分，而且連后妃和兒女也不能保護。他先後得三子二女，全部夭折。長子朱慈然，生下後很快就死了。次子朱慈焴，活了八個多月死了。三子朱慈炅，出生沒多久就被立為皇太子，也是活了八個多月就死了。兩個皇女也都死去。關於皇子皇女夭折的原因，有說是被太監操練的砲聲驚嚇死的，有說是宮裡養貓太多，被貓叫驚嚇死的，有說是被炭火熏死的，當時沒有追查，也就成為歷史疑案。

但是有一件事情值得關注。天啟帝病重的時候，魏忠賢曾經給張皇后出了個主意，讓張皇后假裝懷孕，取他姪子魏良卿的兒子為皇后的兒子，待天啟帝駕崩後，由張皇后垂簾聽政，立魏良卿為攝政，等這孩子長大再立為皇帝。張皇后嚴詞拒絕，後魏忠賢未敢輕舉妄動。

由此可見，魏忠賢的狼子野心，客、魏狼狽為奸，甚至覬覦皇位！

在明朝二百多年歷史上，太監為禍最嚴重的有正統、正德、萬曆和天啟四朝。而天啟朝最為嚴重，危害最大。魏忠賢之所以屢屢得手，是因為有客氏相助，又得到皇帝的依靠。其根源還在於天啟帝。天啟帝從小家庭關係扭曲，沒有接受過良好教育，更沒有經受過實踐歷練，而生活優裕，地位至高，所以這種人一旦大權在握，既不能「齊家」，也不能「治國」，更何談「平天下」！

第53講

遼河三戰

明朝與後金於天啟元年至二年（一六二一～一六二二）的兩年時間（實際時間為一年），在遼河以東的瀋陽、遼陽與遼河以西的廣寧，進行了三場大戰。這三場決定明清命運的大戰，是怎樣進行的，其影響如何？

瀋陽大戰

前面講過薩爾滸大戰，一年後即萬曆四十八年（一六二〇），萬曆帝死，泰昌帝立而又死，天啟帝再立，一年之間，先後有三位皇帝。天啟帝又是一個才十六歲、沒有文化、不懂軍事、只知吃喝玩樂的皇帝。這個時期，後金軍事動向，或東，或南，或西，故意虛張聲勢，迷惑明軍防禦。後金汗努爾哈赤利用這個天時，傾巢而出，突襲瀋陽。

天啟元年（一六二一）三月十二日，努爾哈赤親率八旗大軍，六萬多人，揚言要攻

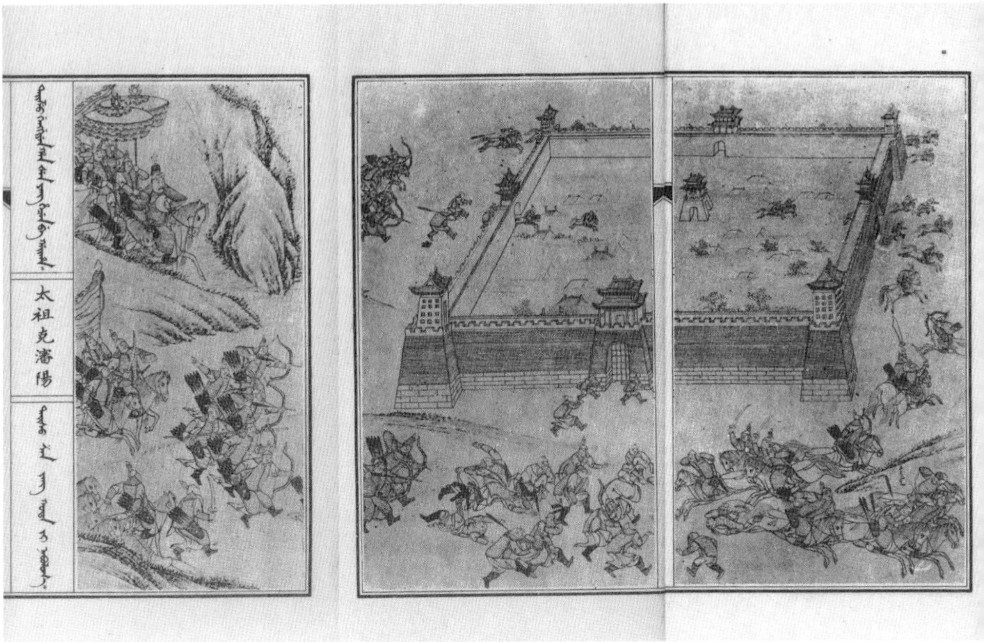

《滿洲實錄》之「太祖克瀋陽」圖

打蒙古，繞開瀋陽行進，來麻痹明軍。到離瀋陽較近時，突然調轉方向，直奔瀋陽城下。瀋陽是一座大城，城堅池深，防禦完備，兵強馬壯，戰鬥力強，由驍勇敢戰的賀世賢任總兵官。

由赫圖阿拉到瀋陽約兩百里路，後金軍急行兩天，兵臨瀋陽城下。主力部署在遼河支流渾河北岸原野，安營紮寨；另一部分兵力，包圍瀋陽城。努爾哈赤派人在城下勸降，並叫陣：賀世賢要是投降，封高官，給厚祿；要是英雄好漢，就出城交鋒，決一雌雄！

賀世賢是一員猛將，同蒙古騎兵作戰，屢獲勝利，怎能吞下這口氣。十三日，賀世賢一面集結兵力，一面喝酒壯膽。他喝得半醉半醒，命打開城門，放下吊橋，率領騎兵，直衝而出，奔向八旗軍陣。努爾哈赤率八旗兵，以靜迎動，一片呼喊，衝向明軍。賀世賢陷於八旗軍的包圍圈中。他揮起鐵鞭，奮力拚殺，後金騎兵，死傷數十，但寡不敵眾，後金軍亂箭齊發，射向賀世賢：中箭一支拔下，再中一支再拔下，身中四箭，落馬而死，何其悲壯！總兵戰亡，群龍無首，四散潰逃。

接著，八旗軍全面攻打瀋陽城。城中內奸，散布謠言，渙散民心，乘機打開城門，吊橋繩斷，八旗官兵，蜂擁而入，瀋陽城破。明軍民被殺，據說七萬人。接著，四路援軍，分路趕到，亦遭慘敗。

明軍的優勢是「憑堅城，用火砲」，弱勢是「步兵為主，不利野戰」；八旗軍的優勢是「集中兵力，野戰爭鋒，鐵騎衝突，速戰速決」，弱勢是「軍無後勤，不利久戰」。八旗軍攻城，一般是七至十天，因為八旗軍是「亦兵亦農」，有戰事，傳令分散各地各戶的官兵，自帶乾糧、弓箭，騎馬集合，一般需一天，戰後回家又要一天，行軍一至兩天，而圍城攻城時間只有三至五天。明軍守城，如堅持五天，待敵撤退，進行截擊，即可獲勝。賀世賢捨長取短，兵敗身死，堅城失守。這是多麼沉痛的教訓！

努爾哈赤攻陷瀋陽後，收集糧食、槍械，馬不停蹄，直奔遼陽。

遼陽大戰

遼陽曾是遼、金陪都，明朝遼東首府，遼東經略駐地，城高池深，重兵守衛，防禦堅固。天啟元年（一六二一）三月十八日，努爾哈赤兵逼遼陽城下。他依然將主力集中在城外平原，派部分軍隊圍城。戰法依舊是先勸降，再叫陣。遼陽總指揮是遼東經略袁應泰，手下五員總兵率軍固守。袁應泰本應汲取瀋陽失守的教訓，閉城固守。但他是進士出身，雖詩文不錯，卻不懂軍事。

十九日，袁應泰下令：打開城門，放下吊橋，親率騎兵，出城應戰，圖立大功。他統軍到城外五里野地，面對努爾哈赤軍陣，擺下陣勢。當天傍晚，袁應泰大帳與努爾哈赤大帳，相對而立。兩軍衝突，拉開戰幕。一場激戰，明軍失利。總兵官侯世祿、李秉誠、梁仲善、姜弼、朱萬良先後戰死。袁應泰急忙調轉方向，向遼陽城裡狂奔，明軍潰亂，屍體狼藉。袁應泰敗回城裡，八旗軍四面攻城。

二十日，袁應泰見大勢已去，自焚先死，軍心渙散。

二十一日，又是裡應外合，譙樓（指古代城門上建造的用以瞭望的樓）著火，小西門城破。於是，八旗軍蜂擁而入，占領遼陽城。隨之，明朝大小七十餘座城堡，完全失陷。按察御史張銓被俘，結果如何？後面再講。

遼陽之戰，袁應泰仍然沒有發揮明軍之所長，而暴露其所短；努爾哈赤仍然發揮八旗軍之所長，而避其所短。袁應泰以短擊長，所以失敗；努爾哈赤以長擊短，所以取勝。

努爾哈赤奪取遼陽後，決定將都城由赫圖阿拉遷到遼陽。在此之前，滿洲都城都是山城，現在都城遷到平原，這是滿洲發展史上的一個轉折點。

努爾哈赤在半月之內，先後占領遼河畔最重要的兩座城池，後都城先遷到遼陽，再遷到瀋陽。從此，明朝完全失去遼河以東的土地，遼河以東為後金所有。

八旗軍得勝後，回到赫圖阿拉。在休整後，兵鋒指向遼河以西的廣寧。

廣寧大戰

明朝除了內廷亂局之外，遼東也出現亂局。這主要表現在遼東經略熊廷弼與遼東巡撫王化貞之間的矛盾，史稱「經撫不和」。熊廷弼屬東林黨，王化貞屬閹黨，朝廷上的黨爭，影響到遼東局勢。努爾哈赤安插有奸細，對明朝的矛盾很了解，並加以利用。廣寧，是遼西首要重鎮，也是遼東巡撫的駐地。為了禦守廣寧，熊廷弼提出東面借助朝鮮、南面在海上、西面在陸地，統籌兼顧，三個方面，進行部署，就是「三方布置策」。這個方策聽起來很好，但難以坐實。巡撫王化貞則提出：沿著遼河布設，每里一崗，每崗數人，全線防禦。這個方案，也好聽，問題在於：要是遼河結冰怎麼防？一崗幾人怎麼抵擋後金騎兵衝突？還有一個方案，就是廣寧以東三鎮，每鎮萬人，成「品」字形，結陣防守，互相應援。

天啟二年（一六二二）正月二十日，努爾哈赤率領八旗軍，向遼西廣寧進發。時值寒冬，遼河冰封，八旗大軍，橫隊百餘里，履冰渡河，衝破「一」字形防線後，先攻「品」字形陣最突出的西平堡。明軍守將羅一貴，率三千兵守城。八旗軍五萬人攻城。城下積屍，幾與城平。羅一貴眼中一箭，繼續指揮。二十三日，矢盡彈絕，向北一拜，說：「臣力竭矣！」遂自刎。三千明軍，無一投降，全部殉國。城陷。接著，鎮武堡和閭陽驛也失陷。

八旗軍直奔廣寧。巡撫王化貞正在看軍報，參將江朝棟闖進來說：「事急矣，快走！」他們奔向馬廄，馬被竊走，只餘下駱駝。用駱駝馱著四個箱子，走到城門。城門已被叛兵把持，阻止其出城。打開箱子，裡面沒有金銀，只有文書。叛兵打破王化貞的臉，王化貞逃出。

二十四日，後金得到探報：廣寧守軍散逃，成為一座空城。努爾哈赤怕中空城計。命再探。廣寧生員士紳等來說：確實是空城。努爾哈赤仍有懷疑，派大貝勒代善等再探。代善帶人進城考察，回報：明軍確已逃走，無兵守城。二十五日，努爾哈赤才率軍進駐廣寧城。

接著，後金軍連陷遼西四十餘座城堡，直到寧遠（興城）以北。遼西糧食、牲畜、人口被掠入後金。

於是，在一年之間，明朝整個遼東地區落入後金之手。後經努爾哈赤之子皇太極的經營，原明朝遼東都司（山東北部除外）和奴兒干都司轄境區域，約三百萬平方公里的土地和部民，全部歸後金所有。

天啟小皇帝剛即位，就讓努爾哈赤給了一個下馬威。

第54講

寧錦大捷

明天啟六年（一六二六）努爾哈赤兵犯寧遠，七年（一六二七）皇太極兵犯寧遠和錦州，均遭慘敗。明軍獲得大勝，史稱「寧錦大捷」。

寧遠大捷

努爾哈赤既獲得奪取瀋陽、遼陽和廣寧的巨大勝利，又遭遇漢民反抗和嚴重旱災的巨大困難，怎麼辦？聰明統治者的辦法是發動戰爭，緩和內部矛盾，搶掠糧食吃飯。

天啟六年（一六二六）正月，努爾哈赤親率八旗大軍，指向袁崇煥堅守的寧遠（今遼寧省興城市）。明遼東經略高第，閹黨分子，膽小如鼠，命令自錦州到山海關，軍民全部撤退到山海關以內。婦孺老病，背鄉離井，死屍載道，一片悲聲。寧前道袁崇煥卻堅決不撤，率領兵民萬人，守衛寧遠。高第命令他撤，他說：「我寧前道也，官此，當死此，我

清太祖努爾哈赤像

袁崇煥像

必不去。」（《明史．袁崇煥傳》）別人說他兵單勢薄，他說：「獨臥孤城以擋虜耳！」拒絕經略高第的錯誤指揮。

戰前，袁崇煥率領軍民修繕城池，堅壁清野，清查內奸，部署紅夷大砲。剛部署完，後金軍號稱二十萬大軍到寧遠，一場大戰，即將開始。

二十三日，後金軍四面圍城。袁崇煥指揮從城上放紅夷大砲，「一砲殲敵數百」。後金收軍回營。

二十四日，後金官兵用楯車推著兵士，靠近城牆挖城打洞。袁崇煥親自帶勇士從城上用鐵絲吊火球順下燒後金挖城士兵。後金穴洞攻城，又遭失敗。城上施放紅夷大砲，砲打之處，一片火海，八旗官兵，死傷遍野。兵士搶運屍體，到遠處磚窯焚化。天晚，後金軍撤回大營。

二十五日，努爾哈赤親自督戰，後金軍再度蜂擁攻城。八旗兵退縮不敢前進，巴雅刺（護軍）揮刀督陣，兵士進而再退，退而再進。突然，火砲再擊，所擊之處，一道火海，八旗官兵，人仰馬翻。突然，哭聲一片。從城上遙望，一員大將受傷，用皮革包裹，眾兵抬著，號哭奔逃。這個受傷的大員，有人認為就是後金軍統帥努爾哈赤。

二十六日，後金軍一部繼續攻城、掩護撤退，一部涉冰渡海，燒略覺華島。

寧遠之戰，以明軍勝利、後金軍失敗而結束。

努爾哈赤因被砲擊傷，當時消炎藥不行，便以溫泉療傷，可能感染敗血症，同年八月十一日，一代雄傑天命汗努爾哈赤死亡。

努爾哈赤第八子皇太極繼承汗位。皇太極為雪父之仇，也為鞏固汗位，又策劃發動進攻寧遠和錦州的寧錦之戰。

寧錦大捷

明軍取得寧遠大捷後，天啟帝提拔袁崇煥為遼東巡撫，山海關——寧遠——錦州，組成一條關寧錦防線。遼東經略王之臣駐山海關，巡撫袁崇煥駐寧遠，總兵趙率教駐錦州，分兵禦守，互相援應。寧錦之戰分為兩個戰場：錦州和寧遠。

錦州激戰。天啟七年（一六二七）五月十一日，皇太極率領八旗軍，分左、中、右三路，指向後金軍進入遼西走廊的第一座堅城——錦州。

十一日，後金軍兵臨錦州城下，距城一里，安營布兵，包圍錦州。皇太極先派人招降，明守城總兵趙率教應付、和談、拖延。第二天，皇太極率軍攻城，趙率教督兵嚴守。皇太極戰不勝，又和談；談不成，再攻城。和戰交替，半個多月。趙率教堅持「憑堅城」、不出戰。這是袁崇煥指示他吸取瀋陽賀世賢、遼陽袁應泰的教訓。皇太極見錦州城攻不下，便留下部分軍隊繼續圍困錦州，親率主力去攻寧遠。

寧遠激戰。二十八日，後金軍進抵寧遠。皇太極說：

> 昔皇考太祖攻寧遠，不克；今我攻錦州，又未克。似此野戰之兵，尚不能勝，其何以張中國威耶！（《清太宗實錄》卷三）

袁崇煥派出名將滿桂率精銳出城，背依堅城，上有火砲，兩軍馳突，馬頸相交，矢鏃紛飛，砲火配合，明軍驍勇殺敵，後金軍招架不住，先退縮，再撤退。明軍跟進，追殺不放，敵軍大敗，退回錦州。

皇太極率軍退回錦州後，發動八旗官兵，再次攻打錦州城。明軍全面禦守，施放砲灰，八旗不敵，敗下陣來。

總計，寧錦之戰，先錦州，後寧遠，再錦州，明軍官兵，人人敢死，大小數十戰，敵敗而去。這是「數十年未有之武功也！」（《袁督師事蹟》）

歷史啟示

明軍為什麼能戰勝後金軍？

自明萬曆四十六年（一六一八）努爾哈赤向明朝挑起戰爭以來，到天啟六年（一六二六），八年以來，明朝一失撫順，二失清河，三失開原，四失鐵嶺，五失瀋陽，六失遼陽，七失廣寧，八失義州，沒有打過一次勝仗。而這次寧錦之戰，卻恰恰相反，後金一敗再敗，而明軍一勝再勝。人們不禁要問：這是為什麼？後金軍連著攻陷八座城池，這又是為什麼！

當然兩軍勝敗的原因是複雜的、多元的；但是，真理是樸素的、簡明的——明軍之長是「憑堅城，用大砲」，之短是野戰爭鋒、馬頸相交；後金軍之長是「集中兵力，騎兵衝突、拚死決鬥、速戰速決」，之短是攻占堅城。

明朝遼東巡撫袁崇煥的高明之處是：「憑堅城，用大砲」，以己之長，擊敵之短；而瀋陽賀世賢、遼陽袁應泰、廣寧王化貞等都犯下以己之短、攻敵之長的錯誤。這些是明軍取得寧遠大捷和寧錦大捷的基本原因，也是明軍連失八城的基本教訓。當然，軍隊的後面是政治，明廷君主無能、政治腐敗是其遼東最後敗局的根本原因。

第55講

天啟張后

明朝皇后的挑選、生活和命運是怎樣的呢？本講選擇明熹宗天啟帝的皇后張嫣，作為一個典型例子，來看她是怎樣度過其作為皇后的一生的。

皇后挑選

明朝皇后挑選，是在全國海選。

明熹宗天啟帝的皇后張氏，名嫣，祥符（今在河南省開封市）人。她的父親張國紀為生員。張皇后出生，有一個傳說：張國紀家很窮，早上起來出去，見道旁有一個丟棄的女嬰，躺在霜雪中，沒有死，也不哭，很奇怪。這時有一位和尚路過，跟張國紀說：「此女當大貴，可收養之。」張國紀便抱起這個棄嬰回家撫養。時間是萬曆三十五年（一六〇七）十月初六日，這個女嬰就是後來的張嫣皇后。

張嫣小時候純潔嫻靜，笑不露齒。七歲時，或灑掃庭院，洗衣做飯，或習做女紅，閱覽書史。十三、四歲，窈窕端麗，絕世無雙。

天啟元年（一六二一）三月，天啟帝詔選天下十三到十六歲的淑女。張嫣隨參選的淑女約五千人，到了北京，經歷初選、複選、終選等複雜過程。

天啟帝循照祖制，命禮部，選淑女，擇為后，充正宮（《明熹宗實錄》卷六）。首先，分遣太監初選，每百人一組，內監觀察其高、矮、胖、瘦，落選者千人；其次，太監察視淑女的耳、目、口、鼻、髮、膚、腰、領、肩、背、聲音等，有一項不合法相者，去之，落選者又二千人；又其次，由太監拿量器，測量女子的手足，量完後讓她們分別周行數十步，以觀其丰度等，淘汰者復千人。再次，遣老宮娥引淑女到密室，探其乳，嗅其腋，捫其肌理，入選者得三百人。最後是，在宮中考察其性情、詩書、修養等，入選者僅五十人（《明懿安皇后外傳》）。從海選得到的五千人，再經過多次篩選，最後選中五十人，真可謂百裡挑一。

司禮監秉筆太監劉克敬，總理皇帝選后之事。後宮由住在慈寧宮的劉太妃（萬曆帝的劉昭妃），掌管太后寶璽。最後由天啟帝欽定。

初試：劉克敬主持，查其書法、口算、詩詞、音樂、歌舞等，測評文化素養，從中選中三人，就是張嫣、王氏和段氏。這三人，「面如觀音，色若朝霞映雪，又如芙蓉出水；鬢如春雲，眼如秋波，口若朱櫻，鼻如懸膽，皓齒細潔，上下三十有八，豐頤廣顙，倩輔宜人；頸白而長，肩圓而正，背厚而平；行步如青雲之出遠岫，吐音如流水之滴幽泉；不痔不瘍，無黑子創陷諸病。」（《明懿安皇后外傳》）上面的描述有點像小說家言，但可以反映出那個時代的審美情趣和健美標準。

複試：由宮女引張氏到密室，由劉太妃進行複試。

前文述及劉太妃選出三人，是在什麼地方選的呢？《明實錄》記作元輝殿。在元輝殿選定的三人，暫居此殿，以待欽定（劉若愚《酌中志》卷十七）。

欽定：最後將張嫣引見到天啟帝面前，天啟帝非常喜歡張嫣。這年張嫣十五歲，長得身體修長、豐滿、清爽、秀麗。欽定：張氏為皇后，王氏和段氏為皇妃。

端莊皇后

天啟元年（一六二一）四月二十七日，天啟帝與張皇后大婚，時天啟帝十七歲，張皇后十五歲。張皇后因得寵愛，而受到客氏和魏忠賢的嫉恨。因此，張皇后在坤寧宮並不安寧，未能躲過「三災六難」。「三災」包括：

小人難防，險遭傷害。魏忠賢用萬金招募一個大盜，夜裡潛入坤寧宮。夜晚，皇后關門，將就寢，卸妝後，坐在紫檀馬桶上。突然聽到聲音，見賊影晃動，皇后一聲喊，賊驚嚇墜地。皇后驚起，呼召宮人，以繩縛賊，將奏交天啟帝處置。魏忠賢害怕，請交給他處理後命錦衣衛殺之。

客、魏設計，受到誣陷。當時有個孫二，犯重罪，在獄中。魏忠賢以出獄和重金為誘餌，設計孫二編造張皇后為自己所生，給張國紀為養女。客氏又在宮中散布流言，並對天啟帝說：罪人孫二之女，不宜玷辱宮闈。天啟帝曾懷疑，幾次打算廢后。天啟帝到坤寧宮見皇后，又戀戀不捨，便開玩笑說：「你是重犯孫二之女嗎？」皇后答道：「皇上若信浮言，妾豈敢久辱宮禁，願早賜廢斥。」張后起身進入內室，天啟帝跟過去道歉。兩人對坐御膳，和睦如初。

懷孕墮胎，失去元子。天啟三年（一六二三），張皇后懷孕。客、魏設法使皇后墮胎，天啟帝竟然失去元子。

張后闖過「三災」，又有「六難」。

水火不容，以正對邪。張皇后與天啟帝的乳母客氏為天敵。客氏見天啟帝寵愛中宮皇后，內心嫉妒，非常不悅，常詰問天啟帝：「陛下取少艾而忘我乎！」意思是您娶了美貌少女而忘了我耶！客氏過生日，天啟帝親往祝壽，酣飲三日，笙歌喧慶。但皇后千秋節（生日），宮中冷清。

拒看內操，嚴守宮範。一天，天啟帝召皇后一同觀看內操，就是太監和宮女共同操練。天啟帝親自為將，一列是宦官三百人，繪製龍旗，迎風招展，列隊於左；另一列是宮女三百人，繪製鳳旗，排列整齊，列隊於右。皇后一看，說是有病，退席先回。

坤寧宮

清靜身心，自愛自重。天啟帝常攜帶「房中藥」（春藥）到坤寧宮，皇后收起來投入井中。她勸天啟帝說：聖上身體清弱，宜為宗社自愛。張皇后在宮中，正襟端坐，暑不揮扇。

設計調包，魏氏攝政。天啟帝患病，病情危重。這時，魏忠賢想讓張皇后假裝懷孕，取他姪子魏良卿的兒子為皇后的兒子，張皇后垂簾聽政，立魏良卿為攝政，等兒子長大再立。張皇后說：我從命也死，不從命也死，若不從命而死，可以見列祖列宗在天之靈！堅決拒絕！

天啟臨終，以正相待。天啟七年（一六二七）五月初六日，天啟帝病。到七月末，移居懋勤殿。每召皇后侍疾。到八月十八日，病危。

勸立信王，穩定大局。天啟帝病危，張皇后勸其立信王朱由檢。天啟帝召信王朱由檢入宮受遺命。天啟帝指著皇后說：「中宮配朕七年，每正言匡諫，獲益頗多。今年少嫠居，良可矜憫，吾弟宜善視之。」信王點頭。皇帝崩。張皇后傳遺詔，信王朱由檢即位，這就是崇禎帝。

逛一逛

懋勤殿

明嘉靖十四年（一五三五）建於乾清宮西廡，與東廡端凝殿相對。取「懋學勤政」之義。藏貯圖史書籍。清沿明制，凡圖書翰墨之具皆貯於此。

懿安皇后

崇禎帝繼位後，「上熹宗皇后張氏曰懿安皇后，仍居慈慶宮，頒詔於天下」。懿安皇后喜歡讀書，也愛寫字，臨摹顏體，書法秀勁。又選擇聰明知書的宮女，給她朗讀唐詩宋詞，長夜孤燈，靜心學習。她還喜歡女紅，用白綾製衣如鶴氅式，穿上禮佛敬香，在宮中被稱為「霓裳羽衣」，受到妃嬪和宮女們的讚賞。

天啟帝死後，二十一歲年輕美麗的懿安皇后，竟被大太監陳德潤暗想和她成為「對食」——明宮沒有兒子的妃嬪、選侍等，有的以太監為伴侶，叫作「對食」，或「菜戶」。他們如同一家，貌似夫婦。魏忠賢餘黨、總管太監陳德潤有個詭計。一日，皇后晨起，宮人說：「宮監陳德潤，人品清雅，性亦謹厚，皇后何不召之入侍，使為菜戶，用破岑寄，諸事有所倚託？」（《明懿安皇后外傳》）懿安皇后奏報崇禎帝，命貶陳德潤到南京明孝陵去種菜。

崇禎十七年（一六四四）三月十八日，李自成軍隊攻陷京師外城。當天，崇禎帝和皇后自縊死。十九日，宮內傳言，內城已陷。宮女哭聲如雷，紛紛奔出宮門。懿安皇后自縊，但被宮女解救，自殺未遂。

懿安皇后的結局，《明史．后妃傳》記載：「李自成陷都城，後自縊。」還有三說：一說，逃到民間；二說，隨李自成西去；三說，被李自成軍師李岩解救後自縊。

天啟帝張皇后的一生，既是榮華富貴的一生，又是悲慘結局的一生。從十五歲到三十八歲，作為皇后和懿安皇后，她自然是享盡榮華富貴，卻又無法左右自己的命運。她，幼年淒苦，青年喪夫，盛年遭變，自縊身亡，在悲喜交織的命運中，度過了短暫的一生。

第56講

九次落榜

這裡講一個跟故宮有密切關係的人物，就是十次考進士、九次落榜，第十次高中狀元的文震孟。

名門之後

文震孟（一五七四～一六三六年），長洲（今在江蘇省蘇州市）人，出身於名門之家。高祖文林，官溫州知府，是位清官，死後缺錢喪葬，吏民湊錢千金，幫助辦理喪事，但文林之子、其曾祖文徵明，時年十六歲，卻婉言謝絕。於是，官民修建「卻金亭」進行紀念。

他的曾祖文徵明（一四七〇～一五五九年），小時候並不聰慧，但肯於用功學習。臨《千字文》，每天寫十本。向當時著名的文學家吳寬學文學、書法家李應禎學書法、畫家沈周學繪畫，這些人都是他高祖的朋友。文徵明既學習用功，卓有成就，又為人謙和，受到尊重，與祝允明、唐寅、徐禎卿齊名，被譽為「吳中四才子」。他家結交的，都是當代文人名流，正像劉禹錫〈陋室銘〉所說：「談笑有鴻儒，往來無白丁。」濃郁的文化氛圍，是文家的第一個家風特點。

文徵明潛心於詩文書畫，生活並不寬裕。巡撫俞諫曾「治水蘇、杭諸府，修治圩塘，民享其利」（《明史．俞諫傳》），官聲很好，想送他錢，便指著文徵明身上穿的藍衫說：「敝至此邪？」意思是衣服這樣破舊啊？文徵明裝作沒聽明白，說：「遭雨敝耳。」意思是因遭雨才這樣子。俞諫竟然不敢再提饋贈金銀的事。還有，寧王朱宸濠寫信用重金聘任他，他以有病為由未去。正直的品格，是文家的第二個家風特點。

正德末年，巡撫李充嗣推薦，奏授文徵明為翰林院待詔。嘉靖初，參與編修《明武宗實錄》，並侍講經筵，還受賞賜，但文徵明覺得不自在，乞請回鄉里。這在當時是一種士人風氣，如柯維騏中進士後，五十年未嘗一日服官。中間經歷倭寇騷擾，廬舍焚毀，家庭貧困，堅持讀書。「世味無所嗜，惟嗜讀書。」（《明史．柯維騏傳》）無心官場，潛心詩文書畫，是文家的第三個家風特點。

文徵明聲名大震。外國使臣，路經吳門，遠望而拜，以未能見到文徵明為遺憾。四面八方，慕名人士，請詩文、求書畫，接踵於道，而富貴人不易得到一文片紙，文徵明尤其不肯給王府和太監做頌詩諛文。王爺以珠寶、文玩相贈文徵明，他不啟封，即退還。不攀附權貴，是文家的第四個家風特點。

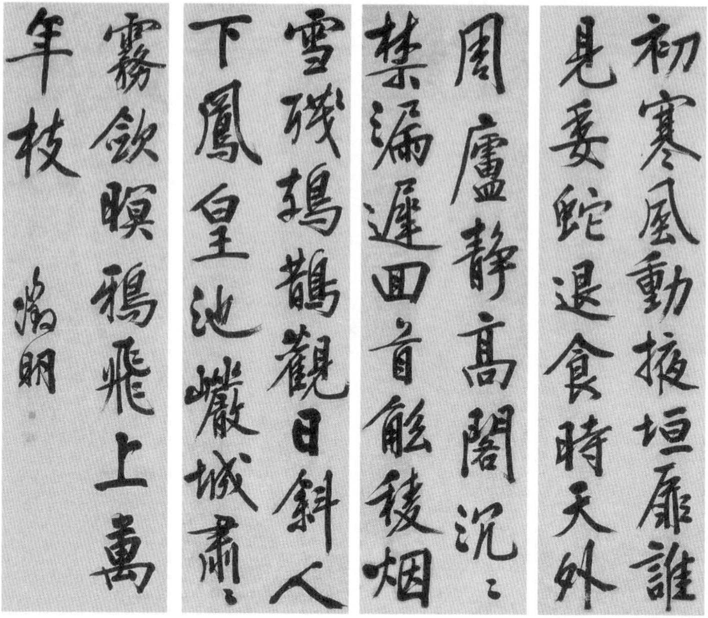

文徵明書法

徵明文墨，遍於天下。門下士子，四方人士，模仿之作，贗品太多，徵明不聞不問，聽之任之。博愛胸懷，是文家的第五個家風特點。

一代詩文書畫大家文徵明，於嘉靖三十八年（一五五九）病卒，年九十。

文徵明長子（文震孟的爺爺）文彭，為國子監博士。次子文嘉，能詩、工書、善畫，還長於篆刻（《明史．文徵明傳》）。文氏家族中出了多位男女詩文書畫名家，是名副其實的書香名門。

文震孟就是生長在這樣風骨清朗，飽潤涵養，長於詩文，尤精書畫的家庭氛圍裡。但他科場不順，十次科考，九挫不餒。

九挫不餒

文震孟既聰明，又好學。他家有書館，延請老師，教授子弟。一同讀書的，有同輩的叔伯兄弟，有姑舅表兄弟，也有其他同伴。

文震孟走上一條讀書科舉的仕途之路，不達目的，誓不罷休。先是考秀才，經過縣考、府考、院（省學政）考，都順利通過，成為生員。接著在既是省城、又是陪都的南京，科考舉人，也還順利，成為舉人。繼而，到北京參加更高級的考試。他先後經過十次科舉考試。

第一次趕考。他的家鄉長洲，今蘇州市吳中區，環境優美，交通便利。西北有著名的虎丘，臨近寒山寺，唐人張繼有一首〈楓橋夜泊〉：「月落烏啼霜滿天，江楓漁火對愁眠。姑蘇城外寒山寺，夜半鐘聲到客船。」傳遍大江南北。東有源出太湖的婁江，東南有京杭大運河。文震孟先參加禮部的會試，三場考試，順利結束。發榜一看，名落孫山。這對文震孟來說，是人生遇到的第一次沉重打擊。但他不服氣，繼續努力，準備再考。

第二次趕考。蘇州到北京，約三千里。好在不走旱路，而走水路，乘京杭運河船隻，晃晃蕩蕩，來到北京。來京士子，或暫寓親友，或棲居會館，或租房居住，或獨臥寺廟。他住的條件，可能稍好，但比家鄉，已差太多。經過嚴格檢查，入闈靜坐答卷。三場苦熬，又是落第。蘇州是進士輩出之地，文震孟兩次落榜，垂首回鄉，沒有面子。他雄心不減，打算再試。

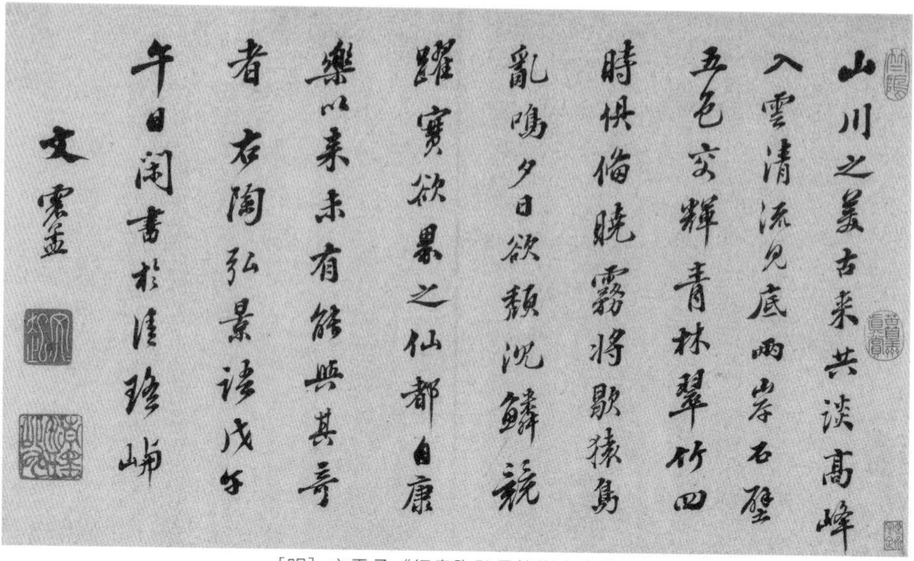
山川之美古來共談高峰
入雲清流見底兩岸石壁
五色交輝青林翠竹四
時俱備曉霧將歇猿鳥
亂鳴夕日欲頹沉鱗競
躍實欲界之仙都自康
樂以來未有能與其奇
者
文震孟

［明］文震孟《行書陶弘景答謝中書書》

第三次趕考。他到北京，無心遊山賞景，專心準備功課。這次，文震孟下決心定要榜上有名。發榜後，到皇城紅牆（今北京市勞動人民文化宮南門前）觀看，金榜無名。他索性在京多住幾天，逛宣武門外琉璃廠書肆，經史子集，文房四寶，鐘鼎彝器，歷代法帖，名人字畫，文物珍奇，琳琅滿目，無所不有。他見識增廣，信心增強，回到蘇州，繼續苦讀。

第四次，落榜；第五次，失敗；第六次，下第！這對一個讀書人來說，是人生最大的挫折，最重的打擊！其意志薄弱者，早已心灰意冷，在回家路上，悲傷病死的，落髮為僧的，轉事書畫的，放蕩不羈的，比比皆是，不一而足。但文震孟繼續讀書，準備再考。

第七次，落第；第八次，落第；第九

次，落第！他極度苦悶，卻不灰心。為排解胸中鬱悶，他暢遊香山臥佛寺、西山諸佛寺，體驗《孟子》的「天將降大任於是人也，必先苦其心志，勞其筋骨，餓其體膚，空乏其身，行拂亂其所為，所以動心忍性，曾益其所不能」。有曾祖文徵明應天府鄉試，七試不中的之經驗，要有「忍性」，要有耐性，更要有「韌性」，要百折不撓，要愈挫愈奮！文震孟繼續積極準備，參加第十次科考。

高中狀元

文震孟科考九挫不餒，到天啟二年（一六二二），第十次參加科舉考試，高中狀元，時四十九歲。授修撰，入翰林，任侍講，就是給皇帝講課。

當時魏忠賢專權，斥逐忠臣。文震孟氣憤，上〈勤政講學疏〉說：大小臣工，因循粉飾，官員上朝，長跪一諾，北面一揖，跪拜起立，如傀儡登場，這將使祖宗天下日銷月削。疏入，魏忠賢乘天啟帝看戲，摘錄疏中「傀儡登場」四字，說文震孟「比帝於偶人（傀儡）」，不殺無以示天下，帝頷之。一日，講筵畢，魏忠賢傳旨，廷杖震孟八十（《明史．文震孟傳》）。首輔葉向高、次輔韓爌力爭，言官上章疏救。文震孟被降級外調，又被斥為民。講官文震孟，敢講真話，敢犯天顏，時稱「真講官」。

崇禎元年（一六二八），懲治閹黨，起用正人，召文震孟入朝，官為侍讀，充日講官。

又遭閹黨餘孽的暗算。文震孟在講筵，態度嚴正，不畏邪惡，耿直規諷，營救大臣。後特擢文震孟為禮部左侍郎兼東閣大學士，入閣預政。他兩次疏辭，皇帝不許。司禮太監曹化淳雅慕文震孟，讓人轉話，表示敬意，但他就是不與太監往來。文震孟做大學士僅三個月，就遭小人暗算，被免官回鄉。僅半年，因外甥姚希孟之死，悲傷過度，卒，時年六十三。他有兩個兒子文秉、文乘，文秉留下《先撥志始》等著作，文乘則「遭國變，死於難」。

有一位學者叫柯維騏，花二十年時間著成《宋史新編》，他不滿近世學者樂徑易而憚積累的現象，特別重視務實，曾作左右二銘：「以辨心術、端趨向為實志，以存敬畏、密操履為實功，而其極則以宰理人物、成能天地為實用」（《明史．柯維騏傳》）。文徵明、文震孟都是重務實的學者。

文震孟科舉考試，九次落榜，第十次高中狀元，這給後人樹立一個典範：要有韌性，百折不撓，持之以恆，愈挫愈奮，才會成功。《明史》本傳評論文震孟說：「剛方貞介，有古大臣風。」蘇洵〈管仲論〉說：「夫功之成，非成於成之日，蓋必有所由起。」文震孟的功成，既源於家庭文化良好的環境，更源於自身堅韌不拔的性格。

第57講

崇禎之悲

明朝末代皇帝崇禎是一位悲劇人物。他童年喪母，剛愎獨斷，錯殺良臣，不僅斷了「中興」之夢，而且斷送了大明江山。

童年喪母

明清皇帝在乾清宮有多場悲劇，崇禎帝悲劇，是其中典型一例。北京有句民諺：北京城前三門，東崇文門崇禎帝亡明，西宣武門宣統帝亡清。當然，這是歷史巧合，也是後人附會。

崇禎帝朱由檢（一六一一～一六四四年），明代末帝，年號崇禎。他父親是泰昌帝，就是在位一個月的薄命皇帝，八月初一日隆重登極稱帝，九月初一日吞下紅丸歸天，演繹出「紅丸案」，三十九歲就死去。泰昌帝有七個兒子，其中五個兒子早殤，只剩下朱

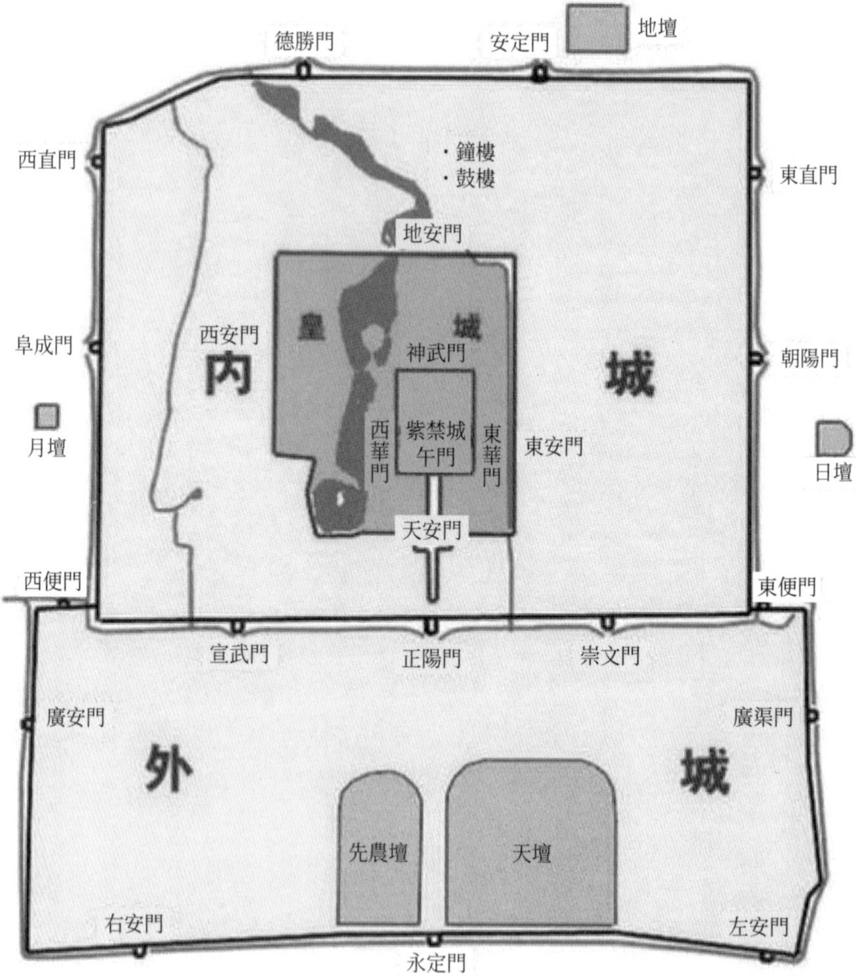
德勝門
安定門
地壇
西直門
鐘樓
鼓樓
東直門
地安門
皇
城
西安門
神武門
阜成門
朝陽門
內
城
月壇
西華門
紫禁城
午門
東華門
東安門
日壇
天安門
西便門
東便門
宣武門
正陽門
崇文門
廣安門
廣渠門
外
城
先農壇
天壇
右安門
左安門
永定門

京城九門

由校（天啟帝）和朱由檢（崇禎帝）兩位皇子。天啟帝朱由校十六歲繼位，在位七年，二十三歲死去。天啟帝死後沒有兒子繼位。按照朱明家法，「父死子繼」，「兄終弟及」，就是說父親死了兒子繼承，沒有兒子的由弟弟繼承。天啟帝沒有兒子，死後就由皇五弟朱由檢繼承，這就是崇禎帝。

看一看

京城九門

北京內城又稱「京城」、「大城」，內城有城門九座故又名「內九城」，由朝陽門、崇文門、正陽門、宣武門、阜成門、德勝門、安定門、東直門、西直門組成，古代官職「九門提督」中的「九門」正是指這九門。

朱由檢，天啟二年（一六二二）被封為信王。六年（一六二六）搬出皇宮，到信王府。七年（一六二七），天啟帝死，崇禎帝立。朱由檢做夢也沒有想到自己有一天能做皇帝，這一年他十七歲。

朱由檢當皇帝後，第一件事就是找他失去的母親。

崇禎帝的生母是怎麼回事呢？這要從泰昌帝的后妃說起。《明史・后妃傳》記載，泰昌帝生前一妃、五選侍，都是悲劇結局——太子妃郭氏未及封后就病死；天啟帝生母王選侍，也早死；東李選侍因魏忠賢亂政，憤鬱而死；西李選侍最得寵，因「毆崩聖母（天啟

崇禎帝行書「松風水月」橫額，鈐「廣運之寶」

帝生母）」和「移宮案」也沒有好結果；趙選侍，因得罪魏忠賢和客氏，被「矯旨賜自盡」，她「西向禮佛，痛哭自經死」；還有一位就是崇禎帝的生母劉選侍。

崇禎帝生母劉氏，海州（今江蘇省連雲港市海州區）人，後隸籍北京。初入宮，為淑女。萬曆三十九年（一六一一）十二月生朱由檢。崇禎帝的母親，宮裡稱作劉娘娘。不久，劉娘娘失寵，後因受到切責，驚嚇病死。泰昌帝朱常洛非常後悔，怕皇父萬曆帝知道，便將其祕密葬於西山。這一年，朱由檢五歲（虛歲）。稍長大後，朱由檢問身邊近侍：「西山有劉娘娘墳乎？」回答說：「有！」他派人祕密攜帶紙錢前往母親墳墓燒紙祭奠。

朱由檢做了皇帝，問左右宮女等人：我母親是什麼樣子？誰也說不上來。有傳懿記說自己和劉娘娘曾同為淑女，隔屋居住，知道劉娘娘長的模樣。於是照這位傅懿記的描述，由宮廷畫師畫了劉娘娘的像。像畫成，在隆重儀仗導引下，由正陽門經大明門，穿承天門過端門，迎往皇宮。崇禎帝在午門前，跪迎已故母親的畫像。崇禎帝見到母親畫像，悲痛欲絕，淚如泉湧：「帝雨泣，六宮皆泣。」（《明史．后妃傳》）朱由檢迎進母親畫像，將之懸掛在宮中。後來，宮中有人說所奉劉太后像「未肖」，就是不太像。崇禎帝派大太監到外公家，問七十五歲的外祖母徐氏。徐氏口授，繪像以進，左右都驚道：「肖。」崇禎帝大喜，命卜吉日，跪伏歸極門，迎入安奉於奉慈殿。朝夕上食，如其生時（《明史．劉文炳傳》）。從這件事可以看出，幼年喪母對他的傷害至深。崇禎帝童年失去母親是他人生的第一大悲。孤獨、驚恐的皇子生活，「三案」、複雜的宮廷糾葛，是形成崇禎帝剛愎自用、易怒多變性格的重要原因。

崇禎帝登極後，很想有所作為，中興大明皇朝。上任的第一板斧，砍向客、魏集團。這一舉措，既得心應手，又頗得人心，當時真是人心大快、大快人心啊！但是，關內的農民軍，關外的八旗軍，兩拳打擊，雙重困擾，導致崇禎帝內外交困，焦頭爛額。本來，崇禎帝有志向，還算勤政，應當在「中興之路」上一步一步地前進。但是，崇禎帝自以為是，剛愎自用，導致事與願違，演出悲劇。

剛愎獨斷

崇禎帝性格的一個重要特點是：剛愎自用，獨斷專行。崇禎帝認為，明朝覆亡原因，都由「諸臣誤朕」！他臨死還不認錯，也不自省。許多人同情崇禎帝，認為他是一個勤政之君。他的悲劇原因之一，在於「生不逢時」。崇禎帝登極後，殺了太監魏忠賢，卻起用太監高起潛等，對於宦官頑症，換湯不換藥，改革無決心，僅做個案處理，沒做制度改革。

崇禎十七年（一六四四），在嚴峻形勢面前，他重用太監：命太監高起潛監軍山海關，太監杜勳鎮守宣府，太監曹化淳守廣寧門（今廣安門），太監王承恩提督京師全城防守。杜勳到任宣府後，不久「降賊」。廷臣要追究責任，崇禎帝受太監假情報的蒙蔽，傳旨：「杜勳罵賊殉難，予蔭祠。」不僅不加懲治，還建廟宇祭祀。李自成帶著杜勳到廣寧門外，原在西安的秦王、在太原的晉王也被押在廣寧門外。杜勳在城下呼喊，要進城，見皇上。「物以類聚，人以群分。」守城的是太監，見城下呼喊的也是太監，就把杜勳用吊筐提到城牆上，同入大內。杜勳見崇禎帝，「盛稱賊勢，勸帝自為計」。崇禎帝左右大臣，請扣留他們，杜勳說：「不可，如果不返，則二王危。」於是，將他放出，還是用繩吊筐縋下。杜勳還在廣寧門做策反：「吾曹富貴固在也！」鼓動大家都投降。不久，農民軍攻打廣寧門，曹化淳打開城門投降，此是後話。崇禎帝用人的一大特點——對太監是三個字：信，信，信；對忠良大臣也是三個字：殺，殺，殺！

錯殺良臣

一殺王洽。明崇禎朝六部中的兵部，第一個下獄死的是兵部尚書王洽。王洽，臨邑（今在山東）人，萬曆進士。王洽貌美，魁偉英俊，威嚴「若神明」；清廉，「其廉能為一方最」，意思是他既廉潔，又能幹，是一方官吏中最為優秀的。崇禎元年（一六二八）十二月，王洽被任命為兵部尚書。他上任不到一年，就是崇禎二年（一六二九）十月，皇太極率八旗軍兵臨北京城下。侍郎周延儒說：「世宗斬一丁汝夔，將士震悚，強敵宵遁。」說的是，當年蒙古俺答兵臨北京城下，嘉靖帝下令將兵部尚書丁汝夔斬首後，官兵震動，敵軍撤退。周暗示這次皇太極兵臨城下，首要的是將兵部尚書王洽斬首，以振奮將士守城禦敵的決心。崇禎帝點頭，將王洽下獄。這位兵部尚書，上任不到一年，雖有責任，卻無死罪！第二年四月，王洽死於獄中，還要「論罪，復坐大辟」。就是說「病死」還要定「大辟」（死刑）之罪。在明代，病死的官員與受死刑死的官員是不一樣的，其死後評價、待遇、子孫科考、升遷等待遇也是不同的。

二殺袁崇煥。袁崇煥也是掛兵部尚書銜、薊遼督師，在皇太極率領八旗軍攻打北京城時，崇禎帝中皇太極「反間計」，惱羞成怒，不聽大臣懇請慎重，「敵在城下，非他時比」的諫言，先將袁崇煥下獄，後將袁崇煥淩遲處死。

三殺陳新甲。陳新甲，四川長壽（今重慶市長壽區）人，萬曆舉人，知曉邊事，史書稱他辦事幹練：「軍書旁午，裁答無滯。」崇禎十三年（一六四〇）正月，為兵部尚書。時南北交困，內外危機。崇禎帝開始祕密同皇太極進行議和。陳新甲為兵部尚書，受命遣使關外，負責這項工作。崇禎帝先後手寫書信數十封，交陳新甲同皇太極聯繫，崇禎帝覺得和談丟面子，此事祕密進行，告誡他千萬不能泄露。一日，陳新甲所派遣的兵部職方司郎中馬紹愉回京，以機密文件報告。陳新甲深夜看完報告後，沒有收起來，放在几案上。第二天早晨，陳新甲的家僮誤以為是塘報稿（「塘報」相當於現代的「內部簡報」），交付出去，進行抄傳。於是，朝廷上下，輿論譁然。陳新甲辯稱並不是自己擅自和談。崇禎帝大怒，將他下獄。崇禎十五年（一六四二）八月，將陳新甲凌遲處死（《明史・陳新甲傳》）。

崇禎朝十七年間，「易中樞十四人，皆不久獲罪」。王洽、袁崇煥、陳新甲三位兵部尚書都慘遭磔刑，千刀萬剮，不得全屍。崇禎帝剛愎自用，不聽諫言，專制獨斷，酷刑大臣，必自食其果。唐太宗說：用功不如用過。崇禎帝如有唐太宗的大度與胸懷，對王洽、袁崇煥、陳新甲等，不僅能用其功，而且能用其過，那麼，大明江山會是另一番局面，至少不會由他自己演出「末日瘋狂」的悲劇。

第58講

末日輓歌

崇禎十七年（一六四四），明朝在大清和大順兩面夾擊下，岌岌可危。東閣大學士李建泰代崇禎帝出征，無異於給皇帝和朝廷打了一針強心劑，演出一曲明朝末日的輓歌。

慷慨請命

崇禎十七年（一六四四）正月，李自成軍隊進逼山西。崇禎帝臨朝嘆息說：「朕非亡國之君，事事皆亡國之象。祖宗櫛風沐雨之天下，一朝失之，何面目見於地下！朕願督師親決一戰，身死沙場無所恨，但死不瞑目耳！」（《明史．李建泰傳》）說完痛哭起來。

李建泰見狀慨然說：臣家曲沃，願意用家產充當軍餉，不用官家發錢，請求帶兵西征！李建泰，山西曲沃人。天啟五年（一六二五）進士。國子監祭酒，頗著聲望。崇禎

太廟

十六年（一六四三）五月，升為吏部右侍郎。十一月，以本官兼東閣大學士，疏陳時政切要十事，帝皆允行。當李自成逼山西，李建泰慮家鄉被禍，而家富於資，可藉以佐軍，常與同官言之。所以當他看到崇禎帝流著眼淚說要親征時，便站了出來，說出前面的話。

崇禎帝大喜，對李建泰慰勞再三，說：「卿若行，朕仿古推轂禮。」古推轂禮，說的是周文王姬昌為禮賢下士，把自己的鑾輿讓給姜太公（姜子牙）坐，並親自為姜子牙拉轠繩、手推車，表示對下屬的優禮。李建泰退下後，便請恢復原御史衛楨固的官；授進士凌駉為職方司主事，並監軍；參將郭中傑為副總兵，率領中軍；推薦進士石嶐，聯絡延綏、寧夏、甘州、固原的義士，征討立功。崇禎帝一概應允。還特別加封李建泰為兵部尚書，賜尚方劍，便宜從事。

二十六日，舉行遣將典禮，就是出征餞行儀式。首先由駙馬都尉萬煒以特牲告太廟。萬煒是萬曆帝親妹妹瑞安大長公主的駙馬，七十多歲，官至太傅，掌宗人府大印。嘗以親臣侍經筵，每逢皇帝在文華殿進講，他佩刀侍衛在側。李建泰西征，命萬煒以太牢──豬、牛、羊告祭太廟。安排這樣一位地位崇高的皇帝姻親告祭太廟，可見崇禎帝對李建泰出征是非常重視的。

快到正午，崇禎帝登上正陽門城樓。衛士東西對列，從午門一直排到正陽門外，旌旗甲仗，蔚為壯觀。內閣、五軍都督府、六部、都察院、掌印官及京營文武大臣，冠服整齊，侍立兩側，鴻臚寺派人贊禮，御史負責糾儀，可謂隆重之至。一個即將覆亡的皇朝，同敵人勇敢作戰雖不行，擺擺架勢唬人倒還可以。李建泰上前辭行，崇禎帝獎勞有加，賜盛宴。御席居中，諸臣陪侍，崇禎帝親自用金酒壺盛酒，給李建泰斟了三杯酒，還賜他手敕，上書「代朕親征」四個大字。宴會結束後，太監為他披紅戴花。在鼓樂聲中，李建泰身佩尚方劍，帶隊出征。這是明朝最後一支從京師出征的隊伍，寄託了崇禎帝太深切的期待。所以他才會用如此隆重的禮儀，為李建泰餞行。崇禎帝目送很久很久，才返駕回宮。大明朝的國運，崇禎帝的希望，都寄託於李建泰之軍旗開得勝，保江山永固。

攻破定興

當天大風揚沙，占卜的卦辭說「不利行師」。李建泰率部才走出幾里路，所坐的轎子忽然轎槓折斷，大家都覺得這是不祥之兆，剛被鼓起的士氣立即消散。雖然李建泰這次調來了自己認為中意的下屬，甚至西洋人湯若望都隨軍出征，負責火攻水戰，但行軍到京南五十餘公里的涿州，出征大軍就逃散了三千多人。不久「兵食並絀，所攜止五百人」。

這時，李建泰驚聞李自成已打到山西，老家曲沃陷落，家中資財，散失一空，預期的糧餉打了水漂。他這一驚一急就病了，軍隊行動，慢了下來，每天不過走三十里，官兵還在紛紛逃散。

走到定興，守城知縣一連三天，不准李建泰入城，並有一番對話。

問：大軍不向敵，為何要進城？

答：軍隊沒糧食，進城要糧銀！

問：城裡沒有糧食和金銀！

答：如不開門，我要攻城！

李建泰惱羞成怒，下令官兵攻城。這支出征大軍，與農民軍作戰不行，攻自己城池還滿行。城攻破後，殺死鄉紳，鞭笞知縣。堂堂宰輔兼督師的李建泰，出京第一仗，竟然是攻打自家縣城，竟然屠殺天朝庶民，竟然鞭笞自家知縣，竟然搶掠百姓糧米，完全違背出師初衷！

躲進保定

後來，李建泰率軍到距離北京百餘公里的保定府，殘兵數百，請求入城。守城的同知邵宗元不答應，李建泰就拿出頒賜的印信給他看。邵宗元說：「你獲得過天子的厚恩，皇上曾經親自登上正陽門，賜給你尚方寶劍，還給你斟酒，為你餞別。如今你不代皇上西征，卻要叩關避賊嗎？」一番話刺到了李建泰痛處，他大聲斥責邵宗元，還舉起尚方寶劍威脅他。堂堂尚方寶劍，拔出鞘頭一遭，竟指向忠臣良將！幸好城上有人認識李建泰，這才放他進來，否則李建泰怕要重演攻打定興的鬧劇。

這時李自成軍前鋒已逼近保定，李建泰根本不敢前去攔擊，只能蝸居保定城中。不久城陷，知府何復、鄉官張羅彥等自殺。李建泰自刎不果，為李自成軍俘獲。後來李自成軍失敗，李建泰降清，被清召為內院大學士。三年後，李建泰因「受贓」罷官回家。後在故明大同總兵姜瓖降清又叛清時，李建泰在家鄉曲沃與他遙相呼應。順治七年（一六五〇）李建泰兵敗被擒。這次清廷沒有寬容李建泰，而下令把李建泰殺掉（《清世祖實錄》卷四十七）。

崇禎帝未曾想到：他在正陽門城樓上為大學士李建泰的「三賜」——其一，賜書「代朕親征」，寄以重託，李建泰卻攻打自家城池、鞭撻自家臣民；其二，金壺賜酒，親為餞行，李建泰卻違背初衷，投降求生；其三，賜尚方寶劍，鼓勵殺敵，李建泰卻做了清朝的內院大學士！

崇禎帝夢想的是，扶大廈之將傾，救江山於危殆；崇禎帝沒想到的是，李建泰演出了一幕幕鬧劇，奏出了一曲曲哀歌。此後，明朝再也沒有實力派兵出征了，皇宮危在旦夕。

第59講

煤山自縊

崇禎十七年（一六四四）春，中國政治舞臺上主要有三股軍事、政治勢力：第一股是以朱由檢為代表的大明，第二股是以多爾袞為代表的大清，第三股是以李自成為代表的大順。大明、大清、大順三股軍政勢力，到甲申年，也就是崇禎十七年（一六四四）春，進行了一場決定中國歷史命運的大決戰。三月十八日，天濛濛亮，隨著李自成軍攻破北京城廣寧門（今廣安門），皇宮內外上演了一場歷史悲劇。

崇禎末日

崇禎帝曾想喬裝逃出北京，但沒有成功；也曾祕密召見舅表兄弟劉文炳和妹夫鞏永固，謀劃巷戰，但都沒有家丁。萬般無奈，崇禎帝抱著必死的決心，回到後宮，他像瘋子一樣，揮劍砍殺妻女。

昭仁殿（匾）

逛一逛

昭仁殿

乾清宮東小殿，南向三間，明代所建。明崇禎帝自縊前，在此砍殺其女昭仁公主。東邊是龍光門，可以直通東一長街。

一**殺皇后**。崇禎帝對周皇后說：「大事去矣！」周后跪下磕頭說：「妾事陛下十有八年，卒不聽一語，至有今日。」周皇后先撫慰三個兒子，然後派太監將兒子送出宮，到外公家。然後回到屋裡，哭泣著關上門。一會兒，宮女出來奏報：「皇后領旨！」大明崇禎皇帝的周皇后被逼自殺了！

二**殺貴妃**。崇禎帝逼周皇后自殺後，又逼寵愛的袁貴妃自殺。袁貴妃被逼無奈，上吊自殺，但吊帶斷了，又甦醒過來。崇禎帝見袁貴妃沒死，揮劍砍在她的肩上。崇禎帝又揮劍砍他的數位妃嬪，有的被砍死，有的被砍傷。

三殺公主。崇禎帝有六個女兒，前已經死去四位，此時還有兩位公主。一位是長平公主，十六歲，已經與周顯訂婚，因北京告警，便暫緩婚期。這天，崇禎帝提著寶劍，來到長平公主居住的壽寧宮。長平公主聽說城已陷落，皇后上吊自殺，正驚恐萬狀，見皇父來到宮裡，便急忙牽拉皇父的衣服，哭哭啼啼，哀求庇護。崇禎帝說：「汝何故生我家！」不等女兒回答，便舉劍砍向長平公主。一劍揮去，砍斷左臂。可憐長平公主，連驚帶嚇，出血過多，昏迷了五天。後清順治帝進京，長平公主請求出家為尼，清帝不許，命周顯仍娶公主，並賜給土地、府邸、車馬、金錢等。一年後憂病而死（《明史·公主傳》）。另一位是昭仁公主，崇禎帝來到昭仁殿，又揮劍砍向可憐的小昭仁公主！

最後自殺。第二天，崇禎十七年（一六四四）三月十九日黎明時，內城失陷。崇禎帝在萬歲山（今景山），自縊而死，太監王承恩從死。崇禎帝御書衣襟曰：

> 朕涼德藐躬，上干天咎，然皆諸臣誤朕。朕死無面目見祖宗，自去冠冕，以髮覆面。任賊分裂，無傷百姓一人。（《明史·莊烈帝紀》）

崇禎帝死，大明朝亡。

崇禎皇帝自縊處

逛一逛

萬歲山（景山）

明清兩代皇家御苑。位於紫禁城北中軸線上。明永樂營建紫禁城時堆築，起初名為萬歲山，俗稱煤山，清順治十二年（一六五五）改稱景山。全園占地二十三公頃，山上五峰，主峰高四十三公尺，清乾隆十六年（一七五一）在五座山峰上建有五亭。辛亥革命後，景山作為公園於一九二八年對外開放。

太子下落

崇禎帝和周皇后臨死之前，派太監將太子朱慈烺和定王朱慈炯、永王朱慈照，送往他們外公周奎和田弘遇家。皇太子倉促到外公周奎家叩門，不得入，又到襄城伯李國禎家，家裡無人。這時太監將太子獻給農民軍，李自成封太子為宋王，但太子拒絕。李自成將太子交部下管押，許其穿著便服到東華門外大行帝后遺體前致哀。李自成兵敗撤出北京，太子被挾往潼關。李自成敗死後，太子被獻給清朝。多爾袞命周奎帶長平公主和見過太子的大臣前去辨認，周奎咬定太子是假的。長平公主開始說是真的，被周奎打了一下後，便不敢再開口。多爾袞找來一批前明太監去刑部辨認，他們說是真太子，但太監們當晚便都暴亡。又引宮廷侍衛來辨認，侍衛都對朱慈烺跪下，結果他們也被殺害。明朝大臣們則說太子是假的。太子老師內閣大學士謝陞也說太子是假的。第二年（一六四五）四月，獄中的「太子」以「假太子」罪名被處死。顯然，只要說太子是真的，自己的命就不保；而說太子是假的，太子就沒命了。面對生死選擇，太子的外公、老師、大臣都選擇了保自己的命。

明末清初，關於太子下落，沸沸揚揚，不知所從。官書記載，比較慎重。《明史》記載：「太子不知所終。」（《明史．諸王傳》）這是用了比較謹慎的官方曲筆。

外戚劉家

崇禎帝母親早逝，他當了皇帝以後，找到宛平外祖父劉家，給予厚待。外祖母徐氏，年七十，崇禎帝對內侍說：太夫人年紀老了還聰明善飯，如果我的母親健在，不知能活多大年紀呢！說著就流下眼淚。舅媽杜氏常跟孩子們說：咱們家無功德，因為劉太后的原因，才受皇帝大恩，須盡忠報天子。舅表兄弟劉文炳被封為新樂侯，弟劉文燿、劉文照也封爵。

十六日，李自成軍攻西直門，形勢緊急。劉文炳的朋友布衣黃尼麓倉促趕到，對劉文炳說：「城將陷，君宜自為計。」杜氏聽到，命丫鬟找出絛繩，做成七、八個環套，掛在樓上，又命男僕在樓下堆積柴薪，並派老僕將已經出嫁的女兒帶回家，說：「吾母女同死此。」又考慮太夫人徐氏年老，不可一同俱焚，便與劉文炳商量，藏匿在朋友申湛然家。

十八日，崇禎帝派內使祕密召見劉文炳和妹夫鞏永固。劉文炳回家報告母親說：「有詔召兒，兒不能事母。」母親撫摸著劉文炳的肩背說：太夫人已經安排好了，我與你的妻子、妹妹死也不怕！劉文炳和鞏永固再次來見崇禎帝，這時外城已陷。崇禎帝說：「二卿家丁，能巷戰否？」劉文炳說：「眾寡懸殊，不能對敵。」崇禎帝愕然。鞏永固奏道：「臣等已積薪第中，當闔門焚死，以報皇上。」崇禎帝說：「朕志決矣，朕不能守社稷，朕能死社稷。」劉文炳和鞏永固，悲愴涕泣，發誓效死，各馳歸第。

十九日，劉文炳弟弟文照正在侍奉母親杜氏吃飯，家人急入道：「城陷矣！」文照碗落地，直看母親。母親起身登樓，文照及二女隨從，文炳妻王氏也登樓。一家人對著崇禎帝母親徐太后像，劉母率眾哭拜，各自縊死。家人焚樓，人樓俱焚。

劉文炳歸來，火勢大，不得入，到後園，恰見申湛然、黃尼麓趕到，說：「鞏都尉已焚府第，自刎矣。」劉文炳說：「諾。」將投井，忽停止，說：「戎服也，不可見皇帝。」

申湛然脫下自己的頭巾給劉文炳戴上，劉文炳投井死。劉繼祖歸來，也投井死。劉繼祖妻左氏見大宅起火，登樓自焚死，妾董氏、李氏也自焚死。劉文燿見府第焚，大哭道：「今至此，何生為！」找到劉文炳死的地方，在井旁木板上書寫「左都督劉文燿同兄文炳畢命報國處」，也投井死，劉氏闔門死者四十二人。

崇禎帝的妹妹樂安公主，下嫁鞏永固。永固，字洪圖，宛平人，好讀書，負才氣。十八日，崇禎帝密召鞏永固及劉文炳護行。鞏永固叩頭言：「皇帝近親之臣家裡不藏武器，臣等難以空手搏鬥。」皆相向涕泣。十九日，都城陷。時公主已薨，未葬，永固以黃繩縛子女五人繫柩旁，曰：「此帝甥也，不可汙賊手。」舉劍自刎，闔室自焚死。

後申湛然被獲，軀體糜爛以死。被子孫們藏匿在申湛然家中的太夫人徐氏（崇禎帝外祖母），最後也是悲劇。

隆慶帝女兒瑞安大長公主，萬曆帝同母妹，崇禎帝的姑奶奶，其駙馬萬煒和兒子長祚都被農民軍殺死，長祚妻子和次子弘祚都投井死。

萬曆帝女兒壽寧公主，下嫁冉興讓。都城陷，冉興讓死於農民軍的戰火。

在生死關頭，崇禎帝選擇既不能守社稷，卻能死社稷，國破家破人亡。外戚劉家、鞏家等，國難當頭，雖不能率兵禦抗，卻做到以死報國。崇禎帝在吊死煤山之際，應當是有一絲寬慰的。

第60講

士人殉國

在明末清初，為維護明朝江山而殉難者，為反抗清朝入主而殉國者，據乾隆朝《欽定勝朝殉節諸臣錄》，共收錄明末殉節之士四千餘人。其人數之多，其悲壯之情，邁越前代，影響至今。僅舉張銓、孫承宗和史可法三個故事，其愛國精神，以見一斑。

忠節張銓

張銓（?~一六二一年），山西人，萬曆三十二年（一六〇四）進士（《明史》有兩個張銓，另一是安徽定遠人，隨朱元璋有戰功，封永定侯）。張銓任遼東巡按御史，同遼東經略袁應泰駐守遼東首府——遼陽城。城破被俘後，原撫順游擊、投降後被努爾哈赤招為額駙的李永芳前來勸降，張銓不予理會；天命汗努爾哈赤誘以高爵厚祿，張銓山立而不跪，就是像山一樣挺立，拒絕跪降。並聲言：「我身為天子大臣，豈能屈膝！」後金貝勒舉刀相逼，張銓引頸而待。問將他送回明朝如何？張銓說：「力不能殺賊，無顏求歸！」皇太極敬佩他的忠誠精神，引宋徽宗和欽宗做例子，說從前徽、欽二帝被大金天會帝所擒，屈膝叩見，受封公侯的故事，勸他不必執迷不悟。張銓仍不為所動，只求速死。他說：「我當今皇帝，天下一統，共主稱尊，我豈屈膝而損大國之體耶？」我受朝廷厚恩，如降你們，遺臭萬年。我有母有妻，還有五個兒子，你們要是生我，必致覆宗絕祀。「我一死之外，無他願也！」（《清太祖實錄》卷七）

最後，四貝勒皇太極見張銓志不可奪，命將張銓用繩勒死。但也有人說他是自縊而死。《明史．張銓傳》記載：「守三日，城破，被執不屈，欲殺之，引頸待刃，乃送歸署。銓衣冠向闕拜，又遙拜父母，遂自經。」崇禎帝下詔為他在北京宣武門外建祠祭祀。

忠心承宗

孫承宗（一五六三～一六三八年），今河北高陽人，相貌奇偉，鬍髯戟張。說起話來，聲音清亮。萬曆三十二年（一六〇四），高中榜眼。有謀略，大學士吳道南問他：「梃擊案」當怎麼辦？孫承宗說：「事關東宮，不可不問；事連貴妃，不可深問。龐保、劉成而下，不可不問也；龐保、劉成而上，不可深問也。」天啟帝即位，充日講官，就是皇帝老師。皇帝每聽承宗講課後，都說「心開」，就是講得精采。不久，官禮部侍郎。他還「知兵」，熟悉軍事。明失陷遼陽後，拜承宗為兵部尚書兼東閣大學士，仍兼帝師。廣寧失陷後，王在晉任兵部尚書、遼東經略，駐山海關，要在關外八里地方再建一座城，加強防守。六品小官袁崇煥反對，認為應在寧遠建城。王在晉不聽，袁崇煥便寫信給首輔葉向高，未回覆，再寫信。葉向高跟孫承宗商量，孫說我前去調查一下。首輔同意，皇帝准許。孫承宗騎馬出關，袁崇煥陪同，到中前所，城內僅存兩間破屋，滿目所見，一片淒涼，不禁潸然淚下。他登上城樓，向東北眺望，遙見寧遠形勢，「天設重關，以護神京」；他認為寧遠是山海關的天然「重關」，寧遠不可不守。回到關上，同王在晉有一段對話：

孫問：舊城外八里建新城，舊城外「品」字坑、地雷為敵人設，為自己設？新城如守不住，數萬新兵怎麼辦？

王答：將在山上建三個寨，以待潰卒！

孫問：兵未潰而築寨以待之，不是教他們潰敗嗎？

王答：兩座城比一座更保險。

孫說：不想恢復大計，而將關外屏障都撤掉，躲在關內圖一時安逸，遼東豈不被敵人控制？

王在晉雖無言以對，卻堅持在關外修築重城。孫承宗和王在晉推心置腹地談了七天七夜，王在晉仍不同意。但孫承宗、葉向高都支持袁崇煥主守寧遠的意見，並在給皇帝講課之暇，面奏所聞所見，順便說了一句：王在晉不堪重用。隨之，調走王在晉。遂有

孫承宗像

之後的寧遠大捷。

孫承宗在閹黨與東林黨的黨爭中，雖為人忠正，胸有韜略，又為帝師，然終被排擠，回到家鄉。

崇禎二年（一六二九）皇太極率軍入犯，進攻北京，孫承宗重被啟用，再任督師，經袁崇煥等軍民奮力，皇太極受挫回師，北京得以保全，並收復永平等四城，關內土地，得以完整。

崇禎十一年（一六三八），清睿親王多爾袞等率軍破長城、入內地，十一月初九日，清軍兵攻高陽。縣令雷之渤聞警先逃，告老還鄉的原大學士、兵部尚書、督師孫承宗，本無守土之責，卻率領全家兒孫、重孫、曾孫和鄉民，登城拒守，以示與城共存亡。清兵攻城不下將退去，環繞城牆，吶喊三周，守城兵民，也三次呼應。清軍說：「此城笑也，於法當破。」就是說呼喊時，帶著勝利的歡笑，這座城可以攻破。於是，清軍再次合圍高陽城。激戰一天一夜，城陷。大學士孫承宗被執，勸降。孫承宗說：「我天朝大臣，城亡與亡，死耳，無多言。」說完面北，望闕叩頭，投繯而死，年七十有六。隨之，其子、孫、從孫都戰死，婦女等自殺，闔府三十餘人，全都殉於社稷（《明史·孫承宗傳》）。

忠誠可法

史可法（一六〇二～一六四五年）字憲之，北京大興籍，祥符（今河南省開封市）人。可法短小精悍，目炯有光。崇禎元年（一六二八）進士，官鳳陽巡撫、南京兵部尚書，「廉信，與下均勞苦；軍行，士不飽不先食」，士兵都願意以死效力。

崇禎帝自縊後，鳳陽總督馬士英與阮大鋮計議，要立福王為君，張慎言等說：立福王朱由崧有七不可，即貪婪、荒淫、酗酒、不孝、虐下、不讀書、干預有司。史可法贊同。但還是立了福王。五月，議戰守。史可法說：「王宜素服郊次，發師北征，示天下以必報仇之義。」升史可法為禮部尚書兼東閣大學士，仍掌兵部。史可法請督師，出鎮淮安、揚州。史可法議分江北為四鎮，駐鎮揚州。

時朝廷上下極度混亂。為爭官位，殿堂之上，大吵大鬧，甚至拔刀互相追逐。史可法上疏：陛下……若躬謁二陵，親見泗、鳳蒿萊滿目，雞犬無聲，當益悲憤。願慎終如始，處深宮廣廈，則思東北諸陵魂魄之未安；享玉食大庖，則思東北諸陵麥飯之無展；膺圖受籙，則念先帝之集木馭朽，何以忽遘危亡？早朝晏罷，則念先帝之克儉克勤，何以卒隳大業？戰兢惕厲，無時怠荒，二祖列宗將默佑中興。若晏處東南，不思遠略，賢奸無辨，威斷不靈，老成投簪，豪傑裹足，祖宗怨恫，天命潛移，東南一隅未可保也。（《明史・史可法傳》）清軍南下，形勢嚴峻。史可法每繕寫奏疏，循環諷誦，聲淚俱下，聽到的人，無不感泣。

清順治二年（一六四五）正月，南明諸軍缺餉，諸軍皆饑。高傑到睢州，為許定國所殺。部兵大亂，屠掠睢州附近二百里殆盡。可法聞變，流涕頓足，嘆道：「中原不可為矣！」

清軍攻陷盱眙，援兵全軍敗沒。史可法連夜趕回揚州。城中人斬關出逃，舟楫一空。史可法傳檄援兵，無一至者。二十日，清兵至。明日，總兵李棲鳳拔營出降。揚州官民，分陴拒守。舊城西門險要，史可法奮自親守，並作書寄母妻說：「死葬我高皇帝陵側。」兩天後，清兵到揚州城下，砲擊城西北隅，城破。可法自刎未遂，被執。勸降，拒絕，被殺。揚州知府任民育、同知曲從直，江都知縣周志畏，兩淮鹽運使楊振熙等，都死於難。清軍因揚州兵民拚死抵抗，大肆屠殺，「揚州十日」，慘絕人寰，流傳至今。

揚州史可法祠

史可法德高品潔。他因功所加少保、太子太保、少師、太子太師等，全都力辭不受。他身為督師、兵部尚書、大學士，但「行不張蓋，食不重味，夏不箑，冬不裘，寢不解衣」。如除夕，寫文書到夜半，疲倦索酒。廚師報告：肉已分給將士，沒有下酒菜肴。他便取鹽粒豆豉佐酒。可法善飲，數斗不醉，但在軍中絕飲。是夕，進數十觥，伏思先帝，泫然淚下。

史可法面對敵軍，堅強不屈。壯烈殉難，無法尋屍。一年後，家人以他生前袍笏招魂，葬於揚州城外梅花嶺（《明史·史可法傳》）。有史公祠紀念。

《明史》贊道：「忠義奮發，提兵江滸，以當南北之衝，四鎮棋布，聯絡聲援，力圖興復。然而天方降割，權臣掣肘於內，悍將跋扈於外，遂致兵頓餉竭，疆圉日蹙，孤城不保，志決身殲，亦可悲矣！」有《史忠正公集》傳世。

第61講

改號大清

崇禎皇帝的天敵，分別是大順的李自成、大西的張獻忠和清朝的皇太極。下面講皇太極改國號後金為大清。

少年勵志

皇太極於明萬曆二十年（一五九二）出生在一個特殊的大家庭裡，生母和庶母有十六位，兄弟十六個、姊妹八個，還有許多堂兄弟。皇太極少年勵志，文武兼長。

女真人習俗，男兒五、六歲學習騎馬射箭，七、八歲就馳騁山林、挽弓射獵。皇太極像許多女真少年一樣，從小鍛鍊，嫻熟弓馬。史書記載他回憶兒時生活：「昔太祖時，我等聞明日出獵，即豫為調鷹蹴球。若不令往，泣請隨行。」每個人「牧馬披鞍，析薪自爨」。這番話反映了他青少年時受過艱苦的騎射訓練。史書又記載：「朕自幼隨太祖出獵，未嘗

清太宗皇太極像

奪人一獸；軍中所有俘獲，未嘗私隱一物。朕以存心正直，獲承天眷。」這說明皇太極在青少年時，極力培養自己「存心正直」的道德品格。

皇太極很幸運，在他七歲時，滿文創立，並開始推廣。努爾哈赤給兒子們請了師傅，教授滿文。皇太極是最早學會滿文的一批滿洲少年之一。那時，努爾哈赤身邊有一位浙江籍漢人，做漢文的文書工作。皇太極既學會滿文，也粗通漢文。朝鮮史籍記載：「聞胡將中惟紅歹是僅識字云。」紅歹是就是皇太極。所以，皇太極既精通滿文，也粗通漢文，在他的兄弟和諸將中算是文化素養最高的。

皇太極七歲之後，努爾哈赤就「委以一切家政，不煩指示，即能贊理，巨細悉當」。這段話可能有些誇大，但可說明皇太極青少年時就幫助父親處理家政。皇太極管理這個大家庭、處理各種複雜關係是很不容易的，說明皇太極在青少年時期受到了實際管理的鍛鍊。

有人覺得：皇太極出身帝王之家，子承父業，嗣承汗位應是順理成章的事情，其實不然。皇太極雖是努爾哈赤的第八子，但他繼承大位，歷程複雜，因他有六個不利條件。

第一，幼年喪母。皇太極的母親葉赫納拉氏孟古哲哲，十四歲嫁給三十歲的努爾哈赤。皇太極十二歲時喪母，是皇太極繼承大位的第一個不利條件。

第二，父親太忙。努爾哈赤起兵前十年，內憂外患，強敵四逼，日理萬機，無暇顧及，也沒有時間照顧他，皇太極少年生活有著極大困難。這是皇太極繼承大位的第二個不利條件。

第三，外公仇家。皇太極外公家葉赫部與建州部為敵。葉赫貝勒布寨曾糾合九部聯軍進攻建州，結果兵敗。有書記載：努爾哈赤下令將布寨屍體劈為兩半，一半歸還葉赫，一半留在建州。從此，葉赫與建州結下不共戴天之仇。這是皇太極繼承大位的第三個不利條件。

第四，排行居中。皇太極兄弟十六人，還有兩個堂兄弟（阿敏和濟爾哈朗），他既不居長，也不居幼。按滿洲習俗，居長榮立軍功，居幼則受到優待（如幼子繼承制）。皇太極卻是兩邊好處都沾不到。這是皇太極繼承大位的第四個不利條件。

第五，沒有同胞。皇太極的兄長，褚英與代善是一母同胞；他的五兄莽古爾泰，有胞弟德格類、胞妹莽古濟格格；他的十四弟多爾袞，既有胞兄阿濟格，又有胞弟多鐸。皇太極則頗為孤單，沒有同母兄弟擁戴他。這是皇太極繼承大位的第五個不利條件。

第六，母未封后。孟古哲哲生前沒有做大福晉，就是沒有皇后的名分。她的皇后位號是皇太極做大清皇帝後給追封的。皇太極既不是長子，又不是嫡子。這是皇太極繼承大位的第六個不利條件。

皇太極少年生活的六個不利因素，促使他養成了重要的品格：一是自立，既然失去一些依靠，只有靠自己勵志奮鬥；二是協調，他為了生存和發展，便要協調上下左右關係，爭取同情者和支持者；三是心計，在家庭兄弟、內外群臣複雜關係的夾縫中求生存、求發展；四是奮爭，學文習武，多立戰功，在父汗、兄弟和群臣中樹立威信。

謀略制勝

皇太極二十歲隨父征戰，不久成為主旗貝勒，參與國家機務。皇太極「勇力絕倫，頗多戰功」，二十四歲位列四大貝勒之一。皇太極，其騎射技藝，其文化素養，其管理才能，其辦事公允，其心計韜略，其地位威望，都是滿洲諸貝勒中的精英，有可能繼承努爾哈赤的大位。

但是，努爾哈赤身後的大位，由誰來繼承？當時沒有嫡長繼承制，女真人又有幼子繼承傳統。努爾哈赤為著鞏固權位，先幽死胞弟舒爾哈齊，又殺死長子褚英。他在天命朝前沒有立太子，臨終前也沒有留下傳位遺詔。他晚年宣布「汗諭」：實行八和碩貝勒共議制——由八大貝勒推舉新汗和廢黜大汗。努爾哈赤死後，屍骨未寒，汗位之爭，非常慘烈。當時諸貝勒中以四大貝勒——大貝勒代善、二貝勒阿敏、三貝勒莽古爾泰、四貝勒皇太極的權勢最大、地位最高；還有多爾袞和多鐸。皇太極在四大貝勒中，座次和年齒均列第四，為何能登上大位？

二貝勒阿敏是皇太極的堂兄，其父舒爾哈齊獲罪被圈禁而死，自己也犯下大過，自然沒有資格、也沒有條件爭奪大位繼承權。

三貝勒莽古爾泰是皇太極的五兄，有勇無謀，生性魯莽，軍力較弱。這種人，可做統兵大將，但沒有條件爭奪大位。

大貝勒代善有資格、有條件、也有可能繼承汗位。代善性格寬柔、深得眾心，軍功多、權勢大，努爾哈赤曾暗示日後由其襲受汗位。天命汗說過：「百年之後，我的幼子和大福晉，交給大阿哥收養。」大阿哥就是代善。皇太極懷大志、藏玄機，有帝王之才，但同乃兄代善爭奪汗位繼承，各方面均處於不利的地位，於是不得不施展謀略。這裡有一個歷史故事：努爾哈赤小福晉德因澤，訐告大福晉兩次備佳肴送給大貝勒，大貝勒接受並吃了；又送給四貝勒，四貝勒不接受也沒有吃；大福晉經常派人去大貝勒家，還在深夜外出宮院。努爾哈赤派人調查，情況屬實，但不願家醜外揚，便藉故修理了大福晉。這件事在滿洲貴族中曝光後，大貝勒代善的威望大降，已無力爭奪汗位。皇太極借大福晉同大貝勒代善難以說清道明的「隱私」，施一箭雙雕之計：既使大貝勒聲名狼藉，又使大福晉遭到修理。大福晉是多爾袞的生母大妃阿巴亥（一說為富察氏）。大福晉在這次事件中只是受了點「傷」，但沒有「死」，不久又重新得到努爾哈赤的寵愛。皇太極要爭奪汗位，還要致大妃於死地。

同皇太極爭位的還有多爾袞三兄弟。要削弱多爾袞的力量，就要處死大妃阿巴亥。大妃三十七歲，正值盛年，有三個兒子：阿濟格二十二歲、多爾袞十五歲、多鐸十三歲。在皇太極等四大貝勒的威逼下，她自縊而死（一說被用弓弦勒死）。阿巴亥死後，多爾袞三兄弟年幼，失去了依靠，沒有力量同皇太極爭奪大位。

白玉「大清受命之寶」

南面獨坐

代善失勢、多爾袞失母，皇太極在大位爭奪中處於有利地位。新汗的推舉議商，在廟堂之外進行。大貝勒代善的兒子貝勒岳託、薩哈廉到其父代善的住所，說：「四大貝勒（皇太極）才德冠世，深得先帝之心，眾皆悅服，當速繼大位。」代善說：「是吾心也！」於是父子三人議定。第二天，諸王、貝勒聚於朝，代善將他們的意見告訴二貝勒阿敏、三貝勒莽古爾泰及諸貝勒。大家沒有爭議，取得共識。於是皇太極登上大位。皇太極從舒爾哈齊死到繼位，中間經過長達十五年的心智謀略，終於登上了大位。爾後又除掉了二貝勒阿敏、三貝勒莽古爾泰，協服大貝勒代善，改變了「四尊佛」並坐的局面，「南面獨坐」，大汗位獨尊，穩固了權力。

皇太極取得汗位後，繼承父業，經過八年奮爭，實現女真統一，完成東北統一。於是，改族名女真為滿洲，改國號後金為大清。他死後第二年，清軍進關，定鼎北京，入主中原。

第62講

清朝入主

明崇禎十七年即清順治元年（一六四四），歷史上演了富有戲劇性的一幕。大明、大清、大順三方的角鬥白熱化，大順先覆滅大明，大清又覆滅大順，最後大清勝出。

十七世紀四〇年代，發生了兩件現象相似而又性質不同的歷史事件：清順治元年三月十九日（一六四四年四月二十五日），中國北京被李自成軍隊攻破，明崇禎帝在煤山（今景山）披頭散髮，覆面倉惶，吊在樹上，自殺身亡。清順治五年十二月十八日（一六四九年一月三十日），英格蘭倫敦的上千名市民，走向白廳廣場，目睹了國王查理一世被送上斷頭臺。查理一世身首異處，悲慘而死。

這兩個重要歷史事件，時間只差五年；但兩個事件的後果不同：崇禎帝上吊後，清朝取代明朝，中國歷史仍沿著封建體制路線運行；而查理一世被議會判決處死後，英國歷史，幾經曲折，後沿著資本主義路線運行。

歷史車輪滾動近兩百年，出現了一個誰也沒有想到的變局：強盛的大英帝國，以堅船利砲打開了大清帝國的國門。清政府被迫簽訂《南京條約》，割地賠款——曾經盛極一時的大清帝國，逐漸變成了任西方列強宰割的羔羊。

所以，清朝是中國歷史上一個難解難讀的朝代：一方面，從歷史縱向坐標來看，它曾經文緯武，寰宇一統，創造過「康乾盛世」的輝煌；另一方面，從歷史橫向坐標來看，它同列強的差距，愈拉愈大，蒙受了喪權辱國的恥辱。

改朝換代

順治元年三月十九日，崇禎帝在煤山自縊，李自成率軍進入北京，占領皇宮。

四月十三日，李自成率軍與投降清朝的原明朝總兵吳三桂以及清軍，在山海關大戰。

四月二十六日，李自成兵敗，回到北京。

四月二十九日，李自成在武英殿舉行即皇帝位典禮。典禮草草結束，放火焚毀部分宮殿和部分城樓，撤離北京。

五月初二日，清攝政睿親王多爾袞率領清軍占領北京，入主明朝紫禁城。

十月初一日，順治帝在明紫禁城皇極門舉行登極大典。從此，清朝遷都北京，開啟了二百六十八年的清朝歷史，皇宮的主人也從明朝的皇帝換成了清朝的皇帝。

順治帝入主紫禁城後，對故明三大殿進行修繕。順治二年（一六四五），將修建後的

武英殿

皇極殿、中極殿、建極殿，依次改名為太和殿、中和殿、保和殿，突出一個「和」字。

明代皇城的城門，正門為承天門，後門為地載門。順治八年（一六五一），承天門重修竣工，改其名為「天安門」，突出一個「安」字。第二年，皇城北門重修竣工，改其名為「地安門」，也突出一個「安」字。再加上皇城的東安門、西安門、長安左門、長安右門。這樣，皇城的城門都突出「安」字。

清代皇宮三大殿的名稱突出「和」，北京皇城城門的名稱突出「安」，從一個側面反映出清朝的執政者力求國家安定、民族和合的願望。

皇位之爭

清朝前兩任大汗努爾哈赤和皇太極父子，都是叱吒風雲的雄傑，但在北京皇宮舉行登極大典的順治帝，只有七歲，還是個乳臭未乾的孩子。這是怎麼回事呢？有人說，順治帝是因他母親孝莊太后與多爾袞的關係才繼位的，實際情況是這樣嗎？

清崇德八年（一六四三）皇太極突然病故，由誰接班，未作交代。這時清朝的親王、郡王有七人：皇太極長兄禮親王代善，皇太極的弟弟睿親王多爾袞、英郡王阿濟格、豫郡王多鐸，皇太極長子肅親王豪格，堂兄鄭親王濟爾哈朗和姪子潁郡王阿達禮，聚集在瀋陽皇宮，祕密會議，商討新君。

皇太極的長兄代善提出：豪格是「帝之長子，當承大統」。豪格謙讓說：「福少德薄，非所堪當！」多鐸提出立自己，多爾袞說：還有大哥代善呢！多鐸便說：當立禮親王代善。禮親王代善辭說自己年老。多鐸馬上提出立多爾袞。這樣，就把注意力集中到皇太極的兒子、兄弟這個方向上來了。

這時，皇太極的長子豪格有些生氣，便退出會場。會議休會，進行磋商。

繼續開會後，濟爾哈朗提出由皇太極六歲的皇子福臨繼位，再由睿親王攝政。多爾袞順勢提出肅王豪格既然「無繼統之意」，那就立先帝之子福臨，不過他年齡還小，自己和濟爾哈朗左右輔政，待幼君年長之後，當即歸政（《瀋館錄》卷六）。濟爾哈朗和多爾袞唱了一齣雙簧，把豪格排斥在外了。他們最後達成共識：由六歲的皇子福臨繼位，由濟爾哈朗和多爾袞輔政。

這個過程可以看出，這時清朝的皇位繼承，採取的是貴族公推制。清世祖福臨，是由貴族會議推選的，是經過諸王貝勒大臣認真討論、反覆醞釀、彼此協調、政治平衡的結果。

定都異議

清順治元年（一六四四）五月，睿親王多爾袞率清軍占領北京。多爾袞建議遷都北京，但他的胞兄英親王阿濟格表示反對，提出：

> 初得遼東，不行殺戮，故清人多為遼民所殺。今宜乘此兵威，大肆屠戮，留置諸王，以鎮燕都。而大兵則或還守瀋陽，或退保山海，可無後患。（《李朝仁祖大王實錄》卷四五）

多爾袞堅決主張遷都北京。他給順治皇帝奏言：

> 燕京勢踞形勝，乃自古興王之地，有明建都之所。今既蒙天畀，皇上遷都於此，

以定天下，則宅中圖治，宇內朝宗，無不通達。可以慰天下仰望之心，可以錫四方和恆之福。（《清世祖實錄》卷五）

在這個奏疏裡，多爾袞說了三個意思：

第一，燕京北面是燕山，東面是渤海，西面是太行山，南面是中原大地，西北是蒙古大漠，形勢險要，遼、金、元都是帝都，明朝也在這裡建都，有宮殿壇廟。

第二，國都設在北京，各地朝貢，四通八達。

第三，天下人都希望把都城設在北京，這樣四面八方和平、安定、幸福的局面，就可以得到保障。

多爾袞的意見得到大部分八旗諸王、貝勒的贊成，奏報順治帝，也獲得同意。同年十月初一日，順治帝因皇極殿（今太和殿）被李自成焚毀，便在皇極門（今太和門）舉行大典，頒詔天下，定鼎燕京，開啟了清朝二百六十八年的歷程。

清朝遷都燕京是一項重大決策。歷史上，中國大一統王朝的新政權都要拋棄舊王朝都城與宮殿：縱觀中國歷史上大一統王朝——商、周、秦、漢、隋、唐、宋、元、明，清朝之前，所有大一統王朝興國之君，宸居前朝宮殿，沒有先例。然而，清攝政睿親王多爾袞卻一反歷代大一統王朝對前朝宮殿焚、毀、拆、棄的做法，對故明燕京紫禁城宮殿下令加以保護、修繕和利用。明清皇宮從建成到二〇二〇年，恰好六百年，現已被列為世界文化遺產。

太和、中和、保和三大殿

第63講

董妃之謎

順治帝是清朝第一位在皇宮舉行大婚典禮的皇帝。他的后妃，《清史稿・后妃傳》記載有兩后、十五妃。其中，他和最寵愛的董鄂妃，演繹了一段皇帝愛情的傳奇，也留下了後人津津樂道的歷史之謎。

任性廢后

順治帝先後冊立了兩位皇后。第一位博爾濟吉特氏，是順治帝母親孝莊太后的姪女、蒙古科爾沁部卓禮克圖親王吳克善之女，聰明而美麗，由孝莊太后和多爾袞做主定婚、聘娶。順治帝親政後，她被冊為皇后。皇后博爾濟吉特氏，生長在蒙古科爾沁貴族之家，有著成吉思汗的高貴血統，父親是親王，姑奶奶是皇太極的皇后，姑姑是皇太極永福宮妃，也就是當時的孝莊皇太后，另一個姑姑是皇太極的關雎宮妃。她自幼生活優裕，嬌生慣

清世祖福臨像

養，史書說她「嗜奢侈」，而順治帝「好簡樸」。這對姑表姊弟小夫妻，都有個性，都不懂事。小皇后屢屢「忤上」，讓順治小皇帝很不開心。

順治十年（一六五三）八月，也就是新婚後的第三年，順治帝命大學士馮銓等，上奏前代廢后故事。馮銓等疏諫，順治帝嚴拒。馮銓等奏問廢后理由。順治帝回答說：「無能！」又說：「無能，故當廢。」當天，順治帝奏告孝莊太后，降皇后為靜妃，改居側宮。下禮部，禮部員外郎孔允樾等十三人，分別具疏，據理力爭。孔允樾略言：皇后正位三年，未聞失德，特以「無能」二字定廢嫡之案，何以服皇后之心？何以服天下後世之心？順治帝命諸王等再議。集議的意見奏上：「仍以皇后位中宮，而別立東、西兩宮。」順治帝不許，令覆議。諭禮部：「朕惟自古帝王，必立后以資內助。然皆慎重遴選，使可母儀天下。今后乃睿王於朕幼沖時，因親定婚，未經選擇。自冊立之始，即與朕志意不協，宮闈參商，已歷三載。事上御下，淑善難期，不足仰承宗廟之重，謹於八月二十五日，奏聞皇太后，降為靜妃，改居側宮。」（《清世祖實錄》卷七十七）皇后博爾濟吉特氏就這樣被廢掉了。她遷居的這個側宮，就是西六宮的永壽宮。

另一位皇后是孝惠章皇后，也姓博爾濟吉特，順治十一年（一六五四）五月，年十四，聘為妃。六月，被冊為皇后。她不久又受到順治帝的責斥。但這位皇后因能委屈圓通，又有太后呵護，才沒有被廢掉。後來這位皇后受到了康熙帝的百般孝敬，晚運很好。

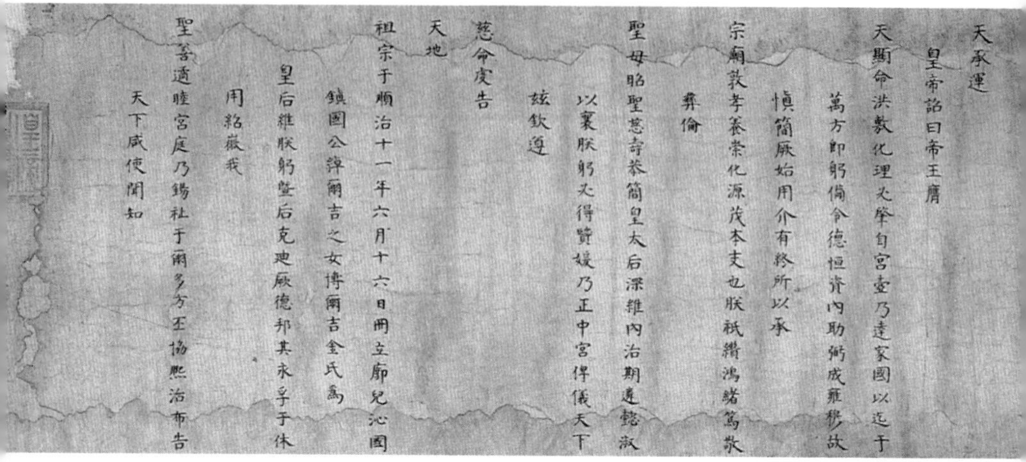
天承運
皇帝詔曰帝王膺
天眷命洪敷化理必肇自宮壼乃達家國以迄于
萬方朕躬備令德恒資內助弼成雍穆故
慎簡厥始用介有終所以承
宗廟敦孝養崇化源茂本支也朕祇纘鴻緒篤敘
彝倫
聖母昭聖慈壽恭簡皇太后深維內治期遴懿淑
以襄朕躬必得賢媛乃正中宮俾儀天下
茲欽遵
慈命虔告
天地
祖宗于順治十一年六月十六日冊立廓兒沁國
鎮國公綽爾吉之女博爾吉錦氏為
皇后維朕躬暨后克建厥德邦其永孚于休
用紹箴我
聖善適睦宮庭乃錫祉于爾多方丕協熙治布告
天下咸使聞知

順治帝冊立第二位皇后的詔書

身分之謎

經歷了廢后又立后的折騰之後，順治帝的後宮很快就增添了一位妃子——董鄂妃。

董鄂氏，生年不詳。關於董鄂氏的身分，有三種說法。

第一種是官書。《清史稿．后妃傳》記載：「孝獻皇后，董鄂氏，內大臣鄂碩女。年十八入侍，上眷之特厚，寵冠後宮。」

第二種是野史。說董鄂氏是晚明秦淮名妓、冒辟疆（襄）之妾董小宛。董小宛、李香君、柳如是、卞玉京是當時江南四大名妓。清軍南下，將董擄獲，送到北京，獻給順治。我查過許多資料，這種說法主要是年齡不符。據記載：順治八年（一六五一），董小宛二十八歲，病死於冒府。這不僅有冒辟疆的筆記，還有當時文人的悼詞。董小宛比順治帝大十四歲，又死於順治帝十四歲之時。所以董小宛即董鄂氏之說當屬捕風捉影。

第三種是傳記。西方人寫的《湯若望回憶錄》說：順治皇帝對於一位滿洲籍軍人的夫人，起了一種火熱愛戀，當這位軍人因此申斥他的夫人時，竟被天子親手打了一個耳光，這位軍人因為氣憤而死，或許竟是自殺而死。順治帝將這位軍人的未亡人收入宮中，封為貴妃。這位貴妃，於順治十六年（一六五九）生下一子，皇帝要定他為將來的皇太子。但是數星期之後，這位皇子竟然去世，而他的母親——董鄂妃在之後不久也薨逝了。

這位滿洲將軍，有學者認為是順治帝同父異母的皇十一弟博穆博果爾。他的生母為麟趾宮貴妃博爾濟吉特氏，是蒙古察哈爾部林丹汗的遺孀。博穆博果爾於崇德六年（一六四一）生，順治十二年（一六五五）封襄親王，翌年七月死，十六歲。

關於董鄂妃的身分，因為說法很多，又涉及宮闈祕密，所以至今仍舊是一個歷史之謎。

紅顏薄命

襄親王博穆博果爾於順治十三年（一六五六）七月死，十八歲的董鄂妃於同年八月冊為賢妃，十二月晉為皇貴妃，行冊立典禮，頒赦。順治十四年（一六五七）十月生皇四子榮親王（《清皇室四譜．后妃傳》）。母子受到順治帝寵愛。順治帝對董鄂

董鄂妃居住的承乾宮

妃的恩寵，可從以下史實看出端倪。

一是晉升之速、典禮之隆。董鄂氏在順治十三年（一六五六）八月二十五日被冊為「賢妃」，僅一月有餘，就被晉為「皇貴妃」，這樣的升遷速度，歷史上十分罕見。十二月初六日，順治帝還為董鄂妃舉行了十分隆重的冊妃典禮，並頒詔大赦天下。在有清一代近三百年的歷史上，因為冊立皇貴妃而大赦天下的，這是僅有的一次。她父親鄂碩也沾光，被賜爵三等伯。

二是盡改惡習、專寵一人。據當時的傳教士湯若望記述，順治帝少年時沾染了滿洲貴族子弟好色縱淫的惡習，可是自從遇到董鄂妃後，便專寵其一人，兩人情投意合，心心相印。

三是隆遇董鄂妃生的皇四子。董鄂氏冊為貴妃不久就懷孕了，順治十四年

（一六五七）十月初七日，生下一位皇子。順治帝高興至極，認為有了皇位繼承人。但小皇子出生三個多月，尚未命名，便夭折。這對董鄂妃打擊太大了。順治帝也非常悲傷。為了安慰董鄂妃，他追封這位早夭的皇子為和碩榮親王，並修建「榮親王園寢」。墓碑刻：和碩榮親王，朕第一子也。本來是皇四子，卻被稱為第一子，說明這位皇子及其生母董鄂妃在順治帝心目中的重要地位。

逛一逛

承乾宮

內廷東六宮之一，始建於明永樂十八年（一四二〇）。原名永寧宮，崇禎五年（一六三二）改名承乾宮。清沿明舊稱，順治十二年（一六五五）重修，道光十二年（一八三二）修葺。建築形制與景仁宮相同。

董鄂妃於順治十七年（一六六一）病死。順治帝不僅超越規格為她辦理喪事，還封她為皇后。茆溪森和尚在景山壽皇殿主持董鄂后火化儀式，順治帝親自為董鄂氏收取靈骨（骨灰）。順治帝請大學士撰擬祭文，「再呈稿，再不允」。後由張宸具稿，「皇上閱之，亦為墮淚」。

順治帝還親撰董鄂氏的生平事蹟，歷數董鄂氏嘉言懿行，潔品慧德，洋洋灑灑，達數千字。命大學士金之俊給董鄂氏作傳。順治帝回憶寫董鄂氏：

待孝莊皇太后：極盡孝敬，禮數周全，悉心奉養，無微不至。

待夫君順治帝：晨夕伺候起居、飲食服御，十分周到。朕回後宮，必迎問寒暑，趣具餐，躬進之，命共餐，則辭。朕值慶典，舉數觴，必誡侍者，勸少飲酒。

襄助夫君理政：朕覽奏章，雖已深夜，必在身側。令她同閱，起謝：「不敢干政。」覽批死刑案件，不忍下筆，後問是什麼內容，朕告訴她，則泣曰：「豈盡無冤？求可憫者全活之！」

勸朕勤政愛民：朕偶爾不上朝，則諫切毋倦勤。日講後，與言章句大義，輒喜。偶遺忘，則諫：「當服膺默識。」蒐狩，親騎射，則諫：注意安全。

嚴於對待自己：后至節儉，不用金玉。誦「四書」、《易》已卒業；練習書法，未久即精。

生病之後勸慰：皇太后派宮女問安，必曰：「安。」臨死之際說：「吾殆將不起，妾死，陛下宜自愛！惟皇太后必傷悼，奈何？」又令不要以珍麗寶物隨葬。

順治帝哀傷過度，竟至尋死覓活，人們不得不晝夜守著他，使他不得施行自殺。《天童寺志》記載：當年冬日，順治帝給木陳忞和尚御書唐朝岑參〈春夢〉詩一幅云：

洞房昨夜春風起，遙憶美人湘江水。
枕上片時春夢中，行盡江南數千里。

痴情天子，寵愛美人，感情篤深，躍然紙上。

寵妃董鄂氏，讓順治帝神魂顛倒，讓許多歷史學家費盡心思，苦心考索。她的身世至今依然是個歷史之謎。特別是她死去不久，二十多歲的順治帝竟也死去，撲朔迷離，謎上加謎。

第64講

順治出家

順治帝在愛妃董鄂氏去世後不久，也去世了，年僅二十四歲。順治帝最後的歸宿，官書記載是患天花病死；還有一種說法是：順治帝哀悼過度，由哀悼而厭世，脫離塵世，遁向空門，到五臺山出家，成為萬古鍾情天子的佳話。

因苦結佛

順治帝親政後，前七年因耶穌會士湯若望而受基督教影響較大，後四年因親近和尚而受佛教影響較大。我著重說一下順治帝同佛教的關係。

順治帝崇奉佛教，有生活環境的影響。他的祖父努爾哈赤在時，佛教已傳到赫圖阿拉。努爾哈赤常手持念珠，尊崇佛教，並在赫圖阿拉建立佛寺。到皇太極時，為處理同蒙古的關係，崇奉喇嘛教，「重教」是一項重要的國策，所以在盛京（今遼寧省瀋陽市）興建實勝寺，崇奉瑪哈噶喇佛，藏傳佛教在後金已產生很大影響。順治帝的母后孝莊皇太后是蒙古族人，自幼受到佛教的熏陶，又年輕寡居，以信佛解脫內心的孤獨與苦悶。這些，對年幼的順治帝有深刻的影響。

然而，真正促使順治帝與佛門結緣，是在董鄂妃去世後，傷心欲絕的順治帝在太監的安排下，同憨璞聰和尚在海會寺見面，兩人相談甚歡。後召憨璞聰在西苑萬善殿對話。順治帝問：「從古治天下，皆以祖祖相傳，日對萬機，不得閒暇，如今好學佛法，從誰而傳？」憨璞聰答：「皇上即是金輪王轉世，夙植大善根、大智慧……不化而自善，不學而自明，所以天下至尊也！」憨璞聰的巧言阿諛，讓順治帝很開心，多次被召到宮裡，賜以「明覺禪師」封號。後來憨璞聰推薦了南方來的三位高僧——玉林琇、木陳忞、茆溪森。

玉林琇，江蘇人，俗姓楊，出身於名門大族。他受父親影響從小就虔誠奉佛，十八歲時入磐山寺，二十三歲就任浙江湖州報恩寺住持，聲名遠揚。經憨璞聰推薦，順治十五年（一六五八）九月，順治帝遣使宣詔玉林琇入京說法，經三次邀請，到十六年（一六五九）二月十五日入京見帝。玉林琇施展高深禪理，機敏奏對，甚蒙順治帝尊崇。順治帝屢到玉林琇館舍請教佛理，以禪門師長相待，並請他給自己起法名，說：「要用醜些字樣。」玉林琇擬十餘字進覽，「世祖自擇痴字」，取法名「行痴」，法號「痴道人」。玉林琇稱讚順治帝是「佛心天子」。順治帝初賜玉林琇以「大覺禪師」稱號，後加封為「大覺普濟能仁國師」。

西苑萬善殿

逛一逛

西苑萬善殿

始建於明代，原名崇智殿，在嘉靖年間是西苑法事的活動場所。清順治帝改名為萬善殿，供奉禪宗三世佛像。清代皇家多信奉藏傳佛教，萬善殿是少數的供奉漢傳佛教的皇家佛堂之一。

木陳忞，廣東茶陽人，出身於書香門第，幼年修行，後住持寧波天童寺。木陳忞是比玉林琇陪伴順治帝更久、影響更大的名僧。木陳忞在京八個月，受到順治帝尊崇，下榻於西苑萬善殿，被賜封「弘覺禪師」尊號。一次順治

順治帝御筆《敬佛》碑（拓片）

帝對木陳忞說：「朕想前身一定是僧人，所以一到佛寺，見僧家窗明几淨，就不願意再回到宮裡。要不是怕皇太后掛念，那我就要出家了！」木陳忞說：皇上是和尚轉世來的。順治帝對他講想出家，以致終宵失眠、身體瘦弱等。

茆溪森，廣東博羅人，父曾任明朝刑部侍郎。茆溪森出家為僧後，為玉林琇的大弟子。茆溪森與順治帝相處時間最長，奏對默契，甚得帝寵。順治帝親筆大書「敕賜圓照禪寺」的匾額，以示榮寵。在愛妃董鄂氏死後，順治帝萬念俱灰，決心遁入空門。有記載統計，從該年九月到十月兩個月中，順治帝曾先後訪問茆溪森館舍三十八次，相訪論禪，徹夜交談，完全沉迷於佛的世界。命令茆溪森為他剃度，決心「披緇山林，孑身修道」，要放棄皇位，身披袈裟，身入佛門。茆溪森開始勸阻，不聽，最後削髮為僧了。這一下孝莊皇太后著急了，火速叫人把茆溪森的師傅玉林琇召回京城。玉林琇到北京後大怒，下令叫徒弟們架起柴堆，要燒死弟子茆溪森。順治帝無奈，只好讓步，再次蓄髮。

這件事過去不久，順治帝命選僧一千五百人，在阜成門外八里莊慈壽寺，從玉林琇受菩薩戒，並加封他為「大覺普濟能仁國師」。有一次，順治帝和玉林琇在萬善殿見面，一個是光頭皇帝（新髮尚未長出），另一個是光頭和尚，於是二人相視而笑。這說明順治帝有出家做和尚的想法。

但是，順治帝同玉林琇這次談話兩個月後，皇家辦喪事，噩耗傳天下。

出家之說

順治帝出家說，有三個證據：

第一，所謂詩文證據。吳梅村〈清涼山贊佛詩〉云：「房星竟未動，天降白玉棺。惜哉善財洞，未得誇迎鑾。」這四句詩，有人說是指順治帝沒有歸天，而是「西行」到西天出家了。

第二，康熙幸五臺山，先後五次。康熙帝去五臺山最早的一次是康熙二十二年（一六八三），離史書記載的順治死已經過去二十二年。如果是去看他父親，應當早去，何必在懸離二十二年之後才去呢！

第三，康熙帝在他父親死了二十二年之後才到五臺山，太皇太后只去五臺山一次且未上菩薩頂。這些說明：康熙帝、太皇太后孝莊去五臺山顯然不是為了看出家在五臺山的順治皇帝。試想，如果順治帝出家在五臺山，康熙帝和孝莊太皇太后早就去探望他了。

順治帝沒有出家，他的結局是怎樣的呢？

患痘而死

順治十八年（一六六一）正月初七日，順治帝駕崩，年僅二十四歲。實際壽命只有二十二歲十一個月。他的死因引起人們種種猜測。人們猜測最多的，是他沒有死，而是出家了。但事實上，順治帝是出天花病死。這有根據嗎？

第一，《**清世祖實錄**》**記載**。順治十八年（一六六一）正月初一日，順治帝沒有上朝，初二日「上不豫」，初四日「上大漸」，初七日「上崩於養心殿」。

第二，當事人記載。內閣官員張宸記載：「傳諭民間勿炒豆，勿燃燈，勿潑水，始知上疾為出痘。……十四日，焚大行皇帝御冠袍、器用、珍玩於宮門外。時百官哭臨未散，遙聞宮中哭聲，仰見皇太后黑素袍，哭極哀。諸宮娥數輩，俱白帕首、白衣從哭。」（張宸《青琱集．雜記》）

第三，兩位高僧記載。《玉林國師年譜》記載：順治十八年（一六六一）正月初三，中使馬公二次奉旨至萬善殿云：「聖躬少安。」初四，李近侍言：「聖躬不安之甚。」初七亥刻，駕崩。初八日，皇太后慈旨，請師率眾即刻入宮，大行皇帝前說法。二月初二，奉旨到景山，為世祖安位。玉林琇和尚親臨順治帝的大殯。

《敕賜圓照茆溪森禪師語錄》記載：順治十八年（一六六一）二月初三日，欽差董定邦奉世祖遺詔到圓照（指杭州圓照寺），召師進京舉火。……四月十六日，茆溪森奉旨到京，過了幾天，「詣世祖金棺前秉炬」火化。火化時，茆溪森在景山壽皇殿「秉炬」，顧左右曰：「壽皇殿前，官馬大路，遂進炬。」（《佛事門記》卷六）順治帝遺體，由茆溪森和尚主持，在景山壽皇殿，秉炬火化。「大清國裡度天子，金鑾殿上說禪道！」說的就是這種情景。

第四，《王熙自定年譜》記載。翰林院掌院學士王熙記載：順治十八年（一六六一）正月初六日夜，召王熙到養心殿，說：「朕患痘，勢將不起。爾可詳聽朕言，速撰詔書。」王熙在榻前書寫，然後退到乾清門下西圍屏內，根據順治帝的意思，撰寫《遺詔》，寫完一條，立即呈送。一天一夜，三次進覽，三蒙欽定。至夜，聖駕賓天，泣血哀慟。當夜，順治帝就去世了。

第五，西洋人《湯若望傳》記載。湯若望得知順治帝病了，立即親赴宮中，流著眼淚，請求容許他覲見萬歲。……順治病倒三日之後，於一六六一年二月五日到六日之夜間崩駕，享壽還未滿二十三歲。

第六，儲君條件。孝莊太后在選定順治帝繼位者玄燁時，已經出過天花居然成為玄燁繼位的一條重要條件而被提出來。可見順治帝因患天花而早逝，深深震動了他的母后以至朝廷。

綜上，官方記載與私人記述，當時中國人與外國人，中央官員與出家和尚，都一致說順治帝死於天花。所以，我認為，順治帝不是出家了，而是患病死了。

第65講

太后下嫁

我所到國內外各地，被問到最多的問題，就是：「孝莊太后是不是下嫁多爾袞了？」這段皇家叔嫂關係，引出許多猜測、議論和故事，也成為清史研究中的一個疑案。

孝莊太后

孝莊太后（一六一三～一六八八年）姓博爾濟吉特，名布木布泰，是蒙古科爾沁部貝勒塞桑的女兒。後金天命十年（一六二五），十三歲的布木布泰與三十五歲的皇太極成婚。這時皇太極早已同她的姑姑哲哲結婚十一年了，後來她的姊姊海蘭珠也嫁給了皇太極。姑姑與姪女三人都嫁給了同一個男人。布木布泰嫁過來的第二年，皇太極繼承汗位，她從貝勒福晉變成大汗福晉。十年以後，皇太極建國號大清，改元崇德，她又成為崇德皇帝的永

孝莊皇太后像

福宮莊妃。

皇太極有十一個兒子、十四個女兒。布木布泰生下三女一子——崇德三年（一六三八）二十六歲的莊妃生下皇九子福臨，就是後來的順治皇帝。這支血脈延續了清朝的帝胤。

布木布泰經歷三次皇位之爭，身歷天命、天聰、崇德、順治、康熙五朝，青年時幫助丈夫皇太極，中年時輔佐兒子福臨，老年時輔佐孫子玄燁。她享年七十五歲，是一位非凡的女性，雖從未走到政治的前臺，但她的一生對清初政治影響重大，為清初守成兼創業做出過重大貢獻。

清朝有個很有意思的歷史現象：孝莊太后身歷清朝前四帝（太祖、太宗、順治、康熙），慈禧太后身歷清朝後四帝（咸豐、同治、光緒、宣統）。所以有人說清朝以太后始，以太后終。

皇叔攝政

多爾袞（一六一二～一六五〇年），是努爾哈赤第十四子，先後兩次參加爭奪汗位的鬥爭。

第一次，多爾袞與哥哥皇太極等四大貝勒爭奪汗位，因母親烏拉那拉．阿巴亥被逼死，自己和同母兄弟年歲尚小，而輸給皇太極。

第二次，多爾袞和皇二兄代善（長兄已死）、皇長姪豪格爭奪汗位。後由他的姪子順治帝即位，多爾袞與鄭親王濟爾哈朗共同輔政。

清朝遷都北京，順治帝封多爾袞為叔父攝政王。順治五年（一六四八）十一月，被尊為皇父攝政王。順治七年十二月（一六五〇年一月），多爾袞到塞外圍獵，初九日死於塞外喀喇城，才三十九歲。

多爾袞攝政前後七年，怎樣評價多爾袞的功過？多爾袞死後一百一十三年，乾隆帝給

多爾袞像

多爾袞作了歷史評價：「定鼎之初，王實統眾入關，肅清京輦，戡定中原，前勞未可盡泯。」但多爾袞攝政有「六大弊政」：即剃髮、易服、圈地、占房、投充、逋逃。擾亂社會秩序，破壞中原經濟，挫傷漢人情感，帶來嚴重後果。「揚州十日」、「嘉定三屠」，慘絕人寰，是其罪惡。二百多年後，辛亥口號「驅除韃虜，恢復中華」，就是對其弊政的不滿與反抗。

皇太后與多爾袞，

一個是順治帝的母親、皇太后，一個是順治帝的叔叔、攝政王，共同輔佐年幼的小皇帝七年。關於「太后下嫁」的說法，從當時一直流傳到現在。

並未下嫁

「太后下嫁」的說法，早在順治年間就有了。主要疑點有四：

第一，清初抗清志士張煌言〈建夷宮詞〉：「上壽觴為合巹尊，慈寧宮裡爛盈門。春官昨進新儀注，大禮恭逢太后婚。」說皇帝生日變成太后婚禮，太后住的慈寧宮變成了她的新婚洞房。

第二，順治帝尊多爾袞為「皇父攝政王」。

第三，多爾袞死後追討其罪時，有一條罪狀是「又親到皇宮內院」。蔣良騏《東華錄》和朝鮮《李朝實錄》也做了相同的記載。但後來修的《清世祖實錄》裡卻刪掉了這句話。

第四，孝莊太后死後沒有和自己的丈夫皇太極合葬，而是葬在清東陵的風水牆之外。

先輩清史學家孟森早就寫過《清初三大疑案考實》，就以上四個疑點提出看法：

其一，張煌言當時並沒有在北京，而在江南抗清。那麼「遠道之傳聞，鄰敵之口語，未敢據此孤證為論定也！」（孟森《明清史論著集刊．太后下嫁考實》）出在敵人之口，記在異鄉之文，不能成為史證。

清東陵全景

逛一逛

清東陵

清王朝入關後建在關內的第一組皇室陵墓，位於河北省遵化縣，因地處北京以東一百二十五公里的位置，所以被稱為清東陵。這裡埋葬著五位皇帝、十五位皇后、一百三十六位妃嬪、一位皇子，共計一百五十七人。清東陵是中國現存建築中規模宏大、陵墓體系完整的帝王陵墓群之一，現建築保存完好。

其二，關於皇父攝政王，這個「父」字，不是親屬的稱謂，是君對臣的尊稱，不能理解為已經成為順治帝的「父親」。

其三，關於「皇宮內院」。官方文獻把這個內容寫上又刪去，說明多爾袞到「皇宮內院」確有其事。但最多只能反映多爾袞有瀆亂之事，而不能說明太后下嫁給多爾袞了。

其四，關於未合葬。皇太極的昭陵，已有正宮皇后合葬，孝莊太后作為第二后，不與合葬，康熙、雍正、乾隆、嘉慶、道光、咸豐等朝第二后都沒有合葬。這也屬正常。

孟森的論證非常詳盡。我再補充幾條：

第一，說喜事在慈寧宮裡辦的。根據歷史檔案記載，慈寧宮在李自成臨撤出皇宮時被焚毀。順治十年（一六五三）修葺而成，皇太后才搬居慈寧宮，多爾袞則死於順治七年（一六五〇），多爾袞與皇太后怎能在此舉行結婚典禮呢！

第二，關於「未葬昭陵」。清朝的皇帝陵分三處：一處是關外三陵——永陵、福陵（瀋陽東陵）、昭陵（瀋陽北陵），另一處是河北遵化的清東陵，再一處是河北易縣的清西陵。

康熙二十六年十二月二十五日（一六八八年一月二十七日），孝莊太皇太后去世，而皇太極已經逝世四十四年，早已在昭陵入土為安。她對自己後事，向皇孫康熙帝有交代：「太宗文皇帝梓宮安奉已久，不可為我輕動。況我心戀汝父子，不忍遠去，務於孝陵近地安厝，則我心無憾矣。」就是說，她不願意驚動太宗皇太極的亡靈，而願意同英年早逝的兒子順治帝在一起。

皇太后死後葬在清東陵，這就給皇孫康熙帝出了一道難題，康熙帝採取了一個臨時舉措，把太皇太后生前在紫禁城裡最喜歡住的寢宮拆了，搬到東陵風水牆外，修起一座「暫安奉殿」，來暫安孝莊的梓宮（棺材）。直到康熙逝世，他一直沒有解決祖母陵寢的難題。

雍正即位以後著手解決這個難題。雍正二年（一七二四）確定孝莊文皇后陵為昭西陵，將暫安奉殿改建為陵。雍正三年（一七二五）孝莊文皇后梓宮下葬於昭西陵地宮。這既表明了孝莊太后和皇太極昭陵的關係，又表明了墓主的崇高地位，還實現了孝莊太后陪伴兒子順治和孫子康熙的遺願。這時，孝莊太后已經逝世整整三十七年。

第三，關於「青梅竹馬」。有人說莊妃與多爾袞是「青梅竹馬」。莊妃出生在蒙古科爾沁，多爾袞出生在建州赫圖阿拉，兩地相距遙遠，兩人少時並不認識，不存在青梅竹馬的客觀條件。

第四，關於「保兒皇位」。說皇太后為了保兒皇位，不得不委身於多爾袞。順治帝繼位，我前面已經講過，這是當時多種政治勢力複雜鬥爭和相互妥協的結果，而不是由皇太后依靠多爾袞一個人的決定。事實上，皇太后對多爾袞既重用、又牽制，採取了非常複雜的政治手段，才使多爾袞最終沒有突破攝政王的圈子，從而保證了幼小順治帝的地位。當然，因為皇帝年幼，國事家事都要依靠攝政王，所以皇太后注意協調與多爾袞的關係。但是由此作為太后下嫁的依據，顯然站不住腳。

第五，多爾袞屍骨未寒就被順治帝定罪懲罰，有人以此作為太后下嫁的反證。這是一種推測，不能作為太后下嫁的依據。

總之，到目前既沒有確鑿的材料證明太后下嫁了，但也不能完全消除關於太后下嫁

孝莊文皇后的昭西陵

的疑問。所以，三百年來，太后下嫁，一直是人們議論的一個話題，成為清宮史上的一樁疑案。

逛一逛

昭西陵

順治帝生母孝莊文皇后的陵墓，位於河北遵化順治帝孝陵以南的風水牆外。建造於清康熙二十七年（一六八八），開始是停放孝莊文皇后棺槨的地方，稱暫安奉殿。直到雍正二年（一七二四）才定暫安奉殿為陵寢，尊為昭西陵。雍正三年（一七二五）底孝莊文皇后正式葬入昭西陵地宮。

至於辛亥以來，《清朝野史大觀》、《多爾袞軼事》、《清史通俗演義》、《清宮十三朝》等野史、小說，對太后下嫁的演繹，這是野史和小說家言，姑且聽之，不必當真。

最後，我們探討太后下嫁疑案的意義：第一，弄清事實真相，廓清戲說歷史迷霧，是歷史研究者的責任；第二，孝莊太后和多爾衮以大局為重，和衷共濟，結成合力，共渡難關，取得勝利，給後人留下寶貴的歷史經驗；第三，我認為，孝莊太后同攝政王多爾衮的情愫可能有，「太后下嫁」之事確實無。

耄耋者說四

開創與鼎盛

皇宮的主人是清世祖愛新覺羅福臨順治帝（在位十八年）、清聖祖愛新覺羅玄燁康熙帝（在位六十一年）、清世宗愛新覺羅胤禛雍正帝（在位十三年）、清高宗愛新覺羅弘曆乾隆帝（在位六十年）。這段時期，從皇宮視角看，是清朝達到鼎盛的時期。

本部分為六十六至八十五講，共一百三十四年（康熙元年至乾隆六十年）。經過清前期「三祖三宗」的經營，清朝入主中原，統一華夏，基本完成東北森林文化與中原農耕文化、西北草原文化、西部高原文化、沿海暨島嶼海洋文化之統合，出現繼秦、漢、唐、元、明之後，最後一個封建大帝國。

北京故宮平面圖

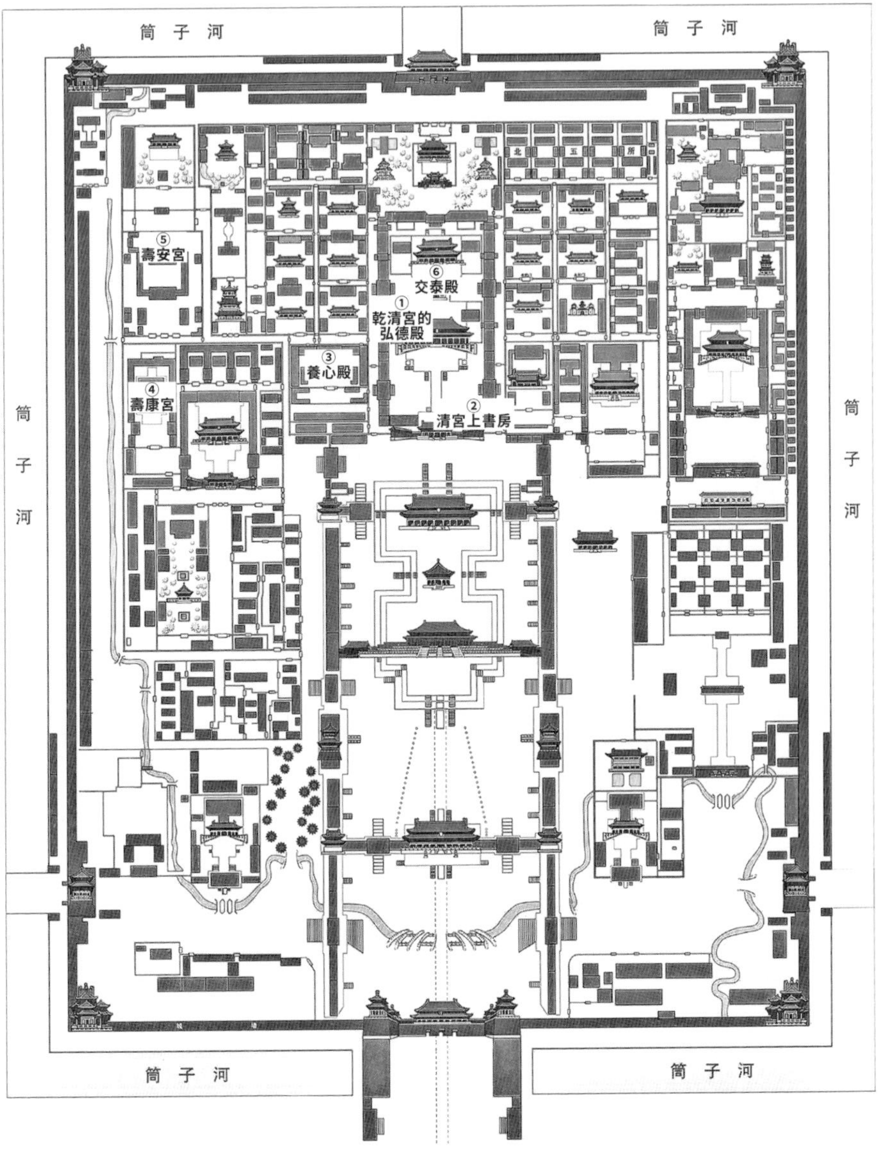

① 乾清宮的弘德殿
② 清宮上書房
③ 養心殿
④ 壽康宮
⑤ 壽安宮
⑥ 交泰殿

第66講

童年玄燁

康熙帝有一個不平凡的童年，對他的一生影響深遠。他生於順治十一年三月十八日（一六五四年五月四日），時皇父順治帝十七歲，皇母佟妃十五歲。他是順治帝的第三個兒子，取漢名玄燁。

三種血緣

康熙帝出生在清朝帝王之家，他身上有滿洲、蒙古和漢人的三種血緣。

第一，滿洲血緣。玄燁曾祖父是清太祖努爾哈赤，祖父是清太宗皇太極，父親是清世祖福臨，這是他的滿洲血統。玄燁在童年時期，跟從滿洲師傅學習滿語文和騎射，受到滿洲森林文化和騎射精神的影響。這是形成康熙大帝勇敢品格、尚武精神的文化基因。他後來多次到承德避暑山莊、到木蘭圍場秋獮，三次塞外親征，其文化與血緣根由也在於此。

清聖祖玄燁像

第二，蒙古血緣。玄燁的祖母孝莊太皇太后，是蒙古族，為成吉思汗後裔，所以他有四分之一的蒙古血統。玄燁從小跟著祖母，深受其教誨和影響。這對他了解蒙古習俗、通曉蒙古語文、熟知草原文化、處理蒙古問題、鞏固滿蒙聯盟，有著重大的影響。

第三，漢人血緣。玄燁的母親佟氏（後為佟佳氏）為漢人（一說，佟氏原為遼東女真）。幼年入宮，後為皇妃。

佟氏家族原為遼東望族，以經商為生。佟氏的叔祖佟養性曾經被明朝逮捕下獄，脫獄後，舉族投奔努爾哈赤。皇太極時，佟養性在瀋陽主持研製紅衣大砲，組建烏真超哈（即砲兵），並為第一任漢軍都統。佟養性的從兄，即佟佳氏的祖父佟養真（正）守鎮江城（今遼寧省丹東市），一天夜裡，被明軍抓住，不屈而死。佟養真（正）次子佟圖賴襲職。佟圖賴就是佟佳氏的父親、玄燁的外祖父，任漢軍正藍旗都統。清軍入關，佟圖賴隨軍南征北戰，屢立軍功，死後兒子佟國綱襲爵。佟國綱就是佟佳氏的哥哥、玄燁的舅舅，在抗禦蒙古噶爾丹的烏蘭布通之戰中犧牲。佟國綱的弟弟佟國維，就是康熙帝的岳父。佟國維被封為內大臣、領侍衛內大臣、議政大臣、一等公。康熙帝命將母親佟佳氏家族從漢軍正藍旗抬入滿洲鑲黃旗，以提高其家族的政治地位。在順治、康熙時期，佟姓在朝中做官的很多，有「佟半朝」的民諺。

康熙帝繼承的三種血緣，使他從小受到三種文化的熏陶，養成了三種品格：勇武與奮進，繼承了滿洲人的性格；高遠與大度，受到了蒙古人的熏陶；仁愛與韜略，來自漢族儒學的營養。康熙帝身上有三種血緣、三種文化和三種品格——這種文化素養，在中國秦始皇以來兩千年大一統皇朝的皇帝中是少見的。這也為中華各民族在歷史發展長河中的血脈聯繫，提供了鮮活的例證。但他的童年生活，也不是一帆風順的。

生活磨鍊

玄燁生來就貴為皇子，他的童年生活，可以說是錦衣玉食，讓普通百姓羨慕不已。其實，他所遭受的磨難，也是普通百姓想像不到的。

第一，缺失父愛。玄燁從兩歲到七歲的六年間，他的皇父順治帝上演了與董鄂氏的愛情悲喜劇，根本無心、也無暇顧及他，這使他沒有享受到父親的關愛與教育。到八歲時，又痛失皇父。玄燁給皇父守靈、默哀、祭拜、哭號，幼小的心靈受到巨大的打擊和創傷。

第二，難享母愛。清朝內廷制度，皇子、皇女出生之後，母親不能撫養，要交給乳母、保母養育。玄燁出生之後，不僅沒有一個同父母同居一室的家，而且連母親也不在身邊。他是獨居一處，由乳母、保母等哺育、照顧，由宮女、太監等服侍、陪伴。到他十歲時，生母佟氏就病死了，玄燁晝夜守靈，「擗踊哀號，水漿不御，哭無停聲」（《清聖祖實錄》卷八），一個才九週歲的孩子，兩年之間，父母雙亡，形影相弔，實在可憐，這是人生幼年的最大不幸。

康熙帝的避痘所福佑寺

第三，天花磨難。玄燁在兩、三歲時，搬到皇宮外去避痘（天花）。世居山林和草原的滿洲人、蒙古人來到中原後，容易感染痘症（天花），而當時對這種病沒有特效藥。這種病傳染厲害，死亡率高，所以宮廷裡談「痘」色變。四、五歲時出天花，發燒、疼痛、煩躁、恐懼，沒有特效藥，全靠玄燁自身的抵抗力和乳母、保母、宮女、太監的精心照料，才九死一生，躲過一劫。這場病災，使玄燁臉上留下痘痕，就是麻子。童年就經受生死磨難，這是多麼不幸！

總之，玄燁的童年很少享受到家庭的親情和溫暖，他為自己沒有在父母膝下享受過一天歡樂而遺憾終生。直到晚年時他還說：「世祖章皇帝（順治帝）因朕幼年時，未經出痘，令保母護視於紫禁城外，父母膝下，未得一日承歡，此朕六十年抱歉之處。」（《清聖祖實錄》卷二九〇）

《孟子．告子下》說：「生於憂患而死於安樂也。」憂患既使人痛苦，憂患也激人奮進。

自強律己

玄燁的童年雖然物質生活優裕，但也遭受了人間之大不幸。玄燁在「不幸」面前，沒有怯餒、退縮、消沉、頹廢，而是變「不幸」為「有幸」，勤奮學習，磨鍊意志，培養了自信、自立、自強、自勵的精神，成為前進中的寶貴動力。

第一，祖母教誨。玄燁童年時期，特別得到祖母孝莊太皇太后教誨。祖母教育他做人的規矩，如「凡人行為坐臥，不可回顧斜視」。康熙帝後來回憶說：「朕自幼齡學步能言時，即奉聖祖母慈訓，凡飲食、動履、言語，皆有規度。雖平居獨處，亦教以罔敢越軼，少不然即加督過，賴是以克有成。」（《康熙帝御製文集．二集》卷四十）祖母對他「撫育教訓」，給他講祖宗艱苦創業的故事。後來康熙帝回憶說：「朕自八歲世祖皇帝賓天，十歲慈和皇太后崩逝，藐茲沖齡，音容記憶不真，未獲盡孝，至今猶憾。藉聖祖母太皇太

后鞠養教誨，以至成立。」（《康熙起居注冊》）

玄燁出宮避痘，祖母太皇太后心疼他，經常派蘇麻喇姑去照料。蘇麻喇姑原是孝莊的陪嫁女，經歷天命、天聰、崇德、順治、康熙五朝，為人祥和厚道，宮廷閱歷豐富。小玄燁不僅從她那裡學到不少知識，而且受到潛移默化的影響。

第二，五歲讀書。玄燁五歲開始讀書寫字。史書說他：「自五齡後，好學不倦」。除了學習滿洲語文、蒙古語文之外，還學習漢語文。漢語文中的「三百千千」，就是《三字經》、《百家姓》、《千字文》、《千家詩》，「四書」即《大學》、《中庸》、《論語》《孟子》等，對他的幼小心靈產生了深刻的原生性影響。玄燁從小意志堅強，耐性過人。他學習漢族傳統文化「四書」，按照傳統的學習方法，先念，就是朗讀；後背，就是背誦。他給自己規定：每一段、每一篇，都要朗誦一百二十遍，然後背誦一百二十遍，直到滾瓜爛熟、融會於心。

磨難使玄燁自律。他說：「幼齡讀書，即知酒色之可戒，小人之宜防，所以至老無恙。」（《清聖祖實錄》卷二七五）玄燁從小決心「三戒」——戒酒、戒色、戒小人。他終生不酗酒、不荒淫、不親昵小人。

一天，順治帝問皇二子福全、皇三子玄燁、皇五子常寧（長寧）長大之後有什麼志向。皇五子常寧，因剛三歲，不能回答；皇二子福全回答說：「願為賢王。」皇三子玄燁從容答道：「待長而效法皇父，黽勉盡力。」皇父聽了，稱讚他有遠大的志向，對他另眼相看。

第三，因痘繼位。玄燁童年患天花，臉上留下麻子，但這正成為他繼承皇位的一個優勢條件。玄燁的皇父順治帝患天花不治去世，因此，考量他的皇位繼承人時，就把曾經出過天花（終生免疫）作為一項重要條件。玄燁因禍得福，榮登大位。

從玄燁的童年看來，一個人小時候吃點苦，受點罪，經過坎坷，受過磨難，可能對他以後人生的成長、事業的成功，會產生巨大的積極影響。吃苦與磨難可以錘鍊人的品質、意志、見識和勇氣。所以，小孩子吃點苦頭，受點磨難，應是好事，不是壞事。

一個人在青少年時，立下鴻鵠大志：「立心以天下為己任，許死而後已之志。」（《清聖祖實錄》卷二七五）這就是玄燁少年時期立下的志向和價值觀。玄燁在「治國、平天下」的高遠理想下，再加上後天的好學不輟，勤勉努力，終於成為一代偉人、千年一帝。

第67講

終身讀書

康熙帝是一位終身讀書學習的皇帝。他是怎樣讀書的呢？

融入人生

康熙帝的讀書學習，從五歲開始，到六十九歲故去，其間六十五年，經歷了四個階段——少年好學，青年苦學，盛年博學，老年通學。

第一，少年好學。講康熙帝少年時期非常好學，由祖母、蘇麻喇姑、保母教他滿語、蒙古語，由略通文化的張、林二位太監教他認漢字。玄燁從五歲開始到書房讀書，漢人師傅教他讀「三百千千」——《三字經》、《百家姓》、《千字文》、《千家詩》，滿洲師傅教他滿語騎射。他有時讀書痴迷，忘了寢食。祖母見他勤奮好學，說道：你貴為天子，還要像生員那樣苦讀嗎？

童年讀書，重在識字、句讀和背誦。「句讀」就是斷句，古時候沒有標點符號，要靠老師教給斷句，就是教給句讀。這樣，能識字，會斷句，有了閱讀能力，再背誦，就記在腦子裡。

康熙帝回憶說：「逐日未理事前，五更即起誦讀，日暮理事稍暇，復講論琢磨，竟至過勞，痰中帶血，亦未少輟。朕少年好學如此。」（康熙《庭訓格言》）他認為，幼年所讀的書，終身受益：「朕七、八歲所讀之經書，至今五、六十年，猶不遺忘。」

第二，青年苦學。康熙帝十七歲時，舉行「經筵大典」，就是由講官給皇帝講解「四書」「五經」等。康熙帝不滿足於隔日進講，命大臣們「日侍講讀，闡發書旨，為學之功，庶可無間」。經筵改為每天舉行。他不滿足於只是聽講，而主動提出師生互講，加強討論。

每日大清早，康熙帝到乾清宮弘德殿，聽講官進講，講畢，辰時（七至九時），到乾清門聽政，從不間斷。康熙十二年（一六七三）三月，乾清宮修繕，他搬到西苑瀛臺暫住，也不廢講。酷暑寒冬，奏請停講。他讓講官暫停，但「講章仍照常進呈」——老師停講，他並不停學。在平定三藩之亂時，軍報頻奏，也乘間隙，進講經史。在南巡途中的御舟上，他帶著書卷讀，經常到三更。在親征噶爾丹時，他晚上常手不釋卷，在帳篷裡讓傳教士張誠等給他講解幾何學，還做算題。他說：「一刻不親書冊，此心未免旁騖。朕在宮中，手不釋卷，正為此也。」（《康熙起居注冊》）

乾清宮的弘德殿

逛一逛

弘德殿

乾清宮之西小殿。南向三間，建於明朝，初名雍肅殿，明萬曆十四年（一五八六）改名弘德殿。明代為召見臣工之處。清代時為皇帝傳膳、辦理政務及讀書的地方。

第三，盛年博學。盛年康熙帝的讀書學習，重在博覽眾取。他讀儒家經典外，也涉獵史部的《史記》、《漢書》、《資治通鑒》以及諸子百家。將經、史、子、集打通，汲取儒學的治道、歷史的治鑒、諸子的智慧、文學的涵養，提高自己的素養，提升治國的能力。他還遍讀道、釋、醫、藥、農、地理、治河之書，並學習西方的天文、數學、物理、化學、地理、醫學、藥學、測繪、語言、音樂、繪畫、人體解剖等知識，在當時堪稱學貫中西。

第四，老年通學。康熙帝老年的讀書學習能夠融會貫通。康熙帝強調：「書不貴多而貴精，學必由博而致約。」（康熙《庭訓格言》）說明他讀書學問，愈老愈純，愈老愈通。他說：「人君講究學問，若不實心體認，徒應故事，講官進講之後，即置之度外，是務虛名也，於心身何益？」（《康熙起居注冊》）

經常有人問我：應當怎樣學習？康熙帝的讀書人生很值得借鑒。少年讀書，要在培養興趣，重在養成習慣；青年讀書，要在打下基礎，重在扎實讀懂；盛年讀書，要在博覽群書，重在融會貫通；老年讀書，要在回眸人生，重在養生養心。康熙讀書，值得學習。

康熙書房

康熙十六年（一六七七），在乾清宮院落正式創立南書房。最初動因是：其一，康熙帝身邊的太監等，沒有文化，不能同其研討經史，切磋書法；其二，各大臣都有職務，也不能隨時陪伴身邊，日侍左右；其三，大臣住地離皇宮較遠，隨時諮商，很不方便，每日派員，輪流值班，所以要設南書房。

康熙帝自幼酷愛書法，臨摹唐太宗、黃庭堅、米芾、趙孟頫、董其昌等書帖，以趙、

南書房

董為多。特別受到書法家沈荃的指點。

沈荃（一六二四～一六八四年），江南華亭（今上海）人，順治朝探花。先在地方做官，書法聞名海內，以擅長書法，入值南書房，官至國子監祭酒、禮部侍郎銜。沈荃在南書房，給康熙帝講解古今各體書法，先做示範，並做指導。御製碑文、屏風、楹聯等，多由沈荃書寫。他特別敢於指出康熙帝寫字的毛病：「公每侍聖祖書，下筆即指其弊，兼析其由。」（《郎潛紀聞三筆》）他不但指出毛病，還分析其緣由。他的兒子沈宗敬也在南書房。一天，康熙帝感慨說：「朕初學書，宗敬父荃指陳得失。至今作字，未嘗不思其勤也。」（《清史稿．沈荃傳》）沈荃為人正直，康熙十八年（一六七九）大旱，求直言。時更定新例，罪人當流者徙烏喇，下廷臣議。沈荃說：「烏喇去蒙古三、四千里，地極寒，人畜多凍死。今罪不至死者，乃遣流，而更驅之死地，宜如舊例便。」康熙帝不接納。他又說：「此議行，三日不雨者，甘服欺罔罪。」果然，兩天後下雨。康熙帝採納了這個諫議。

除了得到高人指點，康熙帝苦練書法。他說：「朕自幼嗜書法，凡見古人墨跡，必臨一過，所臨之條幅、手卷將及萬餘，賞賜人者不下數千。天下有名廟宇禪林，無一處無朕御書匾額，約計其數亦有千餘。」（康熙《庭訓格言》）康熙帝對書法，頗下功夫，「聽政之暇，無間寒暑，惟有讀書寫字而已」（《康熙起居注冊》）。宮中法帖甚多，他都賞閱臨遍。在五十歲後，曾向大臣們說：「朕自幼好臨池，每日寫千餘字，從無間斷，凡古名人之墨跡、石刻，無不細心臨摹，積今三十餘年。」（《清聖祖實錄》卷二一六）

南書房有一批通天算、明音律的人才，如戴梓，杭州人，以布衣從軍，獻連珠火銃法，平定叛亂，立有功勞。康熙帝命戴梓入值南書房。這是清朝以技藝入南書房的唯一之人。戴梓所造的連珠銃，形如琵琶，火藥鉛丸，可以連發二十八發子彈。戴梓還奉命仿造子母砲、「威遠將軍」砲。康熙帝在實戰中，用以破敵，效果很好（《清史稿》卷五〇五）。

可以說，康熙帝得到了最高明的老師的指教，這個條件是得天獨厚的。

康熙帝寫字像

讀書四要

康熙帝讀書，有四條經驗——要持久，要思悟，要知行，要著述。

第一，要持久。一個人，讀點書並不難，難的是長久堅持；一個人，平時讀書並不難，難的是動盪時靜心堅持讀書。

第二，要思悟。康熙帝說：「凡看書不為書所愚始善。即如董子（仲舒）所云『風不鳴條，雨不破塊』，謂之昇平世界，果使風不鳴條，則萬物何以鼓動發生？雨不破塊，則田畝如何耕作布種？」（康熙《庭訓格言》）不能盲目聽信。

第三，要知行。他說：「明理最是緊要，朕平日讀書窮理，總是要講求治道，見諸措施。故明理之後，又須實行。不行，徒空談耳。」（《康熙起居注冊》）怎樣知行呢？如南巡的船，他親自參與設計、製作。如行軍路上，運糧困難，「將士每日一餐，朕亦每日進膳一次」。演算題，搞測量，做實驗，如他派人考察黃河源頭、解剖冬熊胃中食物等。他讀書不為表現，不徒虛名，而是對書中道理真正有興趣，真想做探討。因此，他後來成為一位學術造詣很深的君主。

第四，要著述。康熙帝重視編書、寫書。如編修《康熙字典》、《古今圖書集成》、《律曆淵源》等；又勤於筆耕，著《康熙帝御製文集》一百七十六卷，《御製詩集》收錄一千一百四十七首詩詞。他的《幾暇格物編》共九十三篇文章，是一部學術著作。如蝗蟲滋生的規律，各地農作物像水稻、小麥、西瓜、葡萄等等生產的情形。又因為他學過西洋的科學知識，他對自然界的若干現象也有所論述，例如他注意到黑龍江西部察哈延山「噴焰吐火，氣息如煤」的奇特現象。他從瀚海的螺蚌殼，推知遠古蒙古大沙漠曾是水鄉澤國。康熙帝探討人體生理構造，命令西洋人把西文《人體解剖學》譯成滿文本（《張誠日記》）。

康熙帝的《庭訓格言》，以他一生體驗為主，告訴後人一些有益的做人處事道理。全書二七四一九字，共兩百四十六條，講述養心、修身、齊家、治國、平天下的經驗與道理。

第68講

孝愛祖母

康熙帝從小生活在一個龐大的皇帝家庭裡，他又營造了一個更龐大的皇帝家庭。這個家庭高峰時有六代人：太皇太后、太后太妃，皇后妃嬪五十五人，子女五十五人，孫、曾孫一百五十餘人。

《大學》說：「為人子，止於孝。」對長輩，做到孝順，不算很難；做到孝敬，不算太難；做到孝愛，心靈相通，的確很難。我重點講康熙帝對祖母孝莊太皇太后的孝順、孝愛和孝哀。

平時孝順

在康熙帝心目中，分量最重的是祖母孝莊太皇太后。他八歲，皇父賓天；十一歲，皇母又病逝。這麼小就失去父母，沒有得到依偎父母膝下的幸福，全靠太皇太后撫養教育。

於是，康熙帝將作為兒孫的親情和孝敬，合在一起，全給了祖母，三十餘年，拳拳孝愛。

祖母孝莊太皇太后，身歷天命、天聰、崇德、順治、康熙五朝，閱歷豐富，見多識廣。康熙帝十四歲親政時，還是少年，他在政事方面，求教祖母。《康熙起居注冊》記載，康熙帝每日下朝後第一件事，就是到慈寧宮向祖母請安。早晚問安，親睹慈顏，面稟朝事，聆聽訓誨。少年天子十分珍視每日與祖母的會面，這是他日理萬機生活中盡享親情的時刻，更是他以政事求教祖母的機會。處理好國家大事，使社稷長治久安，是對祖母最大的孝。

康熙九年（一六七〇），康熙帝打算先往關外拜謁太祖、太宗山陵，再到遵化拜謁世祖山陵。但太皇太后說：「世祖升遐十年，未得一詣陵寢。」建議皇孫先去拜謁孝陵，自己和皇太后博爾濟吉特氏、皇后赫舍里氏同往。康熙帝順應祖母的心意，改變行程。這樣，十七歲的康熙帝，陪著祖母太皇太后、嫡母孝惠皇太后等前往祭謁順治帝的孝陵，皇后赫舍里氏隨行。像這樣，祖、母、孫媳三代四人一起謁陵，有清一代，僅此一例。

康熙帝陪同皇祖母去五臺山禮佛，完成皇祖母的又一個心願。山西五臺山是中國四大佛教名山之一。元、明以來，大批蒙古信徒來到這裡，在菩薩頂修建了多座喇嘛廟。清初皇家對五臺山喇嘛廟極為重視。孝莊太皇太后自幼信奉喇嘛教，去五臺山是她多年的心願。

為陪祖母到五臺山進香，康熙帝先往五臺山，抵達菩薩頂，住了四天。其間，道路、行宮、食宿、日用、物資等，都親自安排，做了準備。其最險要路段長城嶺，康熙帝「特赴長城嶺，用輦親試」。果然，山勢太陡，抬轎人站立不穩，難以攀登。康熙帝返回後如實稟告祖母，但孝莊仍不願放棄多年的願望，還是要去五臺山。

康熙二十二年（一六八三）九月，三十歲的康熙帝陪同太皇太后前往五臺山。行到長城嶺，因山路崎嶇，乘車不穩，改為八人暖轎，他本人親自侍從，前後扶掖，左右照顧。太皇太后念及抬轎步履艱難，便提出還是換為乘車。康熙帝勸請再三，孝莊不允，不得已，便順從祖母，乘車前往，但是他悄悄命轎子跟在後面。走了幾里路後，康熙帝見祖母乘車太不安穩，便請乘轎。祖母說：「我已經換車了，轎哪能馬上就到呢？」康熙帝說：「轎子就在後面跟著呢。」祖母高興地拊著康熙帝後背說：「車轎細事，且道途之間，汝誠意無不想到，實為大孝。」

道路愈走愈險，祖母終於對康熙帝說：「嶺路實險，予及此而止，積誠已盡。五臺諸寺應行虔禮者，皇帝代我行之，猶我親詣諸佛前也。」（《清聖祖實錄》卷一一二）康熙帝令皇兄福全等扈從祖母先行返京，他本人擇日再到菩薩頂，遵慈旨「代禮諸寺」。七天後，祖孫平安回京。

後來，康熙帝以自己的體會告誡兒孫們：「凡人盡孝道，欲得父母之歡心者，不在衣食之奉養也，惟持善心，行合道理，以慰父母，而得其歡心，斯可謂真孝者矣」（康熙《庭訓格言》）。

康熙帝出巡時總想著祖母。康熙帝每次出巡，得到新鮮食品或地方風味，都不遠千里，送給孝莊吃。他行圍時獵獲的飛禽走獸、採集的山珍野味，也恭進祖母：「遣使呈鮮味，須令馬迅飛。」

康熙帝對祖母的孝心，盡現在他三十多年「期盡孝養，朝夕事奉」的行動中。盡一日三朝禮，無一心不孝敬，無一時不盡敬，無一事不竭誠。

病時孝愛

康熙帝對祖母的孝愛，集中體現在他對祖母病中的關切，竭誠盡意，無以復加。

康熙帝相信「坐湯」就是溫泉浴，能治很多病。他先後六次陪祖母到各地溫泉小住，為祖母治病。一次去宣化赤城湯泉，兩次去昌平小湯山溫泉，三次去遵化福泉山溫泉。時間最長一次達七十三天，最短一次四十五天。如康熙十一年（一六七二）正月，十九歲的康熙帝陪祖母去宣化赤城湯泉。途中進膳時，他親視祖母降輦，陪祖母一起到進膳處，親自安排。飯後，又到祖母行宮，侍祖母登上乘輿，並親扶幰駕，行走數十步，才上馬跟隨。過八達嶺時，康熙帝下馬，親手為祖母「扶輦整轡」。祖母心疼孫子，幾次勸他說：「汝步行勞苦，其乘馬前行。」康熙帝執意不肯：「此處道險，必扶輦整轡，於心始安。」經過九天翻山過嶺，長途跋涉，終於抵達赤城溫泉。由於溫泉附近地方狹隘，康熙帝住在七里以外的地方。他每天前去請安，並陪伴祖母說話。返京路過長安嶺時，狂風勁吹，大雨滂沱，康熙帝不顧孝莊的勸阻，下馬步行，護持輦轅。這次往返六十五天的行程中，康熙帝表現出對祖母的虔誠孝愛。

康熙二十四年（一六八五）八月二十八日深夜，祖母突然中風，右肢麻木，舌頭發硬，言語不清。康熙帝為孝莊「親侍進藥，侍奉至夜半」。此後數日，康熙帝每日兩三次去祖母宮中問安。康熙帝決定前往白塔寺（位於今北京阜成門內）進香為祖母祈福，正準備從宮中動身時，突然電閃雷鳴，大雨如注。近侍請求等雨停後再去，康熙帝不允，毅然冒雨前往。

康熙二十六年（一六八七）十一月二十一日，孝莊太皇太后發病，康熙帝諭令：「非緊要事，勿得奏聞。」他在慈寧宮孝莊的床邊，席地奉侍，晝夜不離，「衣不解帶，寢食俱廢」。孝莊入睡後，康熙帝「隔幔靜候，席地危坐，一聞太皇太后聲息，即趨至榻前，凡有所需，手奉以進」。侍湯藥三十五晝夜，「衣不解帶，目不交睫，竭力盡心，惟恐聖祖母有所欲用而不能備，故凡坐臥所須，以及飲食肴饌，無不備具，如糜粥之類，備有三十餘品」（康熙《庭訓格言》）。十二月初一日，隆冬凌晨，寒風刺骨，康熙帝率王公大臣從乾清宮出發，步行前往天壇祈願。康熙帝讀祝版時，跪在壇前，涕淚滿面，淚滴成冰。陪祀大臣，無不感泣。

孝莊臨終，拊著孫兒康熙帝的後背，流著眼淚讚嘆說：「因我老病，汝日夜焦勞，

北京白塔寺舊影

竭盡心思，諸凡服用，以及飲食之類，無所不備，我實不思食，適所欲用不過借此支吾，安慰汝心，誰知汝皆先令備在彼，如此竭誠體貼，肫肫懇至，孝之至也。惟願天下後世，人人法皇帝如此大孝可也。」（康熙《庭訓格言》）

逛一逛

白塔寺

始建於元朝，位於北京市西城區阜成門內大街一七一號。初名「大聖壽萬安寺」，後稱妙應寺，為藏傳佛教格魯派寺院。寺內白塔建於元朝，是中國現存年代最早、規模最大的喇嘛塔，俗稱白塔寺。

清孝陵石牌坊

死後孝哀

《中庸》說：「愛其所親，事死如事生，事亡如事存，孝之至也。」孝敬長輩，既在生前，也在身後。康熙二十六年十二月二十五日（一六八八年一月二十七日），太皇太后病逝，享年七十五歲。康熙帝一連十餘晝夜，流涕嗚咽，號哭不止，居住圍帳，水漿不入，以致昏迷。將孝莊梓宮安放在慈寧宮內，直到來年正月十一日發引，晝夜不離，日夜哀哭。孝莊梓宮遷到朝陽門外殯宮，發引之時，他堅持步行；途中每次更換杠夫時，他「必跪於道左痛哭，以至奉安處，刻不停聲」。孝莊臨終及病故後，他連續六十天衣不解帶，也不盥洗。到正月下旬，御門聽政時，還要人扶掖前行。康熙帝晚年的高血壓及心臟病等疾患，就是因祖母大喪和太子廢立的憂傷而落下的病根。

康熙帝從祖母死到自己故去，其間三十五年，前往遵化祭謁暫安奉殿、孝陵共二十六次，時刻緬懷祖母的慈恩。他對嫡母孝惠皇太后的孝，也是如此。

康熙帝既要孝奉太皇太后，又要孝侍皇太后，長達五十六年。可以說，康熙帝的一生幾乎都是在給太皇太后和皇太后盡孝中度過的。《孝經》說：「天地之性，人為貴；人之行，莫大於孝。」孝子事親，「居則致其敬，養則致其樂，病則致其憂，喪則致其哀」。孝子必忠國家，孝子必愛百姓。連父母都不愛，能熱愛人民嗎！

看一看

清孝陵

清世祖順治帝福臨的陵墓，位於河北遵化，是清東陵內建造的第一座帝陵，規模宏大，體系完整，是清諸陵之首。

六下江南

康熙帝從康熙二十三年（一六八四）到四十六年（一七〇七），也就是從三十一歲到五十四歲期間，六次下江南，共五百二十天。第五次南巡時間最長，一百一十八天。他是清朝十二位皇帝中，第一位航經大運河、海河、黃河、淮河、長江、錢塘江六條大江河的皇帝，開創了清帝南巡的先例。

明亡清興的歷史大變革，激起強烈的滿漢民族矛盾和文化衝突，到康熙時，整整一百年間，沒有完全化解。努爾哈赤的「屠殺漢儒」，皇太極的七掠中原，多爾袞的強令剃髮，使得中原漢人對立情緒強烈。這是康熙帝從三代先祖手中接過來的一個沉重的歷史包袱。這個歷史包袱，至少打著三個死結，一是文化之結，二是君臣之結，三是官民之結。

化文化結

康熙帝南巡，第一個期待是：化解文化差異之結。為此，他主要做了四件事：

第一，祭孔子。康熙帝從小就讀《論語》，孔子在他心目中是至聖先師。康熙帝第一次南巡，到曲阜孔廟，步入大成門，進入大成殿，向孔子塑像和牌位行三跪九叩大禮。康熙帝還御書「萬世師表」，懸額殿中。接著，參觀杏壇和孔林，行三叩禮。

第二，祭岱廟。泰山是五嶽之首。秦皇、漢武等都曾封禪泰山。這是中華文化的傳統。康熙帝到泰安，躬祀泰山之神，登泰山極頂，到日觀峰。表明他對儒家傳統文化的認同景仰、頂禮膜拜。

第三，祭明陵。康熙帝南巡，連續三次親祭明太祖孝陵。他說：「明太祖，一代開創令主，功德並隆。」在第三次南巡時，為明孝陵題寫「治隆唐宋」四字匾額碑。

第四，祭禹陵。康熙帝第二次南巡到了紹興會稽山麓。他到大禹陵前，親撰祭文，祭奠禹陵，行三跪九叩禮。

康熙帝的「四祭」——祭孔子、泰山、明陵、禹陵，向天下宣告：接受漢族儒家文化。

在南巡中，康熙帝御書匾額，頒給大儒董仲舒、周敦頤祠堂——表達對儒學的尊崇。他又御書匾額，頒給為抗金憂憤而死的宗澤，頒給在厓山（今廣東省江門市新會區）背負八歲南宋末帝趙昺投海而死的陸秀夫，這展現了康熙帝的博大胸懷。

《康熙南巡圖》中拜祭禹陵場景

康熙帝在南巡途中，如看戲，觀燈船，遊覽江南園林，享用江南美食等，所聞所見，耳濡目染，接受漢文化的熏陶，表現出對漢文化的尊重、吸收和喜愛。

化君臣結

康熙帝南巡，第二個期待是化解君臣隔膜之結。

清朝滿洲官員占主導地位，漢官常有不滿情緒。康熙帝通過南巡活動，儘量緩解漢族官員的不滿，採取如賜匾、賜字、賜宴、賜物、賜銀、賜食、賜見、賜官等諸多懷柔、籠絡措施，表示對漢官的信任和器重。

康熙帝賜致仕（退休）大學士張

英、陳廷敬等御書匾額。將軍馬三奇、江寧織造曹寅、中堂張玉書恭進御宴一百桌。這些面對面的交流溝通，密切了君臣情感。

康熙帝南巡到德州，聽說安徽宣城梅文鼎（一六三三～一七二一年）的天文、數學造詣很深，便讀他的《曆學疑問》三卷，並帶回宮中仔細閱讀，親筆圈點並貼簽批注。康熙帝第五次南巡時，將梅文鼎召到御舟上，「從容垂問，至於移時，如是者三日」，稱讚他為「真僅見也」！但因梅年老，不便到京任職，便賜御書、匾額等。梅文鼎在數學方面的成就尤為突出，不僅能吸收西方數學的成就，還對《明史．曆法志》正其誤、補其缺。他平生勤奮，手抄雜書不下數萬卷，年八十九而卒。今安徽省宣城市有梅文鼎紀念館，館前樹立梅文鼎塑像，以紀念這位科學家。

康熙帝第五次南巡到江寧（今江蘇省南京市），遇上一件事。江寧知府陳鵬年是個清官，下令將暗娼老窩端掉，改為鄉約講堂，堂內張寫〈聖諭十六條〉，懸掛「天語叮嚀」匾。有人告發他對皇帝大不敬，定罪「論斬」。江寧織造曹寅向康熙帝免冠叩頭，為陳鵬年求情：階石有聲，至血被額。康熙帝將陳鵬年免死，令其到皇宮武英殿修書處效力，後任官河道總督。黃河決口，「自請前往堵築，寢食俱廢，風雨不辭，積勞成疾，歿於工所。」「聞其家有八旬老母，室如懸磬」，雍正帝說：「此真『鞠躬盡瘁，死而後已』之臣！」（《清史列傳．陳鵬年》）。

康熙帝通過南巡，消除同漢官、特別是江南漢官的隔膜，增進了君臣感情。這裡講一個康熙帝同宋犖的故事。宋犖的父親宋權，河南商丘人，任明朝順天巡撫，剛上任三天，崇禎帝吊死。他投降清朝，仍任原官。後上書三條建議：一是給崇禎帝發喪，二是免除明末加派糧餉，三是選賢任能，都被採納。他的兒子宋犖，十四歲得蔭三等侍衛。康熙朝歷官知府、布政使、巡撫、尚書等，幾與康熙一朝相始終。康熙帝與宋犖，君臣關係親近。康熙帝第三次南巡，正值宋犖任江蘇巡撫，他送的蘇州太湖洞庭山出產的綠茶，康熙帝很喜歡，賜名「碧螺春」。從此碧螺春茶天下聞名。

康熙帝還給宋犖送老花眼鏡，又見他年老牙口不好，就賜給其內府所製豆腐，並派御廚到宋犖衙署廚房，向他的廚師傳授做法，以便宋犖後半輩子食用。宋犖感激涕零，以此為殊榮。宋犖三次接駕康熙帝南巡，年老致仕回鄉，享年八十。

康熙帝與宋犖之間，不似君臣拘謹，而是交互往來，情誼日增。康熙帝六次南巡，廣泛接觸漢族官員，對增進君臣了解、消解君臣隔膜，起了不可估量的作用。

化官民結

康熙帝南巡，第三個期待是化解官民，特別是滿官與漢人的夷夏之結。

漢人，特別是江南漢人，對多爾袞的「留髮不留頭，留頭不留髮」、「揚州十日」、「嘉定三屠」等，非常不滿，刻骨銘心。康熙帝南巡一個期待是，籠絡士紳，維繫民心，化解歷史積怨，消解官民之結。

康熙帝到南京，經明故宮，往明孝陵，荊榛滿目，一片蒼涼，遂下令加以保護與修整。

他每到一地，都減免田賦。如第三次南巡，命將全省積欠錢糧盡行蠲免。第四次南巡，遇村民住屋失火，派侍衛等撲滅後，命被火燒毀房屋，每間償銀三兩（《清聖祖實錄》卷二一一）。

他每到一地，都轟動輿情。

到山東，連年饑荒，民生困苦，康熙帝命發銀數百萬兩賑濟，蠲免所欠地丁錢糧。當第五次南巡入山東境，「山東紳衿軍民數十萬，執香跪迎道左」，御舟經過，「夾岸黃童白叟，歡呼載道，感恩叩謝者，日有數十萬」（《清聖祖實錄》卷二一九）。

到宿遷，過白洋河，居民老幼數千，跪迎堤畔，對年老貧寒者，各賜白金。

到南京，縉紳士民數十萬，於兩岸跪送。

到揚州，闔郡士民迎駕。民間張燈結彩，盈衢溢巷，夾道跪迎，且隨船追趨。

到蘇州，闔郡士民迎駕（《清聖祖實錄》卷一三九）。

到杭州，駐防官兵，闔郡紳衿，普通士庶，跪迎聖駕。

以上，難免有官員組織民眾夾道歡呼，也難免有官方誇大輿情。但康熙帝南巡，畢竟在一定程度上起到了化解君民心結的積極作用。

康熙帝六下江南，前後跨度二十四年，基本達到了化解文化、君臣、君民三結的期

《康熙南巡圖》中山東免賦場景

待，取得良好效果。但其鋪張浪費，亦不可忽視。

康皇帝每次南巡，不是輕車簡從幾十人，而是成千上萬人，地方接待費用極多，如《紅樓夢》趙嬤嬤所說：「把銀子花的像淌海水似的。」皇帝南巡，確有「苦累官民」的一面。

第70講

三帝國師

下面講清朝康熙帝、雍正帝、乾隆帝三位皇帝的國師徐元夢。分作三點，簡述如下。

品學醇正

徐元夢（一六五五～一七四一年），比康熙帝小一歲，滿洲正白旗人。徐元夢生活在清朝定都北京之初。這是一個由弓馬馳騁，到以文治國的時代。許多滿洲人陶醉在以軍功立業的舊夢中。但徐元夢是滿洲人中最早認識到重視文化、以文治國的先行者之一。康熙十二年（一六七三），徐元夢十九歲中進士，改庶吉士。徐元夢沒有沉醉於清初官場生活，而是認真讀書，精讀漢文儒家經典，充任日講起居注官，不久升為侍講——給康熙帝講課的師傅。

徐元夢精通滿洲語文，兼蒙古語文和漢語文，學力深厚，又會講課，效果很好，頗負聲譽。康熙帝評價徐元夢說：「徐元夢翻譯，現今無能過之。」就是說，徐元夢是當代滿、蒙、漢文之間翻譯的第一人。康熙帝自己精通滿、蒙、漢文，他對徐元夢做出如此高的評價，實屬難得。也可以說，徐元夢是整個有清一代，在額爾德尼、達海創立和改進滿文之後，成為滿洲語文學術水平和翻譯水平，成就最高的第一人。

徐元夢受命，在上書房教授諸皇子讀書，又專任皇太子胤礽的老師。後來的雍正帝、乾隆帝以及一批親王等都是徐元夢的學生。他還兼任翰林院掌院學士。他在擔任這個職務期間，進士考庶吉士（讀研）和庶吉士散館（畢業），也都是他的學生。他還做過順天鄉試、禮部會試的考官，這些考中的學子也都是他的學生。

徐元夢的學問越來越深，功力越來越厚，地位越來越高，影響越來越大。當朝大學士、權臣明珠要籠絡徐元夢為自己門下，先向康熙帝推薦他擔任經筵講官，就是給皇帝講課，但徐元夢「以明珠方擅政，不一至其門」（《清史稿．徐元夢傳》）。一次也不登門拜見，明珠也無可奈何。後明珠擅權、貪腐，受到御史郭琇彈劾而罷官，許多依附明珠的官員受到牽連，徐元夢則安然無事。

徐元夢走的道路，並不平安順利，也受到過挫折。

堅韌忠謹

徐元夢受到三次沉重打擊：

第一次，因徐元夢不投附明珠，明珠編造和傳播流言蜚語，中傷徐元夢。康熙帝召徐元夢等在乾清宮作文賦詩，考試成績。徐元夢的考卷沒有按規定時間答完，本應受罰，但因皇太子老師湯斌極力推薦，才過了這一關，並受命教授諸皇子讀書。

第二次，有人奏劾德格勒私抹起居注，並說徐元夢與德格勒互相標榜，刑部命將二人免官下獄。擬判決：「德格勒立斬，徐元夢絞。」這就是說，二人都擬判死刑，德格勒最重，斬首；徐元夢其次，絞死。康熙帝命徐元夢免死，戴枷三個月，鞭一百，入辛者庫，就是犯罪之奴。後康熙帝考察，知徐元夢忠誠，仍復其入值上書房裡，教諸皇子讀書。

逛一逛

清宮上書房

清康熙三十二年（一六九三）始稱上書房。雍正初年設在乾清門內東側圍房，北向，共五間，是清代皇子接受教育的場所。

清宮上書房

第三次，康熙帝在西苑（今中南海）瀛臺，考察諸皇子射箭，命徐元夢也射箭。射箭拉開的弓，分力大、力中、力小等級別。徐元夢是文人，可以彎弓射箭，但不能拉開強弓。康熙帝指著一張強弓讓他拉開，徐元夢推辭說：臣不能力挽強弓。康熙帝不高興，譴責徐元夢。徐元夢解釋、辯白，結果康熙帝更加憤怒，立命侍衛將徐元夢撲倒在地，並用鞭子狠抽他。康熙帝越說越生氣，命抄他的家，流放他的父母。當天夜裡回宮之後，康熙帝火氣消了，略有反思，派御醫到徐元夢家，給他治療創傷。第二天，命徐元夢照常給諸皇子講課。徐元夢奏道：臣父母被遣送，請求赦免。康熙帝派官前去赦免，但他的父母已經押解上路，特派侍衛騎快馬將他父母追回。

徐元夢經受如此沉重的打擊，仍然身心平靜，潛心讀書，諄諄教書，一如既往。康熙帝經過考察，升他為內閣學士，免除罪奴身分，歸還滿洲正白旗的旗籍。

澤被五代

徐元夢出任浙江巡撫後上奏請修復舊書院，康熙帝賜匾「敷文書院」。回京後，吏部提出高官人選，康熙帝指示選拔條件是：「不畏人」和「學問優」，意思是敢於直言，學問優秀。後命徐元夢為工部尚書兼翰林院掌院學士。康熙帝晚年賜徐元夢御製詩，並說：「徐元夢乃同學舊翰林，康熙十六年以前進士只此一人。」

雍正帝繼位後，命徐元夢署大學士、兼署左都御史，調任戶部尚書，任纂修《明史》總裁。

乾隆帝繼位後，命徐元夢與修《八旗滿洲氏族通譜》，仍在上書房教皇子讀書。徐元夢八十歲以後，仍在朝廷任職。後來患病，乾隆帝命皇長子前去他家裡探視、慰問。不久，病重。乾隆帝諭曰：

徐元夢踐履篤實，言行相符。歷事三朝，出入禁近，小心謹慎，數十年如一日。壽逾大耋，洵屬完人。（《清史稿・徐元夢傳》）

徐元夢病危，乾隆帝又派人問他有什麼話要說。徐元夢伏枕流涕說：「臣受恩重，心所欲言，口不能盡！」呼曾孫取《論語》，看了很久。第二天，病故，享年八十七。乾隆帝命和親王弘晝及皇長子親臨祭奠，並出庫銀辦理喪事。贈太傅，謚文定。

徐元夢的孫子舒赫德，沿襲祖父文士家風，「日必記事作詩」；又能習武統兵，兩次圖形紫光閣。曾任戶部、兵部、工部尚書，陝甘總督、伊犁將軍、武英殿大學士。重孫舒常，官出為湖廣總督、兩廣總督，入為工部尚書，並因軍功圖形紫光閣。

徐元夢身歷順治、康熙、雍正、乾隆四朝。徐元夢的一生告訴人們：人生成就功名，既要有天時地利，更要有堅韌忠謹。

第71講

康熙治河

從明朝遷都北京以來，京師軍民需用，主要靠京杭大運河運輸。京杭大運河穿越黃河、淮河等五大河流，其中黃河和淮河經常氾濫，而一旦黃河或淮河出了問題，就直接影響到運河通航，也直接影響漕運。一九六六年，我騎自行車，從北京出發，沿京杭大運河，進行考察。行程三千五百里，途經八個省（直轄市），歷時一個月，最後到達杭州。在江蘇淮陰（今在江蘇省淮安市）境，看到黃河、淮河、運河的交匯處，清朝叫「清口」。前幾年我又去清口考察，那裡建立了博物館。康熙帝治河、通漕的一個關節點，就在清口。

通漕首先要治河，治河重點是黃河。康熙帝是怎樣做的呢？

親理河務

黃河為害的自然原因之一是，黃河水從上游夾帶大量泥沙，泥沙淤積，河床升高，逢到雨水過大，使河水漫溢，河堤潰決。黃河為害的社會因素，又加重了黃河水患。金初攻宋，決黃河豫北段，河道南移，生民遭殃。蒙古滅金，與南宋爭開封，決寸金澱，黃河氾濫。明朝末年，決開封黃河堤，水灌開封城。（《黃河水利史論叢》）元、明、清三代的黃河水患，屢決大堤，為害一方。清朝所謂「河務」、「漕運」，首先要保證漕運暢通，所以康熙帝治理黃河是以保漕運為主。

康熙帝治河，貴在親自抓。抓什麼？抓考察。康熙帝派侍衛拉錫等去往黃河源頭，到星宿海，往返萬餘里，並繪成輿圖。這是中國歷史上第一幅經過實際踏查而繪成的黃河圖。康熙帝六次南巡，巡視黃河，親自考察，閱讀方志，訪問耆老，扯繩測量，指授方略。

康熙帝重視治河，要在選擇能臣、廉臣做河道總督。明朝以都御史總督河道，清朝始設專職河道總督。雍正定制，分工管理——江南一人，稱南河總督，駐清江浦（今在江蘇省淮安市）；山東一人，稱東河總督，駐濟寧州（今山東省濟寧市）；直隸一人，稱北河總督（時間較短），由直隸總督兼，駐保定府（今河北省保定市）。靳輔任河道總督時，河道總督只一人，其職任重要，任務繁巨。

拉錫等主持繪製的《星宿海河源圖》（局部）

康熙朝河道總督十二人，這裡重點講靳輔，以了解康熙帝治河的決心、治策、智慧和風範。

重用靳輔

靳輔（一六三三～一六九二年），遼陽（今在遼寧）人，隸漢軍鑲黃旗。初為官學生，後任學士（五品）。康熙十年（一六七一），任安徽巡撫。靳輔在離京赴任途經邯鄲時，因呂翁祠詩，結識了陳潢。

陳潢（一六三七～一六八八年），錢塘（今浙江省杭州市）人。為人聰穎，懷才不遇，屢試不中，落魄京華。他飽讀治河之書，研究治水，顛沛流離，暫居邯鄲，在呂祖祠的牆壁題詩：

靳輔像

四十年中公與侯，雖然是夢也風流。
我今落魄邯鄲道，要替先生借枕頭。

靳輔見而驚異，訪見陳潢，遂相見恨晚，引為幕僚，協助他治河。康熙十六年（一六七七），靳輔受命任河道總督。官員們以河道總督為畏途，「聞者心驚，見者膽落」（《靳文襄公奏疏》卷八）。靳輔猶豫，不敢承命。但陳潢勸說靳輔：「盤根錯節以別利器，河久失治必有人起而任之，膺斯任者，非公莫屬！」（陳文述《頤道堂文鈔》卷九）

靳輔決定上任。靳輔同陳潢沿河考察，訪問耆老，日夜奔波。經過考察，胸有成竹，一天上八封奏疏，建言治河方略：統審全域，河運並治，浚河築堤，束水攻沙，量入為出。

其一，束水攻沙，就是繼承和運用前明潘季馴「以堤束水，以水攻沙」的經驗，築堤束水，沖刷黃河水中夾帶的泥沙。

其二，修築遙堤，就是在主堤（縷堤）外三、四里處再築一道遙堤，洪峰大時，河水在遙堤裡下瀉，避免決口，氾濫成災。

其三，新開中河，就是從江蘇淮安到邳州，新開三百里的運河——中河。原來船行到這裡，要借一段黃河，再進入運河。因風大浪險，水流湍急，每條船要增加二十名縴夫，日行二、三十里。遇到淺灘，還要將貨物卸下，陸運過淺灘後，再重新裝船。新開中河後，漕船避開黃河驚險，從中河通過，無風浪之憂，順利通行。這裡我前些年去考察過，河道還保存著。

靳輔和陳潢督率民工，日夜辛勤，大有成效。但多次受到無辜指責，屢遭磨難。

清初，黃河決口，造成洪澤湖淤高湖底，潰漫堰堤，下河局面嚴重。靳輔偕同陳潢，在洪澤湖的堤壩高家堰展開護堤工程，後來還在堰堤上建造了仁、義、禮、智、信五個減水壩，在大堤上建造石頭堡，以便觀察水勢。當時還在堤壩同一水平線上澆鑄了九牛二虎一隻雞，企盼金雞報曉，警示堤防；借用「九牛二虎」之力來維土制水，鎮奠淮揚。今日，栩栩如生的鐵牛尚在。這裡現在是大運河沿線重要的文化遺產點。

康熙二十一年（一六八二），一位官員上書否定靳輔的治河方案。康熙帝派官前往調查。靳輔申辯：工程將要告竣，不應隨便變更。康熙帝命朝廷會議討論，並召靳輔到北京答辯。靳輔又說：工程就要完工，不應變更。康熙帝同意，命靳輔趕回工地。第二年春天，

《康熙南巡圖》中巡視河工的場面

蕭家渡工程完工，黃河回歸故道。康熙二十三年（一六八四），康熙帝南巡，閱視河工，賜詩讚美。

康熙二十七年（一六八八），御史郭琇彈劾靳輔治河無績，內外臣工，群起附議。康熙帝交九卿會議裁決：靳輔被罷官；陳潢被削職，逮京師，未入獄就憂憤致死。康熙帝命：停止修築重堤，免去靳輔河道總督，以閩浙總督王新命代之。

康熙二十八年（一六八九），康熙帝南巡，巡閱高家堰，見水勢回緩，非常高興。沿途聞江淮百姓，稱頌原任河道總督靳輔，感念不忘。回京後，召開六部九卿會議，侍郎博濟等疏稱：靳輔束水攻沙，獲得明顯效果。康熙帝說：「前革職屬過，可照原品致仕官例，復其從前銜級。」（《康熙起居注冊》）康熙三十一年（一六九二），重新任命靳輔為河道總督。當年冬，靳輔卒，年六十。康熙帝得到靳輔病死的奏報，臨軒嘆息；命其靈柩，先入都城，再運回家。這是前所未有的殊榮。靳輔死後，命于成龍為河道總督。

康熙三十三年（一六九四），康熙帝召見于成龍，君臣有一段對話：

康熙帝問：減水壩果然可以塞嗎？

于成龍答：不宜塞，仍然按照靳輔的方案做。

康熙帝問：那你為何不早陳述呢？你排陷他人容易，身任河道總督則難，這不是明驗嗎？

于成龍答：臣那時妄言，現在還是按照靳輔的辦法去做。

靳輔是康熙朝治河的能臣、名臣、功臣、廉臣。靳輔治理河運，三十年無大災。《靳文襄奏疏》（八卷）等著作傳世。靳輔以後司河者能規隨成法，晏安數十年，沒有大災害。

慎待爭議

康熙帝治河，重要經驗：第一，親理河務；第二，慎重用人；第三，慎待爭議。

如康熙二十四年（一六八五），康熙帝命安徽按察使于成龍修治海口等工程，聽靳輔節制，但二人意見分歧——于成龍力主浚海口，泄河水；靳輔堅持應修築長堤，束水趨海。靳輔說：開海口雖可泄水，但有海水倒灌之憂。于成龍說：河決築堤，無數百姓，將飽魚腹。怎麼辦？

其一，朝廷多次會議上于、靳二人辯論，康熙帝靜聽而不表態。

其二，康熙帝先召問身邊經筵講官等徵求意見，有的說于成龍對，有的說靳輔對。

其三，康熙帝又派尚書薩穆哈等到當地查議。薩穆哈回京說：于成龍意見不對。

其四，江寧巡撫湯斌回京就任尚書，康熙帝垂詢。湯斌說：于成龍議恐怕不便。

其五，命在京家在沿河官員，單獨上疏陳述己見，還是兩種意見的都有。

其六，康熙帝再派員往沿河兩岸官民現場調查，支持于、靳兩種意見的都有。

康熙帝慎待爭議，廣泛聽取意見，從而大大提高了中樞決策的準確性與可行性。

康熙治河，貴在謙虛。河道總督張鵬翮疏請將治河諭旨編纂成書，以便永久遵行。康熙帝說：

> 凡前代有關河務之書，無不披閱，大約泛論則易，而實行則難。河性無定，豈可執一法以治之？（《清聖祖實錄》卷二三〇）

這表現了康熙帝可貴的科學態度。

第72講

御史彈相

康熙朝廷上發生過一次「政治地震」，這就是左僉都御史郭琇，彈劾當朝大學士、權臣明珠。郭琇為什麼要彈劾明珠，康熙帝對此是怎樣的態度，其後果如何？

樹大招風

康熙朝最著名的大學士有兩位，一位是索額圖，另一位是納蘭明珠。明珠（一六三五～一七〇八年），那拉氏，滿洲正黃旗人，比康熙帝年長十九歲。明珠出身葉赫部，曾祖父、祖父都是葉赫貝勒。葉赫部滅亡，明珠的父親尼雅哈投降努爾哈赤，後來立功，做了佐領，隨軍入關。明珠初任侍衛，在皇帝身邊，精明強幹，敬業勤懇，升為內務府總管大臣（二品），後升刑部尚書。康熙帝擒鰲拜、掌朝綱後，明珠充任給皇帝講解經典的經筵講官，和康熙帝接觸多，不久升兵部尚書。康熙帝在南苑舉行盛大閱兵及軍事

內閣大堂

演習，部伍整肅，秩序井然。康熙帝很高興，命以此為例。不久，發生三藩之亂，明珠力主撤藩、堅決平叛，受到康熙帝信任。他任兵部尚書時，每天處理緊急軍務，深得康熙帝的器重。康熙十六年（一六七七），正當平叛高潮時，明珠為武英殿大學士（從康熙十六年到二十七年，共十二年），入閣辦事。

明珠為人聰睿，勤奮讀書，文化涵養在滿洲上三旗貴族中，特別在正黃旗貴族中，可謂翹楚。當時重要典籍如《清太祖實錄》、《清太宗實錄》、《明史》等，明珠都擔任總裁官。

明珠廣泛結交漢人名儒、名士。他的兒子納蘭性德，被讚為「滿洲第一詞人」。他的另一兒子揆敘官國子監祭酒、翰林院掌院學士、左都御史。南書房的徐乾學、高士奇、王鴻緒等都是明珠的人。徐乾學兄弟三人又是「一狀元、二探花」，師生僚友，布滿朝廷。高士奇在南書房，頗受皇帝信賴。王鴻緒官左都御史，其兄王項齡為日講起居注官、姪子官左都御史。

明珠從一名宮廷侍衛，而升為刑部、兵部、吏部的尚書、內閣大學士，說明他才智非凡，但他捲入當時的政治漩渦之中，樹大招風，也有過錯，終被彈劾。

鐵面御史

明珠勢力膨脹，皇權受到影響。恰在這時，御史郭琇挺身而出，彈劾權臣明珠。

郭琇（一六三八～一七一五年），山東即墨人，出身於詩文之家。他九歲喪父，十歲喪繼母，幼年坎坷，曾在即墨城東四十里深山仙姑庵苦讀。茅舍三間，沒有圍牆，每當風雨之夜，狐嘯狼嚎，悲涼嚇人，郭琇卻夜以繼日，學習不輟，「宿火中宵，且泣且讀」（《華野府君行述》）。三十二歲，考中進士。後鄉居八年，為吳江（今在江蘇省蘇州市）知縣。郭琇居心恬淡，辦事精銳，九年縣令，兩袖清風。後來康熙帝南巡時說：「原任左都御史郭琇前為吳江縣知縣，居官甚善，百姓至今感頌。」（《清聖祖實錄》卷一九三）

康熙二十三年（一六八四）六月，皇太子師傅湯斌任江蘇巡撫，很欣賞縣令郭琇。經湯斌推薦，並經考試，郭琇任江南道監察御史，後升左僉都御史。

郭琇做了一件大事。康熙二十七年（一六八八）二月某一日，明珠壽誕，賓客滿堂。依慣例，御史不給當朝官長賀壽。但這天郭琇來到明珠府第。明珠格外高興，將郭琇迎到大堂。郭琇當眾從袖中取出彈章，示意要彈劾當朝大員，說完轉身而去。隨後立即奏上彈章。眾官譁然，舉朝震驚，事已公開，不便阻攔。郭琇這封彈章就是〈糾大臣疏〉，彈劾大學士明珠等，要點如下：

第一，結為死黨，把持閣務；

第二，市恩立威，挾取賄賂；

第三，賣官鬻爵，士風大壞；

第四，控制言路，泄露機密。

郭琇奏章上去之後，直聲振天下，人稱「鐵面御史」。不久，郭琇被升為都察院左都御史。

康熙帝得到郭琇彈劾明珠的奏疏後，可以採取幾種辦法：一是當眾公布；二是大開殺戒；三是置若罔聞。康熙帝沒有這麼做，他舉重若輕，半年之間，做了處置：

第一，解除大學士。當時有大學士七人，解職四人，明珠革職。第二，處置諸尚書。康熙帝採取以上措施，削弱明珠集團，以加強皇權。

明珠集團為打擊報復郭琇，先後製造了「三案」——「私書案」、「冒名案」和「錢糧案」。

第一案：私書案。康熙二十八年（一六八九），山西道御史張星法疏參山東巡撫錢珏貪黷劣跡。錢珏大怒，揭發郭琇曾寫信給自己，囑托推薦山東知縣高上達，因為自己沒照著做，便唆使張星法誣劾自己。康熙帝命審理此案。用夾棍審訊張星法，逼迫他供認由郭琇指使。定刑：郭琇被革職，杖一百，准其折贖；張星法被革職，杖一百，准其折贖。康熙帝諭旨：郭琇從寬免革職治罪，降五級調用；張星法從寬免革職治罪，降二級留任；錢珏既接私書，不行奏報，今始舉出，以原品解任。（《康熙起居注冊》）

郭琇以自己的性格、名聲、地位，敢參權臣，遑論巡撫，何須假手於人。此案不能排除明珠黨羽暗中左右之可能。這裡可以看出，作為言官，疏參別人，必嚴律己。

第二案：冒名案。前明珠案內被參革職的戶部尚書佛倫，已改任山東巡撫。他對郭琇懷恨在心，尋找機會報復。佛倫誣劾稱：郭琇父親郭景昌，原名爾標，曾經在明末清初倡亂伏法，郭琇私改父名，冒請誥封。這是欺君之罪。身為大學士的佛倫，張冠李戴，無中生有，加罪郭琇，以泄私忿。然禮部不待核實，就將誥命追奪。康熙帝接到佛倫揭發郭琇的奏章後，命大學士伊桑阿於無人之處，詢問郭琇實情。郭琇回答伊桑阿：是誣告。

十年後，郭琇以湖廣總督入京覲見，就冒名案上〈辨白冤誣疏〉，請求皇上敕問佛倫，並請求與佛倫對質。康熙帝詢問大學士佛倫，佛倫回答說：當年下面上報的情況有誤。之後康熙帝決定重新頒發誥命。郭琇被誣，十年申冤。（《郎潛紀聞二筆》卷三）

第三案：錢糧案。郭琇任吳江知縣時，縣丞趙炯經收康熙二十二、二十三等年漕米二千三百石，雖具印結存，但實際虧空。郭琇當時並未覺察，在離任時具結移交署印官張綺梅。後因趙炯降調，真情暴露。郭琇得知，即派家人代買糧食還倉。此案本易了結，但因江蘇按察使高承爵為明珠的姪女婿，借此報復。

高承爵嚴刑逼訊張綺梅，逼迫他誣指郭琇虧空漕糧，但未得逞。當高承爵聲稱給張綺梅「上腦箍」時，郭琇憤怒地對張綺梅說：「若輩不過欲死我耳！何不誣承而自苦若是！」高承爵問郭琇：「爾不畏死耶？」郭琇笑曰：「我畏死不至此，畏死者方坐堂上。」高承爵等不敢恣肆，擬遣戍陝西。當郭琇遣戍陝西之訊傳到即墨時，其妻屈氏泣血草疏，要騎著毛驢上北京申冤。疏將上，康熙帝特恩旨寬免，釋郭琇回鄉。後命郭琇任湖廣總督。

以上三案中，「冒名案」純屬誣陷，「私書案」和「錢糧案」屬小題大做，借題發揮。這三案實由明珠等興風作浪，必欲置郭琇於死地，以報「彈劾」之仇。但郭琇頑強抗爭，的確是一位堂堂正正的監察名臣。

康熙帝在對待郭琇疏劾明珠集團案件中，有三點做法，值得思考。

第一，留中不下。郭琇彈劾明珠的奏章，康熙帝沒有公開下發。清國史館修《明珠傳》

時，找不到郭琇彈章的原件。康熙帝這麼做是為了避免事態擴大化。

第二，保護郭琇。面對明珠黨人報復郭琇，康熙帝對「冒名案」，命人私下調查，從容處理；對「私書案」，康熙帝定降五級調用；對「錢糧案」原擬遣戍陝西，恩旨寬免。

第三，執兩用中。郭琇與明珠，在彈劾與被彈劾的天平上，是對立的兩極。康熙帝既利用郭琇牽制明珠，制約明珠集團勢力；又利用明珠牽制郭琇，限制郭琇勢力。後來，明珠任內大臣二十餘年，用其才能而殺其威勢；郭琇先在家閒居，後任湖廣總督，既保護其人，又不忘其功。乾隆帝說：「我皇祖聖明英斷，刑賞持平，實為執兩用中之極則。」（《清高宗實錄》卷九一九）

康熙、明珠、郭琇，君主、宰輔、言官，結成複雜的關係。為君難，為臣難，為言官尤難。郭琇幸遇英君康熙帝，尚坎坷不斷，可見諫官難當，忠言難吐，劾章難上，直路難行。

第73講

立廢太子（上）

康熙帝晚年最煩惱的，就是關於皇太子的事情。康熙帝在位時間長，兒子多，又重視皇子教育，兒子之間暗鬥格外激烈。康熙帝二十二歲就立了皇太子，五十五歲廢皇太子，五十六歲又立皇太子，五十九歲再廢皇太子，直到他六十九歲去世，都沒有明確宣布皇位繼承人，這引起康熙後期和雍正前期的政壇震盪。康熙帝文治武功，英明一世；皇太子兩立兩廢，糊塗一時。

三十五子

康熙帝的子女，在清帝中是最多的，共有三十五子、二十女。三十五個兒子中，排序的有二十四位，實際上成人（年滿十六歲）的有二十位。

講皇子命名。康熙帝皇子的名字，按照滿洲習慣，通常只用名，不用姓。比如多爾袞，這是名字，並不姓「多」，而是姓「愛新覺羅」。滿洲著名的姓氏有愛新覺羅、伊爾根覺羅、瓜爾佳、那拉、赫舍里、鈕祜祿等。入關後，順治帝給皇子取名，還是只有名不冠姓，是用滿文取名，再音譯成漢字，比如玄燁、福全。康熙帝前九個皇子起名，主要是採納了太皇太后的意見，也是用漢字取名，但個別又恢復老辦法，如老大叫承瑞、老二叫承祜、老三叫承慶、老四叫賽音察渾、老五叫保清、老六叫保成、老七叫長華、老八叫長生、老九叫萬黼。這種現象反映了滿洲漢化的一個過程。康熙二十年（一六八一）以後，康熙帝一方面堅持滿洲只取名不冠姓的傳統，同時正式採用漢人的取名方法，規定他的皇子取名，第一個字用「胤」字排行，表示輩分，第二個字用「示」字偏旁。如原老五保清排序皇長子改名胤禔，原老六保成為皇太子改名胤礽。

講清朝藩王。明朝藩王，分封而不賜土，列爵而不臨民，食祿而不治事。清承明制，又有變化：藩王一是內襄政本，親理國務；二是諸王統兵；三是在北京開府；四是有錢糧不務實業；五是讀經典，擅長書畫。康熙帝對皇子教育，首選為成龍，其次為襄政，其三為領兵，其四為務學，其五為書畫。康熙帝對皇子教育，不僅制定嚴格的制度，而且進行嚴格的管理。

早立太子

皇后赫舍里氏十二歲嫁給康熙帝，兩人恩愛。康熙十三年（一六七四）年五月初二日，皇后在生育嫡長子胤礽時難產而死，年僅二十一歲。康熙帝非常痛惜這位早逝的皇后。五月初五日，赫舍里氏去世後的第三天，梓宮遷於紫禁城西，直到二十七日，康熙帝幾乎每天都去舉哀；後來他親自將梓宮送往昌平鞏華城，從六月到十二月，去鞏華城三十四次，第二年又去了二十四次，第三年去了十五次。有學者統計，從康熙十三年到十六年（一六七四～一六七七），他一共去了鞏華城八十次。這四年裡，每逢臘月二十九，他都去鞏華城陪伴亡靈。母因子死，子以母貴。康熙帝對胤礽這位嫡長子格外器重和關愛，決定立他為皇太子。清朝的前兩代皇位繼承，採取的是貴族公推制，是經過諸王貝勒大臣認真討論、反覆醞釀、彼此協調、政治平衡的結果。康熙帝深悉預立儲君有利於皇權的連續性與穩定性，是鞏固清王朝統治的頭等政治大事。他接受歷代皇位繼承的經驗，特別是明朝皇位嫡長（正妻長子）繼承皇位的歷史傳統。

康熙十四年十二月十三日（一六七六年一月二十七日），只有二十二歲的康熙帝親臨太和殿，以孝莊太皇太后之命，冊立剛滿週歲的嫡長子胤礽為皇太子，「以重萬年之統，以繫四海之心」。

精心教育

康熙帝對子孫通過多種方式進行教育。包括言傳、身教，如讓子孫參加祭祀、打獵、巡幸、出征等，而上學是康熙帝教育子孫的基本方式。康熙帝曾在乾清宮院裡設立上書房，又以暢春園「無逸齋」為上書房，供皇子們讀書。

太子教育。康熙帝特別關心皇太子的成長，對他傾注了更多的心血。太子幼小時候，康熙帝就開始親自為他授課：在宮中親為東宮講授「四書」、「五經」，每日御門聽政之前，必令將前一日所授書背誦、復講一過，務精熟貫通乃已（《清宮述聞》）。太子稍長，康熙帝向他傳授治國之道，教導皇太子以祖宗為楷模，守成基業，能文能武；又傳授經史，借鑒歷史經驗，體察人心向背，並帶他外出視察。

皇太子六歲拜師入學，先後有張英、李光地、熊賜履、湯斌等名儒，任皇太子的老師。皇太子十三歲時，康熙帝仿照明朝教育東宮的做法，正式讓皇太子出閣讀書，多次在文華殿與滿、漢大臣講解儒家經典。

皇太子胤礽天資聰穎，學業進步很快。史載：皇太子「通滿、漢文字，嫻騎射，從上行幸，賡詠斐然」（《清史稿．允礽傳》），而且身體健壯，眉清目秀，一表人才，康熙帝非常喜愛。

太子一日。康熙二十六年（一六八七）六月初十日，皇太子一天讀書的情狀：

寅時（三至五時），皇子在書房讀書，復習前一天的功課，準備師傅到來上課。

卯時（五至七時），滿文師傅達哈塔、漢文師傅湯斌等人進入無逸齋，皇太子誦讀《禮記》章節。胤礽遵照皇父「書必背足一百二十遍」，背足數後，再請師傅湯斌聽他背書。湯斌聽完之後，一字不錯，用朱筆點上記號，然後重畫一段，給胤礽再讀。皇太子再寫楷字一紙，約數百字。

辰時（七至九時），康熙帝上完早朝，向太皇太后請安之後，來到無逸齋。問湯斌：「皇太子書背熟否？」湯斌奏道：「很熟。」康熙帝接過書後，皇太子朗朗背誦，一字不錯。康熙帝囑咐他們對皇太子不要過分誇獎，而應嚴加要求。

巳時（九至十一時），時值初伏，驕陽似火。皇太子不搖扇，不解衣冠，伏案寫字，寫好滿文一章，讓滿傅達哈塔傳觀批閱校對。皇太子又溫誦《禮記》新畫定的篇章一百二十遍。

午時（十一至十三時），皇太子進午膳。膳後，接著正襟危坐，又讀《禮記》。讀過一百二十遍，再由湯斌接書，聽皇太子背誦。

未時（十三至十五時），侍衛端進點心。皇太子吃完點心後，步出門外，站在階下，運力挽弓，扣弦射箭。這既是體育課，又是軍事課。皇太子射完箭，回屋入座，開始疏講。先生翻書出題，學生依題講解。

申時（十五至十七時），康熙帝又來到無逸齋。皇長子胤禔、三子胤祉、四子胤禛、五子胤祺、七子胤祐、八子胤禩，同來侍讀。康熙帝說：「朕宮中從無不讀書之子。向來皇子讀書情形，外人不知。今特召諸皇子前來講誦。」湯斌按照康熙帝的旨意，從書案上信手取下經書，隨意翻書命題。諸皇子依次進前背誦、疏講。康熙帝親自書寫程顥七言律詩一首，又寫「存誠」兩個大字一幅，給皇子們示範。

酉時（十七至十九時），侍衛在院中安置箭靶之後，康熙帝令諸子依次彎射，各皇子成績不等。又命諸位師傅射箭。隨後，康熙親射，連發連中。

天色已暮，諸臣退出。皇太子等在暢春園無逸齋一天的功課完畢。

實踐歷練。隨著皇太子步入青年，開始在實踐中鍛鍊皇太子。康熙帝三次親征，先後有十多個月不在京城，他命二十二歲的皇太子胤礽坐鎮京師，處理朝政。皇太子不負眾望，克盡職責，「舉朝皆稱皇太子之善」（《清聖祖實錄》卷二三五）。康熙帝也很滿意，他給皇太子的朱批說：「皇太子所問，甚周密而詳盡，凡事皆欲明悉之意，正與朕心相同，朕不勝喜悅。且汝居京師，辦理政務，如泰山之固，故朕在邊外，心意舒暢，事無煩擾，多日優閒，冀此豈易得乎？朕之福澤，想由行善所致耶！朕在此凡所遇人，靡不告之。因汝之所以盡孝以事父，凡事皆誠懇惇切，朕亦願爾年齡遐遠，子孫亦若爾之如此盡孝，以敬事汝矣。因稔知爾諸事謹慎，故書此以寄。」（《宮中檔案康熙朝奏摺》第八輯）

分封皇子。康熙三十七年（一六九八）三月，康熙帝分別冊封：皇長子胤禔為直郡王，皇三子胤祉為多羅誠郡王，另封皇四子胤禛、皇五子胤祺、皇七子胤祐、皇八子胤禩，俱多羅貝勒（皇六子胤祚早殤未封）。受封諸子參與國家政務，並分撥佐領，各有屬下之人。

而這時皇太子已經二十五歲，做太子也二十三年了，身邊逐漸形成一股力量，這對康熙帝的皇權形成潛在威脅，特別表現於索額圖黨之種種形跡。

第74講

立廢太子（下）

下面接著講「立廢太子」下篇。

廢斥太子

矛盾發生。康熙帝立胤礽為皇太子後，朝中逐漸形成聚集在皇太子身邊的政治勢力，即太子黨，以大學士、領侍衛內大臣索額圖為首。索額圖是康熙帝幼年首輔索尼之子，也是太子母親的叔父。他曾受命同沙皇代表談判並簽訂《尼布楚條約》。康熙帝覺察到皇太子逐漸驕縱、威脅皇權，便拿索額圖開刀。康熙四十二年（一七〇三）五月，康熙帝令將索額圖拘禁，後索額圖死於禁所；又命逮捕其弟和諸子及其親近大臣（《清史稿・索額圖傳》）。這是給皇太子敲警鐘。

康熙四十七年（一七〇八）五月十一日，康熙帝巡幸塞外，命皇太子、皇長子、十三

胤礽的「皇太子寶」

子、十四子、十五子、十六子、十七子、十八子等八個兒子隨駕。在巡幸期間，發生了幾件事：

第一，皇長子胤禔等向皇父說了皇太子的許多壞話，引起康熙帝對皇太子非常不滿。

第二，康熙帝巡幸途中，七歲的皇十八子胤祄得了急病，康熙帝心情焦慮，皇太子卻無動於衷。胤礽可能根本沒有意識到皇父的不滿。

第三，在返京途中，康熙帝發現皇太子夜晚靠近他的帳篷，從縫隙向裡面窺視，便懷疑皇太子可能要「弒逆」，就是暗殺。這件事刺激康熙帝下決心要廢掉皇太子。

匆忙廢儲。康熙四十七年（一七〇八）九月初四日，康熙帝在避暑山莊返京途中的布爾哈蘇臺，召集諸王、大臣等於行宮前，垂淚宣布皇太子胤礽的罪狀：第一，專擅威權，肆惡虐眾，將諸王、貝勒、大臣、官員恣行捶撻；第二，窮奢極欲，遠過皇帝，吃穿所用，恣取國帑，猶不以為足；第三，對親兄弟，無情無義；第四，皇太子「每夜逼近布城，裂縫向內窺視」。康熙帝認為：「從前索額圖助伊潛謀大事，朕悉知其情，將索額圖處死。今允（胤）礽欲為索額圖復仇，結成黨羽，令朕未卜今日被鴆，明日遇害，晝夜戒慎不寧。似此之人，豈可付以祖宗弘業。」（《清聖祖實錄》卷二三四）

逛一逛

避暑山莊

清代康熙、乾隆年建造的大型皇家園林，原名為熱河行宮，康熙時有三十六景，乾隆時又增造三十六景，共稱七十二景。是清代皇帝避暑及政事活動的重要場所。山莊既具有皇家建築的氣派，又具有江南園林的秀麗，是宮殿建築與園林景觀相互融合的著名皇家園林之一。

康熙帝又說：不能讓這不仁不孝的人將來成為國君。康熙帝且諭且泣，至於撲地。諭畢，命將胤礽即行拘執。同一天，康熙帝命將索額圖的兩個兒子及胤礽左右的人「立

康熙帝御筆「避暑山莊」匾額

行正法」。

康熙帝廢斥皇太子之後，憤怒、怨恨、失望、憐愛，複雜的心情，交織在一起。他一連六日，「未嘗安寢」，對諸臣談起此事，猶「涕泣不已」（《清聖祖實錄》卷二三四）。

康熙帝回到北京後，命在皇帝養馬的上駟院旁設氈帷，給胤礽居住，又命皇四子胤禛與皇長子胤禔共同看守。當天，康熙帝召集諸王、貝勒、大臣等於午門內，宣諭廢黜皇太子胤礽之事，並告祭天地、宗廟、社稷。後將廢太子幽禁在咸安宮。

皇太子胤礽從初立到初廢，長達三十三年。這時康熙帝五十五歲，皇太子三十五歲。康熙帝廢掉皇太子後，皇子之間的爭鬥，不僅沒有和緩，反倒愈演愈烈。

諸子爭儲

廢斥皇太子引起諸皇子更加爭奪未來皇位。這時，康熙帝三十五個兒子中，除去年幼的、夭折的、出繼的，可以考慮繼承皇位的有十四人。他們按照年齡段，可分為兩個梯隊。

一六七二至一六八一年出生的七人：從皇長子胤禔到皇八子胤禩。他們年齡在二十六歲到三十七歲之間。

一六八三至一六九三年出生的七人：從皇九子胤禟、到皇十五子胤禑。他們年齡在十四歲到二十四歲之間。

首先跳出來的是皇長子胤禔。第一，爭取立長。他錯誤地認為皇父立嫡不成，勢必立長。第二，利令智昏，請殺胤礽。第三，鎮魘胤礽，推薦皇八子胤禩。

康熙帝得知皇長子胤禔與胤禩結黨謀取儲位，竟想殺害胤礽。皇長子胤禔雖然母親出身微賤，但原大學士明珠是他的外堂叔祖父，皇八子胤禩小時候也為胤禔生母惠妃所撫養，所以康熙帝對皇長子和皇八子結黨非常警惕，而對於皇長子背後大學士明珠的勢力，更加敏感。惠妃是胤禔生母，奏請將胤禔正法。康熙帝不忍殺親生兒子，令革其王爵，終身幽禁。

康熙四十七年（一七〇八）九月，康熙帝痛斥皇八子胤禩，說他柔奸性成，妄蓄大志，黨羽相結，謀害胤礽，將他鎖禁。十四阿哥胤禎（禵）知道後，急忙營救胤禩。康熙帝大怒，拔出佩刀，將殺胤禛（禵），五阿哥胤祺上前跪地抱著康熙帝勸止，才沒有被殺。這件事情表明：索額圖勢力受到了打壓，而明珠勢力膨脹，並在皇子中結黨。

再立再廢

康熙帝後來認識到胤礽的罪名原多不實。如胤礽奏訴說：「皇父若說我別樣的不是，事事都有，只弒逆的事，我實無此心。」康熙帝聽了，令將胤礽脖子上的鎖鏈取下。

自廢皇太子後，康熙帝每日流淚，寢食不寧。他夜間夢見已故祖母孝莊太皇太后，臉色不高興。康熙帝不久病倒。當日回宮，召見胤礽。後又召見，每「召見一次，胸中疏快一次」。

於是，他打算試探一下大臣們的態度。一天，康熙帝召滿漢文武大臣到暢春園，令從諸皇子（皇長子除外）中舉奏一位堪任皇太子的人，說：「眾議誰屬，朕即從之。」大臣們誤以為康熙帝屬意皇八子，因而推薦了皇八子（《清史稿・馬齊傳》）。康熙帝說皇八子近又罹罪，母家出身微賤，不宜立為太子。這時諸臣才恍然大悟，原來康熙帝有過再立胤礽的暗示。

康熙帝考慮必須儘快把皇太子缺位補上，以堵塞諸子的爭儲之路。他當時能想到的辦法，只有讓嫡長子復立。後來他說：「諸大臣保奏八阿哥，朕甚無奈，將不可冊立之胤礽

放出。」（《清聖祖實錄》卷二六一）

康熙四十七年（一七〇八）十一月十五日，康熙帝召滿、蒙大臣入宮，宣布：「皇太子前因魘魅，以至本性汩沒耳。因召置左右，加意調治，今已痊矣。」命人將御筆朱書，當眾宣讀。又召廢太子、諸皇子及諸王、大臣等，宣諭澄清事實，說胤礽「雖曾有暴怒捶撻傷人事，並未致人於死，亦未干預國政」，「胤禔所播揚諸事，其中多屬虛誣」。接著，當眾將胤礽釋放。胤礽表示：「皇父諭旨，至聖至明。凡事俱我不善，人始從而陷之殺之。」（《清聖祖實錄》卷二三五）

再立太子。康熙四十八年（一七〇九）三月初九日，以復立皇太子胤礽，遣官告祭天地、宗廟、社稷。次日，分別將皇三子胤祉、皇四子胤禛、皇五子胤祺，晉封親王等。康熙帝試圖以此促進諸皇子之間的團結。然而，事與願違，皇儲爭奪，愈演愈烈。

矛盾激化。皇太子再立，朝中黨爭更激烈。這次的犧牲品是索額圖一黨的步軍統領托合齊和刑部尚書齊世武。康熙五十年（一七一一），康熙帝以托合齊有病為由將其解職。七天後，康熙帝召見諸王、大臣，宣稱：「諸大臣皆朕擢用之人，受恩五十年矣，其附皇太子者，意將何為也！」（《清聖祖實錄》卷二四八）當場質問刑部尚書齊世武等，眾人否認結黨。康熙帝令將他們鎖拿候審。又命拘禁托合齊。到次年四月，又借一件貪汙受賄案，將尚書齊世武「以鐵釘釘其五體於壁，號呼數日而後死」（《悔逸齋筆乘》）。《滿洲名臣傳》說他後被發配死。這是康熙帝將要再廢皇太子的前奏。

再廢太子。康熙五十一年(一七一二)九月三十日,康熙帝向諸皇子宣布:「皇太子胤礽自復立以來,狂疾未除,大失人心。祖宗宏業,斷不可託付此人。朕已奏聞皇太后,著將胤礽拘執看守。」(《清聖祖實錄》卷二五一)再宣諭廢胤礽的理由,主要是:從釋放後,乖戾之心,即行顯露;數年以來,狂疾未除,大失人心;飲食服用,陳設等物,有倍於朕;是非莫辨,秉性凶殘,結黨小人。

康熙帝第二次廢黜皇太子,雖然並非如他自己所說「毫不介意,談笑處之」,但已不像第一次時那麼痛苦。因為他發現,立皇太子就難免有矛盾,不立皇太子可能更好。一次,康熙帝說:宋仁宗三十年未立太子,我太祖、太宗都未預立皇太子。今眾皇子學問、見識,不後於人,但年俱長成,已經分封,即使立了,能保將來無事乎?(《清聖祖實錄》卷二五三)

其實,康熙帝明白,立、廢皇太子是失敗的。康熙帝改革了清朝皇位繼承制度,從滿洲傳統貴族公推制,改為漢人嫡長繼承制,後雍正帝改為祕密立儲制,慈禧太后又改為懿旨立儲制,都終究走不出「家天下」的死胡同。康熙帝到死也沒有公開明確皇位繼承人,而皇子們骨肉相殘的悲劇,在他死後更為慘烈。

在眾皇子上下鑽營之時,皇四子胤禛卻不露聲色,暗自韜晦,觀察窺測,等待時機。

第75講

雍正奪位

清雍正帝胤禛，康熙十七年（一六七八）十月三十日生，屬馬，四十五歲登極，在位十三年，雍正十三年（一七三五）八月二十三日死，廟號世宗，謚號憲皇帝，葬泰陵。享年五十八歲。

雍正帝是清朝「康乾之治」時代，上承康熙，下啟乾隆，具有特殊歷史地位的人物。他盛年登極，年富力強，學識廣博，閱歷豐富，剛毅果決，頗有作為。雍正帝的年號雍正，就是雍親王得位之正的意思。雍正帝是否「得位之正」？這恰恰是三百多年來，清宮的一件疑案。

突然繼位

康熙六十一年十一月初七日（一七二二年十二月十四日），康熙帝在南苑圍獵時患感冒，回暢春園養病。十五日冬至的祭天大禮，由皇四子胤禛代行。

十三日清晨，康熙帝病重，急召皇三子胤祉、皇七子胤祐、皇八子胤禩、皇九子胤禟、皇十子胤䄉、皇十二子胤祹、皇十三子胤祥共七個皇子和步軍統領隆科多，宣布：「皇四子人品貴重，深肖朕躬，必能克成大統，著繼朕即皇帝位。」（《大義覺迷錄》）又命從天壇齋所召回皇四子胤禛（禛）。這時，康熙帝其他的幾位皇子，長子胤禔被監守，次子即廢太子胤礽被禁錮，五子胤祺被派往孝陵行祭禮，十四子胤禎（禵）正在西部領兵作戰，而幾位年幼的皇子當時跪在殿外，沒有聆聽皇父諭旨。

當天上午，雍親王胤禛從天壇趕到暢春園，在這一天裡，他被康熙帝召見了三次，但是康熙帝並沒有提及皇位繼承的事。

當晚戌時（十九至二十一時），康熙帝駕崩。步軍統領隆科多向胤禛「口授末命」，傳達了康熙帝由他承繼大位的遺詔，胤禛聽了之後又驚詫，又悲痛，昏倒在地。誠親王皇三子胤祉等即向胤禛叩首，勸他節哀（《大義覺迷錄》）。從這一刻起，胤禛雖然沒有繼承大位，但是已擔負起新君的責任。當天夜間，胤禛指揮將康熙帝遺體運回紫禁城乾清宮。相傳隆科多護皇四子回朝哭迎，身守闕下。諸王非傳令皆不得進。

十四日，宣布大行皇帝龍馭上賓；傳大行皇帝留下遺詔，命雍親王嗣位；命胤禩、胤祥、大學士馬齊和尚書隆科多為總理事務大臣；召十四子胤禎（禵）回京；九門關閉，禁止出入。

暢春園圖

十六日，頒布大行皇帝遺詔。

十九日，遣官告祭天壇、太廟、社稷壇，京城九門開禁。

二十日，雍正帝在太和殿舉行登極大典，改年號為「雍正」。

雍正帝繼位，無論是遺詔繼位，還是奪位篡位，他畢竟坐上了皇帝的寶座。那麼，康熙帝眾多皇子，都想繼承皇位，為什麼唯獨胤禛心想事成？在長達四十五年的皇子生涯中，胤禛是怎麼一步一步地攀緣，最後登上皇帝寶座的？

逛一逛

暢春園

始建於明神宗年間，原址名為「清華園」。清康熙二十三年（一六八四），康熙皇帝南巡後，利用清華園殘存的水脈山石仿江南山水營建暢春園，作為在郊外避暑聽政的離宮。暢春園占地約九百畝。清末暢春園逐漸失修，英法聯軍火燒圓明園時被焚毀，後殘存建築被拆用於圓明園重建，至民國時期，僅留恩佑寺、恩慕寺琉璃山門。

雍正其人

胤禛的母親烏雅氏，滿洲正黃旗、護軍參領威武的女兒。烏雅氏生了三個兒子，就是皇四子胤禛、皇六子胤祚（六歲殤）和皇十四子胤禎（禵）。胤禛從小受孝懿皇后（康熙生母孝章皇太后的姪女）養育，年幼的胤禛因她而尊貴。皇子胤禛，有以下特點：

第一，好學上進。胤禛從七歲開始，同他的三位阿哥，到上書房讀書。他的師傅主要有大學士張英、徐元夢和侍講顧八代等人，都是當朝一流的學者。他受過嚴格的儒家傳統教育，也有滿洲的「國語騎射」的訓練，就是滿洲語文與騎馬射箭。

第二，結婚封王。康熙三十年（一六九一），十四歲的胤禛，奉父命同內大臣費揚古的女兒烏拉那拉氏成婚。清制規定，皇子封爵，依次為親王、郡王、貝勒、貝子等。康熙三十七年（一六九八），二十一歲的胤禛受封為貝勒。次年，康熙帝為諸皇子建府邸。「禛貝勒府」（又稱四貝勒府）建成後，胤禛就搬到府邸居住。康熙四十八年（一七〇九），三十二歲的胤禛被封為雍親王，這裡就成為雍親王府。後來乾隆帝將其改為雍和宮，就是今北京雍和宮。

第三，勤慎敬業。胤禛結婚之後，多次受康熙帝之命，參與重大政治與祭祀活動。胤禛的足跡所至，遍及東、西、南、北、中：東向，至少五次到東陵祭祀，還到關外祭祀三陵——永陵、福陵和昭陵；西向，隨康熙帝西巡五臺山；南向，隨康熙帝兩次南巡；北向，康熙三十一年（一六九二）隨康熙帝巡視塞外，以後到康熙六十一年（一七二二），先後十餘次到塞外；京畿，五次隨康熙帝巡視京畿，治理永定河，察看水利。此外，他還察勘倉儲糧穀。特別是在康熙三十五年（一六九六），他跟隨康熙帝遠征噶爾丹，領正紅旗大營，軍旅生活使他受到了鍛鍊。在文的方面，他也受到磨鍊。康熙六十年（一七二一）三月，胤禛受命同三阿哥胤祉率大學士王頊齡等磨勘（覆核）會試中式的原卷。總之，自結婚後三十年的實際磨鍊，使他對社會、對人生有了深刻的認識與深切的體驗，為其後來登上皇位奠定了一定的基礎。

第四，性格磨鍊。胤禛性格有兩個特點：一是喜怒不定，二是遇事急躁。胤禛曾經是個喜怒不定的皇子。康熙四十七年（一七〇八），胤禛央求說：今臣年逾三十，請將諭旨內「喜怒不定」四字，恩免記載。康熙帝同意：「十餘年來，實未見四阿哥有『喜怒不定』之處」，因諭：「此語不必記載！」可見他這時已經基本上改掉了這個毛病。胤禛還曾是個性格急躁的皇子。他曾對大臣說：「皇考每訓朕，諸事當戒急用忍。屢降諭旨，朕敬書於居室之所，觀瞻自警。」（《清世宗實錄》卷十九）可見康熙帝不只一次地訓誡他要「戒急用忍」。胤禛繼位後，命做「戒急用忍」吊牌，為座右銘，用以警示。

清世宗胤禛像

韜光養晦

從康熙四十七年到六十一年（一七〇八～一七二二年），康熙帝廢太子、再立太子、再廢太子，引起政局震盪。時逢胤禛從三十一歲到四十五歲的盛年，在這十四年間，他韜光養晦，以誠孝皇父、友愛兄弟，博得皇父的信任。

胤禛的心腹戴鐸分析當時形勢是：皇上強勢，諸王並爭。應對的謀略是：誠孝事上，適露所長，掩蓋所短，避免引起皇父疑惑；友愛兄弟，大度包容，和睦忍讓，讓有才者不嫉妒，無才者以為依靠。（《文獻叢編．戴鐸奏摺》第三輯）

誠孝皇父。胤禛說：「四十餘年以來，朕養志承歡，至誠至敬，屢蒙皇考恩諭。諸昆弟中，獨謂朕誠孝。」（《大義覺迷錄》）他知道，受到皇父的信賴和喜歡，是自己一生中最重要的事情。他抱定主旨，誠孝皇父。在兄弟爭奪皇位時，胤禛極力表現出對皇父的「誠」與「孝」，既不明於競爭，又勸皇父保重。康熙帝第一次廢皇太子後，大病一場。胤禛入內，奏請選擇太醫及皇子中稍知藥性者胤祉、胤祺、胤禩和自己檢視方藥，服侍皇父吃藥治療。康熙帝服藥後，病體逐漸痊愈。康熙帝最早對皇太子胤礽產生不滿，就是因為在生病時，年少的胤礽不懂得對康熙帝示孝。

不結黨。他在處理兄弟關係時，「不結黨」，「不結怨」。胤禛沒有參加皇太子黨，也沒有參加皇長子和皇八子黨，超然於兄弟的朋黨之外。或者說，他在兄弟角逐

埋葬努爾哈赤遠祖、曾祖、祖父和父親的永陵

皇儲時，採取一種不附合、不排斥的中庸態度。這使他躲避皇父與兄弟兩方面的矢鏃，而安然無恙。

胤禛還友愛兄弟。如皇太子第一次被廢，胤禛非但沒有落井下石，還給予關照。胤礽初被幽禁在上駟院旁所設的氈帷裡，皇長子胤禔和皇四子胤禛看守。胤礽提出皇父所斥「弒逆」一事，實為烏有，請代奏明。胤禔不答應，胤禛說：「你不奏，我就奏。」胤禔只好代奏。康熙帝聽了說奏得對，命將胤礽身上的鎖鏈去掉。後來，康熙帝曾說：「前拘禁胤礽時，並無一人為之陳奏，惟四阿哥性量過人，深知大義，屢在朕前為胤礽保奏。」（《清聖祖實錄》卷二三五）胤禛的幾位弟弟胤禟、胤禑、胤禎（禵）等封為貝子時，他啟奏說，願意降低自己的爵位，以提高弟弟們的世爵。胤禛這樣乖巧的做法，既博得康熙帝的歡心，也討得諸弟的好感。

在康熙帝臨終的關鍵時刻，胤禛善於並緊緊地抓住歷史機遇，果敢地登上皇帝寶座。

第76講

繼位疑案（上）

雍正帝是遺詔繼位，還是乘機奪位，當時就議論紛紛，留下歷史疑案。雍正初，宮廷鬥爭，異常激烈，手段殘酷，眾說紛紜，引起人們說他得位不正，以致殺人滅口。讓我們做個分析。

謀父逼母

第一，「謀父」。雍正帝即位不久，就有人說：聖祖皇帝在暢春園病重，皇上進一碗人參湯，聖祖皇帝就駕崩了。意思是說雍親王用一碗有毒的人參湯毒死了康熙帝。康熙帝說過：「北人於參不合。」他一般是不會喝人參湯的。康熙帝身邊，防衛嚴密，毒死康熙帝，恐怕太難。康熙帝晚年時，頭暈目眩、手抖頭搖、腿腳腫脹，能活到近七十歲，已算高齡，所以病死的可能性比較大。

景山壽皇殿

第二、「逼母」。雍正帝上臺剛半年，生母烏雅氏突然死去。有傳言說，雍正帝繼位後，把十四弟允禵（雍正即位後，諸皇子為避聖諱，皆將「胤」字改為「允」，十四子胤禎，改名為允禵）調回來囚禁，太后要見兒子，雍正帝大怒，太后就撞死在鐵柱上。

允禵回到北京城外，問：先賀新皇登極，還是先祭奠皇父？雍正帝把他派到遵化去守景陵，後圈禁在景山壽皇殿。太后烏雅氏對小兒子允禵自然心痛。新皇帝登極大典，要向皇太后行禮，但烏雅氏說，這有什麼要緊的？經勸說，不接受。雍正帝親自向她再三叩求，她才淡淡地表示：

知道了。從這件事可以看出，烏雅氏對大兒子雍正帝是有不滿和埋怨的。結果，十四子剛被圈禁一個月，她就死去了。她是不是撞鐵柱自殺的，沒有歷史證據。

逛一逛

景山壽皇殿

始建於明代中後期，為統領後苑的遊賞建築群，清代初期轉為安奉帝后梓宮的場所。康熙六十一年（一七二二）康熙帝駕崩後，雍正帝命令修景山壽皇殿，到乾隆十五年（一七五〇）完成組群移建並提升規格，成為規制最高的皇家祭祖建築群之一，室內供奉列帝列后聖容御像。

弒兄屠弟

原來爭奪太子之位占上風的，是皇長子、皇八子、皇九子、皇十子和皇十四子，他們最先推皇長子，後推皇八子，再後推皇十四子。雍正繼位以後，強烈反對他的也是這幾位兄弟。其中：

皇大阿哥允禔，早被康熙帝奪爵，關在家裡。

皇八弟允禩，先封親王，後削王爵，高牆圈禁，改其名為「阿其那」，侮辱他，最終將他害死。

皇九弟允禟，被削去宗籍，逮捕囚禁，改其名為「塞思黑」，侮辱他。給他定二十八條罪狀，關到保定獄裡，最後以腹痛疼死幽所，傳說是被毒死的。

皇十弟允䄉，雍正元年（一七二三），哲布尊丹巴胡圖克圖來京病故，送靈龕還喀爾喀（今蒙古國），命允䄉前往賜奠，走到張家口，允䄉稱有病，將其奪爵，逮回京師拘禁。

皇十四弟允禵，先不許其進京弔喪，又命其看守景陵，再將其父子禁錮於景山壽皇殿。

除了最恨這五位兄弟，雍正帝最忌憚的應當是廢太子允礽。廢太子允礽一家被禁錮在皇宮裡的咸安宮。康熙晚年在北京昌平鄭各莊修建王府和行宮，打算將來讓廢太子在此安度餘生。雍正繼位後，封允礽子弘晳為理郡王、後晉為理親王，命舉家遷往昌平鄭各莊王府。第二年，允礽在宮中孤獨死去。

剩下的幾位兄弟中，如三阿哥允祉被發配到遵化守陵，後將他奪爵，幽禁於景山永安亭而死。五弟允祺，雍正十年（一七三二），死。十二弟允祹，降為「在固山貝子上行走」，就是從郡王降為貝子，不給實爵，僅享受貝子待遇。不久，又降為鎮國公。十五弟允禑，命其守景陵。

雍正帝對十三弟、十七弟非常好。十三弟允祥，封為怡親王，格外信任。十七弟允禮，後為果親王、管戶部。允祥和允禮顯然早就加入「胤禛黨」，只是康熙帝在世時，十分隱祕，未加暴露。

這裡補充一點。有人發現記載皇室譜系的《玉牒》中，皇十四子胤禎的名字做了

清宮《玉牒》

挖改，改成允禵了。因此有人說：康熙帝遺囑是傳位給「胤禎」，因「胤禎」、「胤禛」字形、字音相近，胤禛遂取而代之。這個說法比較牽強。雍正帝名字叫胤禛，他的皇十四弟叫胤禎。兩人的名字在讀音和字形上的確容易混淆。胤禎改名為允禵，是因為胤禛做了皇帝之後，名字要避諱，字形要避諱，字音也要避諱。所以就把他兄弟們名字中的「胤」字，都改為「允」字，以示避諱；同時，為避「禛」的字音，就把十四弟胤禎的「禎」字改為「禵」字，這樣胤禎就改叫允禵。這個跟篡改遺詔似乎沒什麼關係。

看一看

清宮《玉牒》

清宮《玉牒》自順治十三年（一六五六）以滿、漢兩種文字編製。每十年編續一次，清共編二十六次，清滅至一九二一年又修兩次，是世界上最龐大的家譜。玉牒以帝系、列祖子孫、列祖女孫三個系統記載皇族繁衍的情況。帝系稱宗室，登黃冊；支系稱覺羅，登紅冊。清宮玉牒存世一〇七〇冊，是中國唯一完整系統保存至今的皇族族譜。

殺掉寵臣

雍正初最炙手可熱的寵臣是隆科多和年羹堯。這是因為雍正帝「內得力於隆科多，外得力於年羹堯」。雍正帝殺了這兩位寵臣，又被人懷疑是殺人滅口，欲蓋彌彰。事實真是這樣嗎？

一**殺隆科多**。外界傳言說雍正帝得位「內得力於隆科多」，這話還真有道理。康熙帝諭皇四子胤禛繼承皇位的遺詔，是隆科多跟雍親王胤禛說的。雍正帝繼位，隆科多是個關鍵性的人物，人們不禁要問，隆科多何許人也，傳達這麼重要的諭旨？

隆科多，滿洲鑲黃旗人，是康熙帝舅父佟國維的兒子、康熙帝的舅表兄弟，又是康熙帝生母孝章皇太后的姪子、孝懿皇后佟佳氏的弟弟。隆科多在康熙晚年任理藩院尚書、步軍統領，負責京城防衛和皇帝安全。雍正帝小時候曾經在佟妃宮裡養育，應當跟隆科多關係比較近，但隆科多注意結交皇長子、皇八子，對皇四子並不親密。有人認為隆科多「隱匿」了真諭旨，使十四子失去繼位機會，又襄助皇四子登上大位。

雍正帝繼位後，立即任命隆科多為總理事務大臣、吏部尚書，封一等公。但兩年後，解除了隆科多步軍統領職位，將其發往阿拉善等處修城墾荒。雍正五年（一七二七），命奪隆科多爵，召還京，王大臣會審。隆科多奏稱：「白帝城受命之日，即死期將至之時。」這更使雍正帝大怒，以四十一條大罪，命在暢春園外築屋三間，永遠禁錮，來年，隆科多死於禁所。

二殺年羹堯。年羹堯父親年遐齡官至湖廣總督。他是康熙時進士，入翰林院，侍讀學士。康熙四十八年（一七〇九），年羹堯的妹妹被選為雍親王胤禛的側福晉，年家也因此從漢軍鑲白旗，抬旗為漢軍鑲黃旗，並撥歸到雍親王府門下。康熙晚期，年羹堯先後任四川巡撫、定西將軍，兼理四川陝西總督。

年家被撥屬雍親王府，但靠向皇八子一邊。年羹堯娶大學士明珠的孫女為妻，可見他是皇長子、皇八子一黨的。康熙帝將皇十四子胤禎（禵）派到西北任撫遠大將軍，年羹堯便極力靠近胤禎（禵）。雍正帝繼位後，召撫遠大將軍允禵還京師，命年羹堯管理撫遠大將軍印務。

雍正帝即位不久，年羹堯回到北京，向雍正帝講了許多西北戰局和皇十四子的情況，令雍正帝非常滿意，後加年羹堯太保，獨攬西疆軍權，後為一等公。他的妹妹年氏封為皇貴妃。

雍正二年（一七二四），雍正帝任命年羹堯為撫遠大將軍，平定了青海羅布藏丹津作亂，進一等公爵；雍正帝還親自御午門受俘。年羹堯受到的恩寵達到極點。雍正帝說：「我二人做個千古君臣知遇榜樣，令天下後世欽慕流涎！」年羹堯被捧暈了。年羹堯師出屢有功，便驕縱。入覲，令總督李維鈞、巡撫范時捷跪道送迎。到京師，王公大臣郊迎，不為禮。在邊，蒙古諸王公見必跪。

雍正三年（一七二五）正月，雍正帝召見了被年羹堯彈劾的署四川巡撫蔡珽，奏年羹堯暴貪誣陷狀，特宥珽罪。這是雍正帝對年羹堯翻臉的前奏。二月庚午（初二日），日月合璧，五星聯珠，羹堯疏賀，用「夕惕朝乾」語，雍正帝大怒，責年羹堯有意將「朝乾夕惕」倒過來。到了八月，這位年大將軍被調職、降級，革去所有職銜。十二月，被從杭州將軍任上押到京師。

年羹堯的妹妹年貴妃為他求情，雍正帝沒有接受，年貴妃隨即突然死去。雍正帝以大逆、欺罔、僭越、貪黷等九十二條大罪，令年羹堯獄中自裁，並斬其子年富，令諸子年十五以上戍極邊。

從雍正帝和大舅子年羹堯密切交往這三年的情況看，雍正帝繼位時，並沒有得到年羹堯的幫助，說他得位「外得力於年羹堯」，是不符合事實的。雍正帝殺年羹堯，也並不存在殺人滅口理由，以此來反證雍正得位不正，似乎並不成立。但是年羹堯對雍正帝鞏固帝位還是有大功的。一是對皇十四子的告密，讓雍正帝對競爭對手了解得更深入；二是在西北用兵取得勝利，維護了清朝的穩定。但他跟皇八子、皇十四子的關係還是讓雍正帝心存芥蒂。

隆科多以元舅之親，受顧命之重；年羹堯以貴妃之兄，獲多戰之功。雍正初，隆科多與年羹堯，文武權臣，內外夾輔。《清史稿》論者謂：隆、年二人憑藉權勢，無復顧忌，即於覆滅而不自怵，古聖所誡。他們知進不知退，知顯不知隱，由此來說，是自釀禍。

上面從雍正謀父逼母、弒兄屠弟、殺掉寵臣三個方面，做了分析。乍一聽，似乎疑竇叢生，指向雍正得位不正，但仔細分析，且不說有些說法與事實不符，而且沒有一條確鑿的材料能證明雍正這麼做是因為得位不正。

疑問，還是集中在所謂「康熙遺詔」上。

繼位疑案（下）

我們繼續探討雍正繼位疑案。雍正繼位的最大疑點，還是來自於所謂「康熙遺詔」。

遺詔版本

康熙帝的遺詔，目前看到的有五個版本。
一是中國第一歷史檔案館和臺北故宮博物院保存的〈康熙遺詔〉各一份，內容相同。
二是《清聖祖實錄》康熙五十六年（一七一七）十一月辛未（二十一日）〈上諭〉。
三是《清聖祖實錄》康熙六十一年（一七二二）十一月甲午（十三日）的〈康熙遺詔〉。
四是康熙六十一年（一七二二）十一月甲午（十三日）康熙帝向七位皇子宣布的遺詔。
五是康熙六十一年（一七二二）十一月甲午（十三日）康熙帝去世後隆科多向雍親王口授的「康熙遺詔」（《大義覺迷錄》）。

圍繞「康熙遺詔」，主要有以下議論。

第一，關於擅改遺詔。雍正帝剛剛即位，就有傳言說，康熙帝原打算將天下傳給十四阿哥胤禎，雍正把「十」字改為「于」字。……先帝欲將大統傳與胤禎，聖祖不豫時，降旨召胤禎來京，其旨為隆科多所隱，先帝殯天之日，胤禎不到，隆科多傳旨遂立雍親王。（《大義覺迷錄》）

這個傳言流傳很廣，乍一聽有道理，但是經不住分析。如果康熙帝真有「傳位十四子」的遺詔，按照當時行文習慣，應當寫作「傳位皇十四子」，如果把「十」字改成「于」或「於」，就變成「傳位皇于四子」，或「傳位皇於四子」，根本不通。況且當時如此重要的遺囑，應同時以滿、漢兩種文字書寫，漢字還可以修改，滿文又豈能改「十」為「于」？

儘管皇十四子是康熙帝屬意的太子人選之一，但目前還沒有發現康熙帝確定要傳位給胤禎（禵）的文獻或檔案的證據。康熙帝病重時，他緊急召回的是在天壇的胤禛，並沒有召回遠在西北的皇十四子胤禎（禵）和在東陵的皇五子胤祺。中國歷史檔案館現存的遺詔檔案，也根本沒有改動的痕跡。所以，雍正帝擅自塗改遺詔的說法，不能確定。

第二，康熙的遺詔是真是假。胤禛繼位的主要依據是〈康熙遺詔〉。現在能看到的四份遺詔，海峽兩岸保存的檔案，無法證明是真是假，既可能是真的，也可能是後來偽造的。

能夠確定是真的，就是《清聖祖實錄》記載的康熙五十六年（一七一七）十一月辛未（二十一日）〈上諭〉，因為這是在康熙帝去世五年前就公布了的。但是康熙帝雖然說這可以作為他的遺詔，但是其中並沒有寫明接班人的事情。

還有一份就是《清聖祖實錄》記載的康熙六十一年（一七二二）十一月甲午（十三日）〈康熙遺詔〉。這份〈康熙遺詔〉有學者認為是真的，因為《清聖祖實錄》和檔案都可以證明它的存在；有的學者認為是假的，因為「實錄」和「檔案」都是雍正帝掌權後推出的，可以編造。那麼，這份詔書是真、是假？我認為是半真半假，為什麼？

〈康熙遺詔〉的文字，可以分為前後兩個部分。說它是真的，因為前一部分，就是把康熙五十六年（一七一七）十一月二十一日的上諭加以文字修飾，移植到傳位詔書裡。康熙帝在這份上諭中回顧了自己的一生，最後說：「此諭已備十年，若有遺詔，無非此言。披肝露膽，罄盡五內，朕言不再。」（《清聖祖實錄》卷二七五）這大段文字在康熙五十六年就當著諸皇子、文武大臣親自公開宣布的，且記錄在案，所以是真的。

說它是假的，因為〈康熙遺詔〉最後也是最關鍵的一句話：「皇四子胤禛，人品貴重，深肖朕躬，必能克承大統，著繼朕登基，即皇帝位。」無法證明這是真的，所以說它是半真半假。

第三，關於康熙帝向七位皇子宣布遺詔。記載這個情節的兩本書——《清聖祖實錄》和《大義覺迷錄》，都是雍正帝繼位後御用官員編寫的，而且出版時當事人基本上都已不在人世，無法核對。當時人所寫的《皇清通志綱要》和《永憲錄》兩書中，都沒有相關記載，所以引起懷疑這個情節是否編造。而且康熙帝怎麼會在病重時不召集大臣王公們一起來聽他的遺詔呢？

另外，雍正帝說過兩位皇弟在康熙死後的反常表現：皇八弟允禩在暢春園中「並不哀戚，乃於院外倚柱，獨立凝思，派辦事務，全然不理，亦不回答，其怨憤可知」；而皇九弟允禟「突至朕前，箕踞對坐，傲慢無禮，其意大不可測，若非朕鎮定隱忍，必至激成事端」。學者們認為這兩位兄弟的表情與行為，正是說明他們在毫無心理準備下，突然聽到隆科多的「口授末命」，才有如此憤恨心態與冒失行動的。如果他們早已聽到皇父親口說過這個安排，恐怕不會是這種反應。既然這個情節是否真實都存疑，那麼所謂康熙帝向七位皇子宣布的遺詔也令人懷疑。

第四，關於隆科多口授末命。胤禛在康熙帝病危當天，曾三次到暢春園清溪書屋病榻前，康熙帝說「朕病勢日臻」，可見還沒有糊塗。但為什麼康熙帝可以把指定他為繼承人的事告訴其他七位皇子，而不當面告訴他本人呢？「口授末命」的人為什麼是隆科多一位大臣？其他大臣為什麼沒有在場？所以這個情節的確令人生疑，口授的末命也就更令人懷疑。

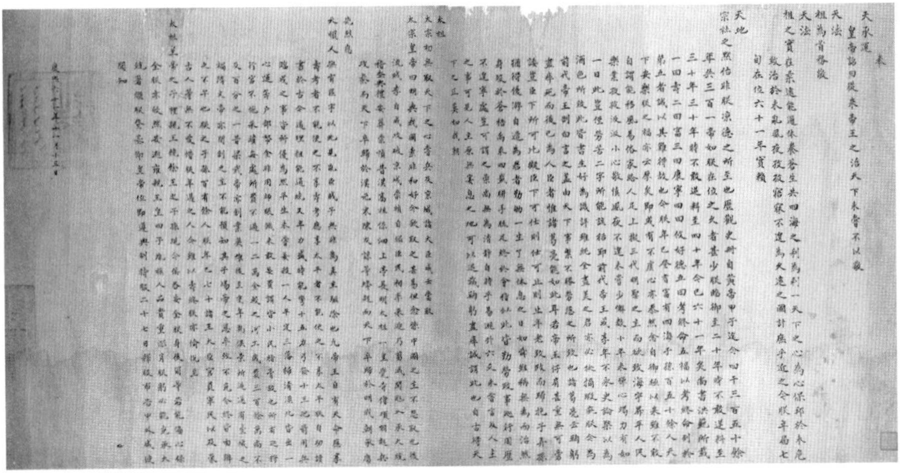

現存的〈康熙遺詔〉

上述康熙遺詔的五個版本，只有一部分是真的，卻沒有涉及雍正繼位。而涉及雍正繼位的〈康熙遺詔〉，都不能確定是真的。

還有疑點

既然《清聖祖實錄》記載的康熙五十六年（一七一七）十一月辛未〈上諭〉，可以確定是真的，讓我們看一下其中是怎麼說到接班人的。〈上諭〉說：「十年以來，朕將所行之事，所存之心，俱書寫封固，仍未告竣。立儲大事，朕豈忘耶？」這裡說從第一次廢太子之後，康熙帝就把所做所思，都書寫下來，封固起來，而且，還要一直寫下去，立儲的大事，朕能忘掉耶！

所以，接班人的事情，康熙帝不可能沒有安排，也不可能沒有書面安排。有這樣一件事可以做旁證。雍正即位不久，跟他的弟弟允祺、允禟等說：「爾等母親都上了年紀了，先前父皇也在兩處寫有朱筆諭旨，見今你們將妃母各自迎接回家，也可得以問安侍養，盡爾孝心。」這件事在雍正四年（一七二六）又被提起，雍正帝說：「朕即位後，恭檢皇考所遺朱批諭旨，內有料理宮闈家務事宜一紙，皇考諭令有子之妃嬪，年老者各隨其子，歸養府邸，年少者暫留宮中。」（《雍正朝起居注冊》）這件事也證明了康熙帝確實安排了一些身後之事，並且用朱批諭旨的形式親筆寫下。

這樣，就讓人引出聯想，那份真的由康熙帝親筆寫下的關於接班人的諭旨，在哪裡呢？

按照這個思路可以聯想到，雍正繼位，儘管目前還沒有看到令人信服的〈康熙遺詔〉，但康熙帝晚年對雍親王還是信任的，病危之時也是召雍親王從天壇三次來到他的身邊。就在康熙帝去世當年的暮春三月，康熙帝來到雍親王的圓明園，在牡丹盛開的樓臺前，見到了十二歲的皇孫弘曆。回宮後就開始著人了解這個皇孫的情況，包括生辰八字。在過完六十九大壽後沒幾天，又來到圓明園，隨後就宣布將弘曆帶回宮中養育。當時，只有廢太子的兒子弘晳養育在宮裡。四月，康熙帝到避暑山莊住夏，弘曆也隨駕扈從。在夏秋兩季的五個月裡，祖孫二人幾乎朝夕相處，遊歷山莊。他親手教弘曆練習書法，還寫下條幅和扇面賜給弘曆。在木蘭圍場圍獵，弘曆差點兒被受傷的黑熊撲倒，幸虧爺爺用虎槍打死黑

木蘭圍場「將軍泡子」

熊。也就在這段時間，康熙帝帶著孫子弘曆，來到避暑山莊雍親王的獅子園，並傳見了弘曆生母鈕祜祿氏，稱讚鈕祜祿氏是「有福之人」，留下康熙、雍正、乾隆祖孫三代皇帝歡聚一堂的歷史佳話。

雍正帝的皇位，是正取還是逆取？從胤禛登極至今近三百年來，既是學術界激烈爭議的問題，也是演藝界火爆炒作的題目。歷史是勝利者的紀錄，正史不會、也不可能對雍正帝逆取皇位做出記載。雍正帝畢竟是一位政治家，對他的歷史評價，主要應看其政治功過。

逛一逛

木蘭圍場

清代皇家獵苑，位於今河北省東北部，地處內蒙古草原。一六八一年清康熙帝為訓練軍隊騎射，在這裡開闢了一萬多平方公里的狩獵場。清朝前半葉，皇帝每年都要率王公大臣、八旗勁旅來這裡舉行圍獵，史稱「木蘭秋獮」。

第78講

雍正年窯

雍正帝在政壇以果斷堅韌著稱，殊不知他的審美情趣有「三致」——精緻、雅致、極致，影響到雍正御製「年窯」瓷器等藝術品，也因此出現了高雅精緻之風，洋溢著恬淡超然的文化氣息。

審美高雅

胤禛登位之後，一反乃父之風。如宸居，不在乾清宮，改在養心殿；陵寢，不在清東陵，建在清西陵。而他高雅的審美情趣，也跟康熙樸厚的風格不同，帶來當時宮廷藝術的變化。

雍正帝曾諭造辦處：朕看從前造辦處所造的活計好的甚少，爾等再造時，不要失其內廷恭造之式。這個「內廷恭造之式」，其核心就是帝王之尊、廟堂之貴，皇家氣派、高雅氣質。

養心殿正殿

雍正帝多年潛邸的經歷，造就了藝術審美「三致」——精緻、雅致、極致的意趣，而這種意趣的一點，是寄託在對宋代名窯瓷器的嗜好之上。雍正帝喜好宋瓷，舉兩個例子說明。

逛一逛

養心殿

始建於明嘉靖年間。清自雍正帝之後為皇帝居所，共八位皇帝先後居住，成為清廷實際上的政治中心。

圓明園是康熙帝送給雍親王的別墅花園，有一套雍親王時期繪製的《十二美人圖》，用在圓明園「深柳讀書堂」的屏風上，每張繪一美人，主題各不相同。其中有一幅「鑒古圖」，畫一位美女斜坐在斑竹椅上，若有所思；身前的華貴桌案、周圍的黃花梨多寶格，陳設著各色古物。什麼樣的古物才配得上這位美人呢？有宋汝窯水仙盆和天青釉三足洗，體現出雍親王欣賞宋瓷淡雅高貴的品味。

雍正三年（一七二五）九月十八日，檔案記載：員外郎海望交來鑲嵌鈞窯盆景一件，盆裡的景有纏金藤鍍金樹一棵、珠子七十三顆、寶石二十一塊、紅瑪瑙壽星一件、珊瑚二支、珊瑚靈芝一件、珊瑚福一個、珊瑚花頭一個、蜜蠟山子一件、蜜蠟鹿一件、蜜蠟花頭一件、綠苗石二塊、紫檀木座一件、象牙仙鶴一隻。這件盆景的「景」，是由黃金、珍珠、寶石、瑪瑙、珊瑚、蜜蠟、象牙等做成，輝煌燦爛，奢華至極。但雍正帝不滿意：將它的鑲嵌地景起下來，另配雲母盆，而把「盆」命單獨呈進。皇帝沒看上「景」，卻看上了「盆」，這生動地反映了雍正帝對宋瓷的喜好。

宋代名窯瓷器散發出內斂、清雅、平和、精緻的氣韻，與雍正帝所追求的雅致之風暗合，受到雍正帝的酷愛。藝術講究以物寄情、以形寄趣。雍正帝喜愛宋代瓷器，體現了他恬淡超然的旨趣。這種旨趣形成於雍親王在潛邸時期。究其原因，一在時運，二在抱負。

先說時運。出人頭地，需要天時。身為皇子，出路不多：要麼習帝王術，入承大統；要麼學文武藝，建功立業；兩條路都走不通，只能吟風弄月，閒散一生。胤禛出生時，康熙帝已立胤礽為太子。後雖有太子廢而復立的風波，卻看不到即位希望。胤禛成年時，

雍親王《十二美人圖》之「鑒古圖」

已是康熙後期，戰事基本結束，政治波瀾不多，國家比較安寧，很難找到一展身手的機會。時運如此，不與命爭，胤禛只有修身養性、淡泊明志一途。

再說抱負。胤禛不甘寂寞，覬覦大位，暗中籌謀，以圖進取。他懷才不遇，不免苦悶，需要排遣；心懷野望，擔憂泄露，需要掩飾；運籌帷幄，不免緊張，需要疏解；心潮洶湧，戒急用忍，需要克制。他曾經在圓明園或避暑山莊獅子園，自稱是「天下第一閒人」。

雍正帝喜歡秀氣的物件，

應是多年的習慣。雍正元年（一七二三）正月初九，他命怡親王允祥傳旨內務府琺瑯作：燒造琺瑯鼻煙壺的時候，「要做雅秀些」。允祥是雍正帝最親近的弟弟，熟悉乃兄喜好。何謂雅秀？力戒粗大豪放，代以纖巧含蓄；力戒生硬折角，代以平滑轉角；力戒四面直線，代以曲線圓邊。這都是既高雅又秀氣的特點。

古人講，凡事要「十分」。雍正帝把這「十分」精神傾注到藝術，對藝術品要求精益求精，雅中求雅。舉北京景山內關帝廟塑像的事例。

太監李英傳旨：將景山東門內廟裡供奉騎馬關公像，著照樣造一份。要先撥蠟樣呈覽，獲准再造。

一個月後，蠟樣關公一尊，關平、周倉從神等六尊，呈覽。雍正帝說：關公臉像撥得不好，照圓明園佛樓供的關公臉像撥。

十天後，呈送改撥後關公、從神等蠟樣一份。奉旨：關公臉像特低，仰起些來；腿甚粗，收細些；馬鬃少，多添些；廖化的盔不好，另撥好樣式盔。

六天後，將改撥的蠟樣呈覽。奉旨：關公的硬帶勒的甚緊，再撥松些；身背後沒有衣褶，做出衣褶來；手並上身做秀氣著。

四天後，將改的關公蠟樣呈覽。奉旨：帥旗往後些，旗上火焰不好，著收拾；馬胸及馬腿也不好，也要收拾。

兩天後，再將改得的一份蠟樣呈覽。奉旨：甚好，准造；旗做繡旗。

雍正時期的琺瑯彩三友橄欖瓶

一尊關公像，蠟樣五次呈覽，歷時近兩個月，連關公衣褶都有旨，真是精緻、雅致、極致之至！同樣的，造辦處活計，除非已有成例，否則都要先製樣呈覽，根據聖意，反覆修改，直到皇帝滿意為止。

雍正帝即位後，乾綱獨斷，埋首公務，通宵達旦，批覽奏章。然而在萬幾之暇，又寄情藝術，怡情靜心，關心御窯瓷器的燒造，促成琺瑯彩瓷器的高峰。

琺瑯彩瓷

琺瑯彩瓷器，是借用西方銅胎畫琺瑯的技法，用琺瑯料在瓷胎上描畫圖案而燒製的瓷器。琺瑯彩瓷燒製始於康熙末年；雍正時達於極盛；乾隆末年後停止，持續七十餘年。現存留御製琺瑯彩瓷器約數百件，如耀眼星斗，洋溢光彩。

雍正時琺瑯彩瓷有突破，得益於六個方面——料、胎、釉、地、畫、燒的進步。雍正朝琺瑯彩瓷以上六個突破，使得琺瑯彩瓷達到四絕：質地之白，白如冬雪，為一絕；薄如卵幕，口噓之欲飛，映日或燈光照之，背面能辨正面之筆畫彩色，為二絕；以極精之顯微鏡窺之，花有露光，鮮豔纖細，蝶有茸毛，且莖莖豎起，為三絕；小品而題極精之楷篆，各款細如蠅頭，四絕。就是說，琺瑯彩瓷器，瓷胎白、胎骨薄、彩繪生動、題款精細，合稱為「四絕」。

雍正御窯瓷器，最享盛名的，當屬「年窯」。

年窯盛名

雍正朝的琺瑯彩瓷器達到高峰，其條件很多，包括帝王修養、工藝革新、國力支持、督陶官員以及工匠精神等，但最重要的條件是用人。其中之一，是督陶官年希堯。

年希堯（一六七一～一七三八年），漢軍鑲黃旗人。他是雍親王門下，父年遐齡官湖廣總督，弟年羹堯官川陝總督、署撫遠大將軍，妹是雍正帝貴妃。年希堯官內務府總管，管淮安榷稅、加左都御史，兼督景德鎮御窯廠。因其弟年羹堯之案，全家蒙難，獨其子雖獲罪但幸免一死。年希堯崇尚西學，文化高雅，精於書畫，擅長撫琴，很會品硯，又好收藏。文化素養深厚，藝術品位高雅。

年希堯以內務府總管監督景德鎮御窯廠，將雍正帝的審美旨趣落實到每件藝術品之中，主要表現在兩個方面：

一是在宮廷造辦處燒造的琺瑯彩瓷器。琺瑯彩瓷的燒製，由內務府造辦處統管，養心殿、慈寧宮、圓明園等地都有作坊，景德鎮御窯、廣東海關、江南織造也有參與，需要協調指揮。雍正帝即位之後，年希堯總管內務府；他對琺瑯彩瓷器比較熟悉，為之做出了很大的貢獻。

另一是在江西景德鎮御窯廠燒造的瓷器。年希堯兼任景德鎮御窯廠督陶官，長達九年。年希堯奉旨窯燒製瓷器，選料奉造，精品甚夥，極其精雅，極為難得，世稱「年窯」。

清康雍乾時期，以景德鎮御窯廠燒造的瓷器為最優、最美、最精，其中康熙時郎廷極的「郎窯」、雍正時年希堯的「年窯」、乾隆時唐英的「唐窯」均是其典型代表。這是清代康雍乾時期中國瓷器史上的三座高峰，領先於世界瓷器；而「郎窯」、「年窯」、「唐窯」又分別是這三座高峰的頂峰。年希堯同郎廷極、唐英一樣，在中國瓷器史上，甚至在世界瓷器史上，都占有一席之地。

瓷器是「瓷器之路」對外交流的重要藝術品。年希堯跟他之前的郎廷極、之後的唐英一樣，為「郎窯」、「年窯」、「唐窯」瓷器做出貢獻，也為中國瓷器史書寫華美篇章。

第79講

生母之謎

乾隆帝的生母是誰？清朝正史說，乾隆帝的生母鈕祜祿氏，出生在一個滿洲普通官宦家庭，父親叫凌柱。從清末以來，特別是民國年間，有說她不是乾隆帝的親生母親，或說她不是滿洲人，以此說明乾隆帝血統不純、出身不高貴，這就出現一件乾隆帝生母是誰的疑案。

海寧陳家

清末民初，傳得最盛行的一種說法，是說弘曆是海寧陳世倌的兒子，被雍親王府用女兒調包，才成為雍親王的兒子。

海寧在清朝屬杭州府濱海的一個小縣，在這裡可以觀賞氣勢磅礡的海潮。這裡有一個「海寧陳家」。陳家始祖高諒，遊學到海寧，落入水中，被一賣豆腐的店主救了上來，這

清高宗弘曆像

位救命恩人陳明遇，老而無子，便以女妻高諒，高諒生子，遂姓陳氏，後出了舉人。萬曆朝陳家出了進士、布政使等。陳其元《庸閒齋筆記》記載，海寧陳家三百年間「舉、貢、進士二百數十人」。其中兩榜為兄弟三人同榜。最出名的是陳世倌，官左都御史、工部尚書、文淵閣大學士，被廣為傳說是乾隆帝生父的海寧陳閣老。

這個故事來自清末天嘏的《滿清外史》，書中說：康熙年間，胤禛和陳世倌關係好，兩家各生一個孩子，恰是同年同月同日同時辰，胤禛非常高興，命陳家把孩子抱來看看。孩子送回陳家後，發現陳家的男孩被調包為胤禛家的女孩。陳家不敢吭聲，極力保密。不久，胤禛繼位，特擢陳氏數人官至顯位。到乾隆時，優禮於陳家者尤厚。曾經南巡至海寧，即日幸陳氏家，升堂垂詢家世。

浙江海寧人金庸（查良鏞），從小就聽說有關乾隆帝的種種傳聞，他的第一部武俠小說《書劍恩仇錄》也就緊緊圍繞著乾隆帝身世之謎展開。

乾隆帝生母是陳世倌夫人，經清史研究專家孟森在〈海寧陳家〉一文中考訂，這件事為子虛烏有。

第一，乾隆帝六度南巡，四到海寧，主要為修海塘工程。當時海潮北趨，海寧告警，一旦衝破海塘，將浸淹蘇、松、杭、嘉、湖等全國最富庶之地，嚴重影響政府賦稅和漕糧的徵收。我去海寧做過考察，海塘工程，雄偉壯觀，大功告成，厚惠於民。

第二，乾隆帝每次都駐蹕陳家私園，是因為此園景致絕佳，還能聽到海濤聲，而海寧

雍和宮鳥瞰圖

縣城確實沒有比它更體面的房子可以迎駕。他每次都未召見陳家子孫，更談不上「升堂垂詢家世」。乾隆帝初幸隅園後，賜其名為「安瀾園」，以志此行在使海水安瀾。後乾隆帝在圓明園建「安瀾園」，並寫〈安瀾園記〉。

第三，海寧陳家有清帝御書「春暉堂」匾額。「春暉」取自唐孟郊的詩：「慈母手中線，遊子身上衣。臨行密密縫，意恐遲遲歸。誰言寸草心，報得三春暉。」有人便說：乾隆帝若不是陳家之子，為何報答慈母如春暉般的深恩呢？但是，經孟森考證：陳家確有「春暉堂」匾，此匾是康熙帝賜書，而「非高宗所書也」。

第四，沒有蔣氏「公主樓」。有人說那個被換到陳家的雍親王之女，嫁給了蔣溥。蔣溥的陳夫人在老家常熟所居之樓，當地稱「公主樓」。蔣溥，其父蔣廷錫為康熙朝文華殿大學士。蔣溥甚得雍正帝恩遇，入值南書房，官戶部、禮部、吏部尚書、翰林院掌院學士、協辦大學士。此說也靠不住：常熟人和蔣氏後人都不知有「公主樓」，更不能證明蔣溥是雍正帝的女婿。

第五，胤禛沒必要抱子為帝嗣。弘曆出生時，雍親王胤禛的長子、二子雖早殤，但第三子弘時已八歲。另一格格耿氏又為他生下第五子弘晝，後來他又有了幾個兒子。所以胤禛根本沒必要抱別人的兒子為帝嗣。

以上，從五個方面分析了「弘曆的母親是陳世倌夫人」之說，是生動故事，卻不是事實。但是，關於弘曆的生母，還有疑問。

《慈寧燕喜圖》中，乾隆帝為孝聖皇太后舉觴祝壽

山莊草房

承德避暑山莊獅子園，是當年康熙帝送給雍親王胤禛的山莊別墅，其中有三間樸素的茅草房，在殿堂軒館與亭臺樓榭中，顯得與眾不同。而且，雍正帝親筆御題「草房」的匾額。

在乾隆六年（一七四一）秋獮時，乾隆帝曾去自己幼時問安讀書之處獅子園一遊。後每年進駐山莊後十餘日，乾隆帝即乘馬前往獅子園遊覽，每去必到「草房」小憩，並賦詩志其事，而詩題皆為「草房」二字。他一生留下的「草房」

詩有數十首之多，如此之多，實所罕見。

於是，有人便把這三間草房，附會成當年乾隆帝誕生的「草廄」，說他的生母是一位李姓宮女，跟胤禛野合後在此生下弘曆。這樣就又帶出一個問題，弘曆的生母成了出身寒微的漢人，出生地從雍和宮變成了避暑山莊。那麼，官書是怎樣記載的呢？

疑案難解

乾隆帝的生母究竟是誰？

第一，《玉牒》記載：世宗憲皇帝（雍正）第四子高宗純皇帝（乾隆），康熙五十年八月十三日，由孝聖憲皇后鈕祜祿氏、凌柱之女，誕生於雍和宮。《玉牒》就是清朝皇家的家譜。無論宗室還是覺羅，一旦生有子女，三月報掌管皇族事務的宗人府一次，要寫明其子女出生的年月日時，生母是嫡是庶，姓氏為何，宗室入黃冊，愛新覺羅入紅冊。每過十年，經宗人府題請，由宗令、宗正，及滿漢大學士、禮部尚書、侍郎、內閣學士等充當正副總裁官，把黃冊、紅冊所載的子女資料匯入《玉牒》。如有歧義，要由皇帝作裁斷。《玉牒》按十年一修的制度，關於弘曆出生的記載，應當在弘曆十歲或十歲以前修，存在雍正帝繼位後修改的可能性。

第二，《清世宗實錄》和《清史稿．后妃傳》記載，乾隆帝的生母是鈕祜祿氏；格格鈕祜祿氏，被封為熹妃。《清實錄》由下一代皇帝主持纂修，《清史稿》是民國初年纂修的。雖然都為官方史書，具有權威性，但是，也都存在後人修改或杜撰的可能性。

第三，清宮檔案記載。《雍正朝漢文諭旨匯編》裡收錄當時檔案的記載，卻不相同：雍正元年二月十四日（一七二三年三月二十日）奉上諭：遵太后聖母諭旨：「格格錢氏封為熹妃」等（《雍正朝漢文諭旨匯編》雍正元年二月十四日）。在這份重要檔案裡，雍正元年二月十四日被封為熹妃的，不是格格鈕祜祿氏，而是格格錢氏。

第四，《永憲錄》記載熹妃姓錢。《永憲錄》記述：「雍正元年十二月丁卯，午刻，上御太和殿。遣使冊立中宮那拉氏為皇后。詔告天下，恩赦有差。封年氏為貴妃，李氏為齊妃，錢氏為熹妃。」也就是說在當時有人就對乾隆帝的親生母親是誰提出了懷疑。

第五，據乾隆朝編修的《八旗滿洲氏族通譜》，書中載錄了滿洲姓氏一一一五個，記錄人物超過兩萬人，但沒有一位姓錢的。

從以上五份資料看，乾隆帝的生母出現了兩種記載：其一是鈕祜祿氏，原任四品典儀官、加封一等承恩公凌柱之女；其二是熹妃錢氏。

以上連官方記載都不一樣，難怪人們對乾隆帝的生母是誰產生了疑惑。我對這種歷史文獻與檔案記載的差異，做出如下解釋。

第一，熹妃只能有一人。按清宮規制，皇妃的封號只能有一個，不能有重名。所以「熹妃」在清朝只能有一人。因此，格格錢氏與格格鈕祜祿氏應當是同一個人。

第二，在這五份官私記載中，清宮諭旨檔案是當時的第一手資料，比較可信。所以證明弘曆的母親熹妃就是錢氏。這正是「夜半橋頭無孺子，人間猶有未燒書」。雍正帝、乾隆帝、嘉慶帝萬萬沒有想到，還有一份宮廷檔案留存在人世，塵封在內閣大庫的檔案裡。

第三，錢氏被改成了鈕祜祿氏。錢氏出身低微，她從生下弘曆到冊封為熹妃，中間十二年都是「格格」。弘曆既然被祕密立儲，將來就是大清皇帝。他的生母怎能出現漢姓錢氏呢？需要一個高貴純正的滿洲血統。所以，有可能由「滿洲鑲黃旗人四品典儀凌柱」認作乾女兒，改姓鈕祜祿氏，這樣就解決了身分與姓氏的難題。

總之，關於乾隆帝生母的傳說，並不是空穴來風，但仍然是一樁歷史疑案。

第80講

乾隆膳單

乾隆帝享年八十九歲，是中國自秦始皇以來二千一百三十二年皇朝史上歷代帝王中壽命最長的一位。很多人關心乾隆帝長壽的祕訣是什麼。讓我們通過他的三份膳單，也就是食譜，探討一下這位長壽天子的飲食之道。

吃遍天下

皇帝君臨天下，吃遍天下山珍海味、美食佳肴。僅常用的貢品就有：東北的粘高粱米粉子，山西的飛羅白麵，陝西的紫麥，寶雞的玉麥，蘭州、西安的掛麵，山東的抻麵、博粉，廣西的葛仙米，河南的玉麥麵，河北的「福」、「壽」字餑餑，山東的耿餅，安徽的青餅，北京的黃、白、紫三色老米，直隸進奶豬、乳羊、雞、野雞、鴨，崇文門每年春季進的黃花魚、秋季的銀魚，直隸保德州冬季進的石華魚，山東進的麒麟菜、海帶、紫菜、吉祥菜、魚翅，兩淮進的風乾豬肉、糟鵝蛋、糟鴨蛋，湖廣進的銀魚乾、蝦米，外藩蒙古進的鹿肉乾，長蘆鹽政進的豬、羊、雞、鴨、魚等。小菜方面有：山東的扁豆、鳳尾菜，浙江的醬菜，江蘇的小菜，福建的閩薑等。還有貢鮮魚，如江蘇鎮江貢鰣魚。每年第一網鰣魚，送皇帝嘗鮮。宮廷在桃花盛開的時候，舉行「鰣魚宴」，皇帝賜朝廷重臣一同品嘗。鰣魚捕到後，用冰船和快馬，分水、旱兩路，沿途設冰窖、魚場保鮮，行程三千里，限三天內送到。鰣魚一到，立即烹調。

可以說，全國最好的東西，都是優先供應皇帝。但乾隆帝是怎樣用膳的呢？

御膳時間。滿洲習俗，一日兩餐。早膳卯正（六時）二刻，晚膳午正（十二時）二刻（《養吉齋叢錄》）。隨季變化提前或推後。除正餐外，還有小吃、點心，隨時需要，另行承應。

御膳地點。康熙以前，皇帝住在乾清宮，用膳地點主要在乾清宮及其附近。雍正開始住在養心殿，經常在養心殿東暖閣進膳。但膳隨帝走，皇帝走到哪兒，傳膳就跟到哪兒。皇帝身邊總有幾個「背桌子」的侍從。皇帝想吃飯，一聲「傳膳」令下，侍從立即將三張膳桌一字擺開。傳膳太監從御膳房到皇帝用膳的地方，一溜小跑，魚貫而入，把御膳房已準備好的御膳擺在膳桌上。皇帝用膳都是一個人，沒有妻妾子女陪同，除非下旨讓誰一起吃飯。只有年節才可能和家人一起用餐，也是單獨一張餐桌。

清宮御膳以滿洲傳統風味為主，蒸、燉、煮、燒居多，也有明朝御廚留下的傳統魯菜、江南御廚的淮揚菜，到康熙以後偶爾也有西餐。皇帝進膳有膳單，就是食譜、菜譜，御膳所用食品及烹調廚師，逐日開單，具稿畫行。每日用膳前，膳單要寫明某菜為某廚師烹製，以備核查。膳單匯總，月成一冊。所以現在還能看到這方面的檔案。

御膳供應豐厚，皇帝、太后、皇后標準：每次進全份膳四十八品；每天用盤肉十六斤、湯肉十斤、豬肉十斤、羊兩隻、雞五隻、鴨三隻、蔬菜十九斤、蘿蔔六十個、蔥六斤、玉泉酒四兩、青醬三斤、醋兩斤和米、麵、香油、奶酒、酥油、蜂蜜、白糖、芝麻、核桃仁、黑棗等。

過於優越的飲食條件、過於充分的飲食供應，對皇帝的健康膳食也是一種考驗。大多數人在這種情況下，恐怕都很難禁得住美食佳味的誘惑，沒有吃出健康，反倒吃出疾病。

中年膳單

乾隆十六年（一七五一）六月初四日，乾隆帝這年四十一歲。先看他的早膳吃些什麼？

四個熱菜：芙蓉鴨子、羊肉燉倭瓜、羊肉絲、韭菜炒肉；

一個涼菜：清蒸鴨子額爾額羊肉；

五個小菜：葵花盒小菜一個、銀碟小菜四個；

三種主食和點心：竹節卷小饅頭、匙子餑餑紅糕、蜂糕。

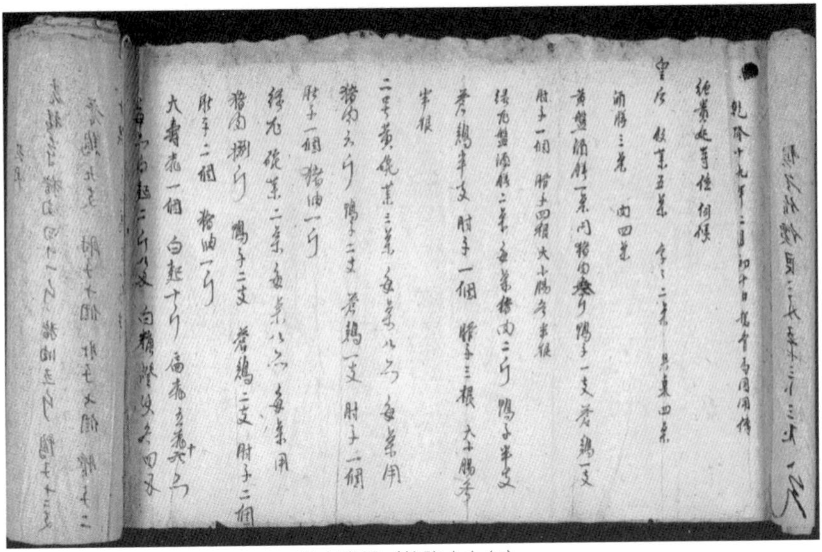
宮中膳單（乾隆十九年）

後來乾隆帝又傳了肉絲湯膳、豬肉餡餛飩、果子粥、雞湯老米膳。

再看當天他的晚膳：

五個熱菜：燕窩肥雞歇野鴨、蔥椒肘子、鴨子火熏燉白菜、炒木須肉、肉片炒扁豆；

兩個涼菜：蒸肥雞燒麅肉、羊腿肉；

五個小菜：銀葵花盒小菜一個、銀碟小菜四個；

三種主食：象眼小饅頭、白麵絲糕糜子麵糕、豬肉餡湯麵餃子。

後來乾隆帝又傳了粳米乾膳、芙蓉鴨子、羊肉絲。從以上這幾份膳單可以看出乾隆帝的飲食習慣：

第一，與宮廷規定的四十八個品相比，乾隆帝的膳食比較簡單，種類不是很多，但是已經足夠豐富。看來他日常吃飯方面講求實際，不搞擺看的菜品。

第二，有葷有素、有熱有涼、有主有副、有乾有稀，葷素搭配，以葷為主。主食米麵雜糧搭配，以麵食為主。烹調方法豐富，蒸、燉、煮、燒、炒都有。

第三，乾隆帝自己傳膳的飯食，早膳後以湯水為主，晚膳後又補充一頓簡餐，相當於每天兩頓正餐再加兩頓簡餐或點心，既補充能量不足，又不至於過剩。這個時候他正值壯年，工作時間長，消耗體能大，兩頓正餐顯然不足，再加兩頓簡餐，是個好辦法。

第四，膳食中肉食比例很大。這原因是森林文化飲食以飛禽走獸之肉為主。滿洲入關已過百年，常食含熱量高的鹿肉、熊掌，濕熱相搏，容易得病。乾隆帝對飲食結構進行了調整。但肉類特別是鴨、雞、羊肉、豬肉等，每頓必有，麅子肉出現過一次，蔬菜相對較少。

老年膳單

乾隆四十四年（一七七九），乾隆帝六十九歲，他的晚膳這麼吃：

熱菜八個：燕窩蓮子扒鴨、鴨子火熏蘿蔔燉白菜、扁豆大炒肉、羊西爾占（羊的某個部位）、鮮蘑菇炒雞，後來又加了燕窩鍋燒鴨絲、羊肉絲、小羊烏叉（小羊後臀肉）；

涼菜一個：蒸肥雞麅肉；

小菜五個：銀葵花盒小菜一個、銀碟小菜四個；

錫製一品鍋

主食五種：象眼小饅頭、棗糕老麵糕、甑爾糕（一種米糕）、螺螄包子，隨送豇豆水膳；

乾隆帝自己又傳膳：拌豆腐、拌茄泥。

這頓飯，有葷有素、有熱有涼、有主有副、有乾有稀，葷素搭配。主食米麵雜糧搭配，以麵食為主。烹調豐富，蒸、燉、煮、燒、炒都有。肉食有鴨、羊、雞、豬、麅五種肉食，但蔬菜增多，有白菜、蘿蔔、扁豆、鮮蘑菇，皇帝又增加了茄子。副食有燕窩、蓮子、豆腐等。主食和副食綿軟，便於咀嚼消化。其中拌豆腐和拌茄泥，本是農家菜，也進入皇帝膳桌。

乾隆五十六年五月二十日（一七九一年六月一十日），乾隆帝已是八十一歲老人，他的早膳是這樣的：

熱菜三個：山藥雞羹、燕窩口蘑鍋燒鴨子、羊肉絲；

涼菜兩個：清蒸鴨子燒豬肉卷、煳豬肉；

主食兩種：竹節卷小饅頭、孫泥額芬白糕（奶餅白糕）。

晚膳：

熱菜四個：肥雞大炒肉燉茄子丸子、燕窩火熏鴨絲、羊他他士（羊的某個部位肉）、扁豆炒肉；

涼菜一個：蒸肥鴨燒雞肉卷；

主食兩種：象眼小饅頭、紅豆水膳。

從這份膳單可以看出，八十一歲高齡的乾隆皇帝，飲食品種方面有所減少，但還是有葷有素、有熱有涼、有主有副、有乾有稀。烹調方法還是蒸、燉、煮、燒、炒都有。肉食占比還是較大。但是兩頓正餐之後，都沒有加餐。雞蛋也少見列入正餐。

從以上膳單可見：清宮御膳有兩大禁忌，一是不吃牛肉，二是不吃狗肉。水產品少見。

乾隆帝吃飯有節制，重養生，講究葷素搭配。另外，乾隆帝不抽菸、不喝酒，偶爾喝一點宮中自釀的玉泉酒。乾隆帝不暴飲暴食、更不酗酒、嗜茶。清宮有喝奶茶、吃奶製品習慣。

多數皇帝，雖享盡天下珍鮮美味，但其飲食缺乏節制，缺乏科學，缺乏平衡。這是帝王多短壽的一大原因。乾隆帝能節制飲食，且持之以恆，這是他健康長壽的祕訣之一。

第81講

痛懲貪官

康熙晚期，吏治日趨鬆弛，官員貪汙嚴重。雍正懲貪，雷厲風行，但是後期鬆弛。乾隆治貪，親抓大案要案，嚴懲而不手軟。

皇親貪案

皇親國戚貪汙案，先從高樸說起。高樸的爺爺高斌，滿洲鑲黃旗人，官康熙朝文淵閣大學士、軍機大臣、內大臣、吏部尚書等，女兒是乾隆帝的皇貴妃。高斌一生，勤奮兢業，以七十三歲高齡，累死在治河工地上，與靳輔同受廟祀。

俗話說：「老子英雄兒好漢」，有的如此，有的未必。高斌的兒子高恆，父親是軍機大臣，妹妹是乾隆的皇貴妃，他沒有經過科舉，由國子監蔭生起，做淮安等稅關長官、署長蘆鹽政，後任內務府總管大臣，都是美差、肥差。經諸鹽商告發：高恆貪汙銀四百六十七萬餘兩。全國一年徵收的鹽稅銀——康熙六十年（一七二一）為三百七十七萬餘兩，雍正十二年（一七三四）為三百九十九萬餘兩，高恆竟然貪汙四百七十六萬餘兩！經刑部調查審理，事實清楚，證據充足。諭旨：高恆，伏誅。就在乾隆帝要定高恆死罪時，大學士傅恆為高恆求情：請皇上看在皇貴妃面上，免其死。乾隆帝說：皇貴妃兄弟犯法免死，皇后兄弟犯法當奈何？傅恆的姊姊是乾隆帝皇后富察氏。傅恆一聽，話外有音，這是「敲山震虎」，警告我的！由是戰慄，不敢再說。

逛一逛

內務府

全稱「總管內務府」，是清代掌管宮廷事務的機關。下屬機構主要有內務府堂、廣儲司、都虞司、掌儀司、會計司、營造司、慶豐司、慎刑司七司和武備院、上駟院、奉宸苑三處和造辦處等。其職能為掌管皇家的財務、典禮、扈從、守衛、司法、工程、織造、作坊、飼養牲畜、園囿行宮、文化教育、帝后妃嬪的飲食起居及宮廷雜務，太監、宮女管理等。

高恆的兒子高樸，也不是科舉正途出身，以祖、父、姑三重關係，初為員外郎，逐步升到左副都御史、兵部侍郎，都是副部級。後出任新疆葉爾羌辦事大臣。這裡有座密爾岱山，產美玉，當時已封禁。高樸到葉爾羌後，疏請開採，每年一次。兩年後，新疆阿奇木伯克色提巴勒底，奏訴高樸役使當地民眾三千餘人上山採玉，婪索金銀，盜賣官玉。乾隆帝得到奏報，命將高樸免職調查，發現高樸在葉爾羌存銀一萬六千餘兩、黃金五百餘兩，並將美玉寄回家。乾隆帝說：「高樸貪婪無忌，罔顧法紀……較伊父高恆尤甚，不能念繫慧賢皇貴妃之姪、高斌之孫稍為矜宥也。」（《清史列傳．永貴傳》）就是說，不能因高樸是皇貴妃的姪子，就可以免受處罰。乾隆帝命：殺高樸，籍其家。

群體貪案

群體貪汙案之首是總督勒爾謹、巡撫王亶望。案情經過是這樣的：甘肅地區常有災荒，陝甘總督勒爾謹上疏，請求在肅州、安西等地，捐糧獲得國子監生員資格，就可以應試做官，叫作「監糧」。也就是以糧食買監生文憑，籌集糧食，備用賑災。當時主管戶部的首輔軍機大臣、大學士于敏中極為贊同，說服乾隆帝允准。乾隆帝強調只准納糧捐監，不能以銀代糧，以確保達到儲糧的目的。為慎重起見，將浙江巡撫王亶望調去，協助勒爾謹經辦此事。王亶望的父親王師是個清官，乾隆帝以為王亶望能謹守家風，也做個清官。

王亶望到任後半年左右，拿出了可觀的成績：安西、肅州捐監的人已達到一九○一七名，收到各種糧食八二七五○○石（《清高宗實錄》卷九七一）。當時就引起乾隆帝懷疑，提出：甘肅民貧地薄，怎麼能有近兩萬人捐監？怎麼會有這麼多餘糧？捐監舉行三年，王亶望報告，一共有十五萬商民納糧而稱為監生，收到監糧六百多萬石，超過甘肅省每年的賦稅收入七、八倍之多，可謂成績斐然。

總督勒爾謹、巡撫王亶望等貪汙腐敗，激發了甘肅蘇四十三民變。勒爾謹督師兵敗，被逮捕下獄。大學士阿桂、尚書和珅先後出師甘肅，連日遇到大雨，延期入境。乾隆帝因此產生懷疑，甘肅不是連年都報告大旱，旱情是否存在呢？於是，令阿桂等調查，具實奏聞。

第一，勒爾謹、王亶望根本就沒有收納捐糧，而是收納捐銀，這些銀子直接就被大小官員私分了。既不存在捐監糧食入庫——根本沒有捐糧食，但賬面上有糧食，只是空賬；也不存在所謂以糧賑災——賬面上發糧賑災，但實際上沒賑災，只是遊戲。他們全是賬面遊戲，銀子卻落入各級官員私囊。

第二，本案貪汙一千兩以上的官員共一百零二人，全省大小官員無不染指，前後冒賑七百至八百萬石「監糧」。侵吞監糧銀兩萬兩以上的有二十人，一萬兩以上的有十一人，一千兩至九千兩的二十六人，一位六品官貪了十五萬多兩銀子。王亶望貪了約三百萬兩。這批貪官侵吞約一千多萬兩白銀，相當於國家一年總收入的三分之一。

乾隆帝下令：王亶望立即正法，王亶望之子王裘發伊犁，幼子下獄到年滿十二歲時逐個流放。勒爾謹先命自盡，後改斬監候，死於獄中。布政使王廷贊論絞，蘭州知府蔣全迪斬首，州縣官貪汙賑濟銀兩萬兩以上者二十二人全斬首。甘肅被處死的官員五十六人，免死充軍的四十六人，使得當地大小衙門陷於癱瘓，朝廷不得不緊急調整官員，才度過這場危機。

此案還牽連乾隆三年（一七三八）狀元、軍機大臣、文華殿大學士兼戶部尚書于敏中。于敏中當時極力支持甘肅捐監之事，時于敏中已死，並入祀賢良祠。乾隆帝命「于敏中著撤出賢良祠」，遭身後之辱。

這次案發之後，乾隆帝在承德避暑山莊，問訊阿揚阿當年前往甘肅盤查糧倉之事。阿揚阿奏稱：在甘省盤查時，逐一簽量，按冊核對，俱係實貯在倉，並無短缺。」乾隆帝對此毫不相信，他認為：此等簽量人役，即係該地方官所管之人。阿揚阿彼時雖逐倉查驗，亦只能簽量廒口數尺之地，至裡面進深處所，下面鋪板，或攙和糠土，上面鋪蓋谷石。此等弊竇，阿揚阿能一一察出，不受其蒙蔽乎？（《清高宗實錄》卷一一三七）最後，阿揚阿革職。

冒死彈劾

國泰是紈絝子弟，家教不嚴。其父文綬，歷官湖廣總督、陝甘總督、四川總督等，曾三次因徇庇貪汙犯等罪而被免官，並發往伊犁效力。國泰官山東巡撫，非常驕橫。當時身任山東布政使的于易簡，見了國泰竟然「長跪白事」，就是跪著說事，後來兩人沆瀣一氣。

乾隆四十七年（一七八二），御史錢灃彈劾山東巡撫國泰和布政使于易簡貪縱營私，搜刮百姓，州縣庫空。乾隆帝命尚書和珅、左都御史劉墉前往調查處理，並令錢灃同往。錢灃、劉墉、和珅三個人態度不同：錢灃因揭發此案，堅持嚴查，不屈不撓；劉墉主持正義，偏向錢灃；和珅暗裡袒護國泰，事先透露消息。國泰得到信息後，就借來市銀（市場流通銀子）補足庫銀虧空。和珅到濟南後，立即盤查歷城銀庫，令抽看庫銀數十封，足數無缺，於是馬上起身，返回行館。（《清史稿．和珅傳》）

而實際上，帑銀和市銀的規格和包裝是有區別的，帑銀以五十兩為一鋌，市銀則不是。劉墉先同錢灃商量，共同定下舉措。於是，錢灃請立即封庫，第二天再查。第二天他們來到銀庫，很容易就發現庫銀是用外借的市銀充數。錢灃按問得實，召來商人，歸還所借，銀庫為之一空。劉墉和錢灃再查章丘、東平、益都三州縣的銀庫，全都虧缺（《清史稿．錢灃傳》）。經查，山東各州縣銀庫虧二百多萬兩銀子，都是國泰、于易簡在官時的事。

在審問時，國泰對錢灃罵道：「汝何物，敢劾我耶！」意思是你是什麼東西，竟敢彈劾我！劉墉大怒道：「御史（錢灃）奉詔治汝，汝敢罵天使耶？」當即命人抽國泰嘴巴。國泰害怕，跪在地上（《清稗類鈔》）。

此案經進一步審理，國泰承認貪取數輒至千萬。于易簡諂媚國泰，督撫夥同貪汙。獄定，皆論斬，乾隆帝命改斬監候，下刑部獄。命國泰在獄中自裁（《清史稿．國泰傳》）。

錢灃在彈劾國泰前，做了被戍邊的準備。對好友邵南江翰林說：「家有急用，需錢

避暑山莊煙波致爽殿

十千，可借乎？」邵答：「錢可移用，將何事也？」錢說：「子勿問何事。」借了錢三天後，錢灃上彈劾國泰的奏章。事後，錢灃對邵南江說：「我想彈劾國泰必被譴戍，故預備點錢用。我喜食牛肉，在路上可以不用僕從，以五千錢買牛肉，每天吃肉充饑，其餘錢我自己預備，能到達戍地就行。」聽到這番話的人無不震驚。錢灃反貪，得罪和珅，後死，有說是被和珅毒死的。

做個言官，堅持正義，剛正直言，多不容易！

第82講

有福之人

康熙六十一年（一七二二），在避暑山莊發生了一個有趣的故事。康熙帝帶著養在宮裡的皇孫弘曆，來到皇四子胤禛的獅子園，胤禛和嫡福晉烏喇那拉氏恭迎。康熙帝令帶弘曆生母來見。當康熙帝見到這位兒媳鈕祜祿氏時，不禁連稱「有福之人」。這一年她三十歲。

健康高壽

弘曆生母鈕祜祿氏，父凌柱，四品官。她生於康熙三十一年（一六九二），十三歲時，經選秀進入皇四子胤禛府邸。胤禛嫡妻那拉氏是一品官費揚古的女兒，而鈕祜祿氏因出身不高，多年以來，勤理家務，地位比較低，被稱為「格格」。康熙五十年（一七一一）八月她為雍親王生下弘曆，但地位並沒有改變。直到雍正登極，才被封為熹妃，後晉封為熹貴妃。雍正帝逝世，乾隆帝繼位，她被尊為崇慶皇太后。

崇慶皇太后不僅享受到乾隆帝孝敬，而且母子雙雙壽高體健，是清朝最有福氣的皇太后。

第一，健康長壽。崇慶太后出身雖然不高，父親四品京官的俸祿，也足以保證衣食所用，她從小沒有過苦日子。出嫁後，因地位低，每天忙碌家務瑣事，不參與家長里短，內心平靜而適當勞力，於是有個健壯的身體。出身高貴的皇后、年妃都死在雍正帝之前，所謂富貴榮華過眼煙雲。崇慶太后則目睹了國家全盛，見到曾孫、玄孫，五世同堂，以八十六歲高壽離世。

第二，有個好兒。好兒子，一個就夠了。崇慶太后有乾隆帝這一個兒子，擁有至高無上權力，至孝至敬母親。崇慶太后居住在慈寧宮，明亮寬敞，前有花園，花繁葉茂，亭臺錯落，小路平整，佛堂靜肅。還有壽康宮、壽安宮，都供崇慶太后使用。吃飯，有專門的廚房廚師，人間美味盡情享用；餐具，有景德鎮御窯特供；穿著，有江南三織造特供；日常用品和文玩擺設，有內務府特供。除物質享受外，乾隆帝經常來到母親身邊，問寒暖，敘家常。她還有一大享受，就是跟著兒子乾隆帝外出巡遊，先後一次巡遊嵩（山）洛（陽）、兩次東巡、三上五臺山、四下江南，圓明園賞月、山莊避暑、木蘭秋獮則是每年必去的。

第三，知足知止。崇慶太后地位高，兒子孝，但她並沒有昏頭，而是謹守家法，保重國體。一天，太后偶然說有一座廢棄寺廟應當重修，乾隆帝聽太監傳話後，立即照辦。太后說：「你們伺候過聖祖（康熙皇帝），幾時見過昭聖太后令聖祖修蓋廟宇？趕緊上奏皇上停止修廟！」每次太后弟弟到內廷來謝恩，太后都會制止。有福還得會享福。崇慶太后知福惜福，知足知止，一輩子平平安安。

聖壽慶典

皇太后的生日被稱為聖壽節。每年太后聖壽節，乾隆帝都要率領兒孫和大臣給太后奉觴稱慶。特別是崇慶太后五十、六十、七十和八十大壽，賀壽慶典，無比隆重。

乾隆六年（一七四一），皇太后五十大壽，普天同慶。日子還沒到，就日進壽禮九九。先獻上乾隆帝御製詩文、書畫，再奉上各種禮物，如意、佛像、冠服、簪飾、金玉、犀角、瑪瑙、水晶、玻璃、琺瑯、彝鼎、艶器、書畫、綺繡、幣帛、花果，還有來自外國的珍品。

乾隆十六年（一七五一），皇太后六十大壽。皇帝率皇后、皇子、皇孫等，侍皇太后於壽安宮，看戲，壽宴，連著慶祝九天（《國朝宮史》卷七）。外省老民老婦，冒著嚴寒，千里迢迢，來京祝釐。在京官員，設立經壇，誦經祝壽。乾隆帝奉皇太后到萬壽寺瞻禮，祈願萬壽無疆（《清高宗實錄》卷四〇三）。還頒諭二十條：在京滿漢文武大小官員，都各加一級；在京八旗兵丁、太監等，都賞給一月錢糧；八十歲以上者給絹一匹、棉一斤、米一石、肉十斤，九十歲以上者加倍，百歲者給銀建牌坊。

乾隆二十六年（一七六一），太后七十大壽。乾隆帝行九拜大禮。乾隆帝大宴壽安宮，躬舞太后壽筵前，率皇孫、皇曾孫聯舞、敬酒。

乾隆三十六年（一七七一），皇太后八十大壽。這一次更加隆重。給皇太后上尊號。首先，乾隆帝到暢春園，給皇太后恭進奏書。陳設彩亭，御仗前導，導迎樂作，群臣山呼。乾隆帝御禮服，到暢春園，問皇太后安，恭進奏書。奏書稱：「恭逢八旬萬壽之昌辰，春暉正永；喜慨五代一堂之盛事，慈蔭方長。」（《清高宗實錄》卷八九七）而後，乾隆帝奉皇太后御輦，乘騎前導，迎接皇太后還宮。到聖壽節的正日子，乾隆帝先到壽康宮，王大臣於慈寧門，眾官於午門，行大禮。然後乾隆帝到慈寧宮，侍皇太后宴。跳彩衣舞，奉觴。皇子、皇孫、皇曾孫、額駙等，以次進舞。

珍貴遺產

乾隆皇帝為給崇慶太后盡孝，可以說是無所不用其極。他送給母親的賀壽大禮，有的一直存留到當今，成為珍貴的文化遺產。其中有四件大禮。

第一，清漪園。清漪園是頤和園的前身。為什麼要修這個園子呢？乾隆帝的〈萬壽山昆明湖記〉說，目的之一是為慶賀皇太后六十大壽。乾隆十四年（一七四九），乾隆帝興建清漪園，改甕山為萬壽山，改西湖為昆明湖。在今佛香閣的位置上建有九層寶塔，後湖沿岸一帶建有仿照江南蘇州水鄉的街市房屋，後山興建喇嘛廟和藏式碉樓。另外，還疏浚長河水道，引湖水出閘，沿長河入城。帝后可以乘輦出宮，到西直門外高梁橋附近的倚虹橋，棄輦登舟，溯長河至清漪園遊幸。清漪園暨昆明湖的景色更為秀麗：「何處燕山最暢情，無雙風月屬昆明。」從空中俯瞰，昆明湖像一個壽桃。傳說乾隆帝以湖為蟠桃，為母親祝壽。

乾隆帝到清漪園共一百三十二次，但從不在園裡過夜。為什麼呢？乾隆帝說過，修園勞民傷財，他為此自責：「園雖成，過辰而往，逮午而返，未嘗度宵，猶初志也，或亦有以諒予矣。」（《日下舊聞考》）就是說，每次早上去，過午返回，不曾在園裡過夜，以此自律和反思，或可得到天下對自己的諒解。後到光緒年間，慈禧皇太后為慶賀自己生日，重新修園，改名為頤和園。現在頤和園被列入世界文化遺產。

第二，壽安宮。乾隆十六年（一七五一），為皇太后六十歲生日，將舊宮改建，更名壽安宮。乾隆二十六年（一七六一），為皇太后七十大壽，壽安宮再次重修。所以，壽安宮是乾隆帝送給母親六十大壽和七十大壽的禮物。主要是為了給太后舉辦慶典活動，三進三跨的大四合院，院內還建了一座三層的大戲臺。太后大壽慶典，在這裡盛宴、看戲，不亦樂乎。

壽康宮

第三，萬佛樓。是一座三層高的大殿堂，乾隆帝為母親八十大壽而建造。萬佛樓陳設金佛：底層四九五六尊，中層三〇四八尊，上層二〇九五尊，共有一〇〇九九尊。故名「萬佛樓」，寓意太后萬壽。乾隆帝曾下令文武大臣和封疆大吏各捐造金佛一尊，大金佛一百八十八兩八錢，小金佛五十八兩，也都含「八」字。這些金佛均被八國聯軍中的日本軍隊搶奪得一乾二淨。語云：「鳥來鳥去山色裡，人歌人哭水聲中」。萬佛樓閱盡人世滄桑。

壽安宮

逛一逛

壽康宮

清代皇太后起居之地。位於慈寧宮西側，清雍正十三年（一七三五）建，乾隆元年（一七三六）建成。為南北三進院，正門是壽康門，門內正中是壽康宮，坐北朝南，面闊五間，進深三間。

壽安宮

始建於明代，位於壽康宮之後。原名咸熙宮，嘉靖十四年（一五三五）改咸安宮。清雍正年間於此辦咸安宮官學。至乾隆十六年（一七五一）為皇太后慶典將其修葺後，改稱壽安宮。

第四，金髮塔。乾隆四十二年正月二十三日（一七七七年三月二日），崇慶皇太后病逝於圓明園長春仙館，享年

金髮塔

八十六。乾隆帝下詔製作金髮塔一座，塔高一百四十七公分，使用黃金三千多兩，鑲嵌珠寶、綠松石、珊瑚等。塔肚內置一盛髮金匣，珍存太后的頭髮。塔下承以紫檀木蓮花瓣須彌座。製成後安放在壽康宮東佛堂內。這座金髮塔，今在北京故宮博物院珍藏。

乾隆帝給他母親祝壽，所花掉的金銀，所揮霍的財富，都是賦稅人的血汗。他所未料到的是，這些禮品卻也成為——民族文化精粹、世界文化遺產。

人們常說：五福同享。「五福」：一是壽，二是富，三是康寧，四是修好德，五是考終命（正常老病而死）。這五福，崇慶皇太后都享受到了。她是一個勤勞、健康、樂觀、知足的女人，又生了乾隆皇帝這個孝順兒子，便享盡人間榮華富貴。她對兒子最大的回饋，應該就是她的長壽基因。她享年八十六歲，她兒子享年八十九歲，是中國古代帝王有文字記載壽命最長的一位。乾隆帝以他祖父康熙帝為榜樣，像康熙帝孝敬孝莊太皇太后一樣，孝敬崇慶皇太后，也為後代樹立了榜樣。孝，是中華傳統美德，孝的內涵有「六孝」：孝敬、孝順、孝養、孝心、孝言、孝行。《漢書・藝文志》說：「夫孝，天之經，地之義，民之行也。」

第83講

和珅兒媳

大家所熟知的和珅，有一位特殊的兒媳，她就是乾隆帝的第十女和孝公主。所以，和珅和乾隆帝既是君臣關係，又是兒女親家。

和孝公主

乾隆帝有十個女兒，十公主出生時，乾隆帝已經六十五歲。老來得女，非常寵愛。十公主長大後，長相酷似父親，性格剛毅，能挽十力弓，曾女扮男裝隨駕秋獮，「射鹿麗龜，上大喜，賞賜優渥」。乾隆帝視她如掌上明珠，曾對十公主說：「汝若為皇子，朕必立汝儲也。」（昭槤《嘯亭續錄．和孝公主》）意思是如果你是男孩，我一定立你為太子。

十公主六歲時，乾隆帝為他選了一個婆家，將她指婚給和珅的長子，還特別為她這位未來額駙賜了一個滿文名字，漢譯叫豐紳殷德，是有福、祝福的意思。十公主十四歲時，乾隆帝又封她為固倫和孝公主，視同皇后生的女兒。

乾隆五十四年（一七八九），十五歲的和孝公主受賜金頂轎，舉行隆重的婚禮，下嫁與她同歲的豐紳殷德。下嫁這天，乾隆帝先在保和殿大宴額駙豐紳殷德及王公大臣，然後接受十公主拜別。據說十公主穿著金黃色繡龍朝褂，頭戴貂皮朝冠，朝冠上鑲著十顆大東珠。東珠，來自東北江河，非常稀缺，極為名貴。在清朝，東珠鑲嵌在冠服上，象徵權力和尊榮。到達婆家，和珅夫婦在門口跪迎兒媳十公主。在那前後的日子裡，裝載公主嫁妝的車馬絡繹於道。婚後第九天，公主和額駙回宮謝恩。公主入宮行禮，皇父賞了三十萬兩白銀。額駙則在乾清門外行禮，不能進入後宮。而在結婚之前，乾隆帝因快過八十大壽，賞給五位皇子、兩位公主，各五千兩白銀。可見三十萬兩是巨大財富。不久，乾隆帝親自到和珅府邸去看望十公主。

按照清朝制度，在京居住公主俸銀，固倫公主四百兩、額駙三百兩（光緒朝《欽定大清會典事例》卷二四八）。額駙豐紳殷德很聰明，善作小詩，瀟灑倜儻，俊逸可喜。因娶了和孝公主，官升都統兼護軍統領、內務府大臣。有時額駙恃寵驕縱，公主說：「汝翁受皇父厚德，毫無報稱，惟賄日彰，吾代為汝憂。他日恐身家不保，吾必遭汝累矣！」一日積雪，額駙做玩雪遊戲，公主立即責備說：「汝年已逾冠，尚作痴童戲耶？」額駙長跪，請罷乃已（昭槤《嘯亭續錄．和孝公主》）。

公主婆家

和孝公主的婆家，就是和珅府邸，在北京西苑三海西北的什剎海畔，與北海水系相通。元代這裡是重要的漕運碼頭，清代逐漸在什剎海周邊建起許多大宅院。這裡區位高貴，水道蜿蜒，楊柳成蔭，環境優美。乾隆四十一年（一七七六），和珅在這裡建府，五十四年（一七八九）和孝公主下嫁到這裡，後逐漸形成三路四進、前邸後園的格局。中路用於禮儀，東西兩路用於居住：公主和額駙居東路，和珅夫婦居西路。

中路的三進院，其主要建築，由南到北依次是：大門、二門、正殿、二殿、後罩樓。後罩樓有兩層，東西長一五六公尺，計一〇九間，據說是和珅夫人馮氏居所。

東路的三進院，主要建築，南有延禧堂，北有樂道堂。延禧堂，是和孝公主和額駙豐紳殷德的居所。樂道堂，是和孝公主的寢室，室內梁架上至今保存著乾隆時的鳳凰貼金彩繪。金色的鳳凰之間綻放著華貴的牡丹，盡顯和孝公主的尊貴身分。她在此居住了三十四年。

西路的三進院，主要建築也是前後兩處，後院是嘉樂堂，為和珅的起居室。和珅仿照紫禁城裡寧壽宮的檔次精心裝修，安設金絲楠木仙樓，材料昂貴，精雕細琢，再配合金色花紋的火山岩地磚，滿目華麗，多有逾制，後被列為大罪之一。和珅府邸，同時也是公主府第，在和孝公主嫁過來的十年裡，這裡充滿了高貴與財富、歡樂與喜慶。

和珅府（今恭王府）花園流杯渠

和孝公主的知名度遠沒有其公公和珅大。和珅因兒子豐紳殷德娶乾隆帝十公主而更加顯赫。和珅為什麼能成為寵臣、佞臣，又能專權、貪腐？原因很多，其中之一，就是和珅「善伺意」、「巧彌縫」。

什麼叫「善伺意」呢？就是善於揣摩、迎合乾隆帝的意圖。和珅能夠把握、抓住、占有、利用乾隆帝的心。當年楊貴妃把握住唐明皇，萬貴妃把握住成化帝，都是因為「善伺意」。乾隆帝將要喜歡的，和珅能先猜到，並做到；乾隆帝決心要做的，和珅立刻遵辦，並辦得妥貼；乾隆帝想做而不該做的，和珅不反對，並順遂；乾隆帝應做而沒想到的，和珅不顯露出比主子更聰明而使主子做到。所以，乾隆帝認為和珅是自己看得見、信得過、用得上、離不開的人。

和珅做官做到了極致：由乾清門侍衛，升到「六大臣」即大學士、軍機大臣、議政大臣、領侍衛內大臣、內務府大臣、御前大臣，兼都統、步軍統領，管戶部三庫、充崇文門稅務監督，任吏部、戶部、兵部尚書，兼管刑部尚書、理藩院尚書事，翰林院掌院學士，充四庫全書館正總裁，「寵任冠朝列」（《清史稿・和珅傳》）。私宅軍人供役者千餘人。但應了《老子》所說：「福兮，禍之所伏。」和珅落了個身敗名裂的下場，幸有和孝公主這位兒媳，才保住了兒子豐紳殷德的一條小命和一只飯碗。

劫後餘生

和孝公主二十五歲時，遭家難。嘉慶四年（一七九九），和珅伏誅。廷臣議奪其子爵職。嘉慶帝詔以公主故，留襲伯爵。不久因籍沒家產，發現朝珠等不應臣下所應有的物品，審訊其家人，說和珅經常於燈下臨鏡懸掛。嘉慶帝大怒，剝奪豐紳殷德伯爵，仍襲舊職三等輕車都尉。

和珅府邸，東路仍為公主府第，和孝公主和額駙仍是這裡的主人。後花園被沒收，由嘉慶帝賜給成親王永瑆。西路，由嘉慶帝賜給他的幼弟慶僖親王永璘。這裡有一個故事。永璘相貌豐偉，皮膚黧黑，不愛讀書，喜歡音樂，尤好遊嬉。少時嘗微服出遊，到小巷尋樂，乾隆帝討厭他，降為貝勒。後燕居府邸，以聲色自娛。乾隆末年，皇子覬覦皇位，永璘笑道：「使恩賜多如雨落，亦不能滴吾頂上，惟求諸兄見憐，將和珅邸第賜居，則吾願足矣！」（昭槤《嘯亭續錄．慶僖王》）嘉慶帝籍沒和珅家產後，果然將其府宅賜給他。

在一段時間裡，慶僖王和他幼妹共同居住在這處府邸。和孝公主居東路，慶僖王永璘居西路，公主和慶僖王死後，慶僖王的兒子降為郡王，這裡便成為郡王府。

嘉慶七年（一八〇二），授豐紳殷德散秩大臣。沒多久，公主府長史奎福奏報豐紳殷德演習武藝，謀為不軌，欲害公主。廷臣會審，認為是誣告。嘉慶帝詔以「豐紳殷德與公主素和睦，所作〈青蠅賦〉，憂讒畏譏，無怨望違悖；惟坐國服內侍妾生女罪，褫公銜，罷職在家圈禁」（《清史稿．和珅傳》）。十一年，授豐紳殷德頭等侍衛，擢副都統，賜伯爵銜。十五年，病，乞解任，賜公爵銜，不久死。和孝公主繼續生活在府第，得到嘉慶與道光兩任皇帝的關照。道光三年（一八二三），公主病死，享年四十九歲，她的皇姪道光帝親臨祭奠。

可嘆這位和孝公主，生在帝王之家，受到皇父寵愛，公公為權臣，算是有福吧！但她的公公獲罪自裁，家財被抄；丈夫沒有出息，國服（服喪）內還養妾生女，英年去世；兒子夭折。

南京博物院收藏著一件精美的藝術品：一隻栩栩如生的金蟬，安然地棲息在一片潔白無瑕的玉葉上。蟬，俗稱「知了」，「知」諧音「枝」。這是「金枝玉葉」的形象詮釋。金枝玉葉，中國古代特指皇家女兒為公主。皇家公主金枝玉葉，一直被人們所羨慕。現在獨生子女多，流傳一種說法：女兒要富養，把女兒當成金枝玉葉。其實作為公主，既享受著常人享受不到的榮華富貴，也承受著常人不用承受的禮法約束。特別是在宮裡嬌生慣養的公主，一旦嫁為人婦，要面對反差巨大的生活環境和身分轉換，很難享受到常人的天倫之樂，更要聽任朝廷動盪的命運擺布。

咸豐帝繼位後，將和孝公主府賜給皇六弟恭親王奕訢居住，從此這裡就成為「恭親王府」。奕訢去世後，世襲罔替，直到民國初年。王府花園直到同治年間才建成，與王府保存至今。

御製唐窯

清御窯廠瓷器，康熙郎窯、雍正年窯、乾隆唐窯，名貫中西，唐窯更優。唐英是中國瓷器史上，既有著作、又有精品，既懂管理、又會操作，既傾心敬業、又清廉自守的督陶官員。

唐英家世

唐英（一六八二～一七五六年），遼寧瀋陽人，是八旗滿洲正白旗包衣。包衣，是滿語譯音，意思是家內奴，終身不變，子孫世襲。他的父親隨清軍入關。唐英七歲入學讀書。十四歲被編入內務府八旗滿洲正白旗包衣。十六歲到養心殿造辦處供奉，後任職宮廷畫樣。唐英聰明、忠誠、細心、勤奮，得到了康熙帝的信任。他能看到內廷的名器、名書、名畫、名家，耳濡目染，積澱了豐厚的文化底蘊。這為唐英日後在御窯廠督陶期間，揣摩

恭王府天香庭院

上意，推陳出新，而燒造出精美的「唐窯」瓷器，打下了良好的文化基礎。

雍正六年（一七二八），唐英四十七歲，以內務府員外郎身分，被派到景德鎮協理年希堯督陶。內務府總管大臣，多是內閣大學士、軍機大臣兼任，下面有郎中、員外郎等。出任景德鎮督陶官，這是唐英人生的重大轉折點。

唐英督陶

唐英初到御窯廠，完全外行，茫然無措。心裡惴惴不安，唯恐有辱使命。怎麼辦呢？學習，學習，再學習！放下官架子，向工匠學習。

他用杜門，謝交遊，聚精會神，苦心竭力，與工匠同其食息者三年。這就是說：

第一，閉門謝客，不應酬，不唱和，不訪客，不出遊；

第二，放下架子，與工匠，同吃飯，同勞作，同休息；

第三，刻苦鑽研，用三年，學製胎，學色釉，學燒製；

第四，成為內行，會製胎，會彩繪，會釉料，會窯火。

三年之後，唐英學會全部七十二道製瓷工藝，得心應手，成為專家。

唐英督窯創造輝煌。他先後管理淮安關、九江關、粵海關，遙領陶務。到乾隆二十一年（一七五六）才獲准辭職，同年去世。唐英於景德鎮御窯及相關工作，乾隆朝時長達二十一年，加上雍正朝七年，共二十八年。在有清一代景德鎮御窯督陶官員中，唐英任事最久，工作最勤，業務最精，貢獻最大，燒製出舉世聞名的「唐窯」瓷器。唐英於御窯，有三大貢獻：

第一，製瓷工藝貢獻。唐英在二十八年的御窯管理與燒製過程中，親自督導和燒製的瓷器，數量大，質量優，精品多，影響大，因而被譽為「唐窯」。

雍、乾二帝追慕宋瓷。於是複製宋代名窯瓷器，就成為唐英的任務。如雍正帝好鈞窯，唐英就派幕友吳堯圃赴鈞窯舊址，調查釉料配置方法。除了仿古，還有創新。乾隆時期的瓷母、轉心瓶、轎瓶、西洋畫瓷等，創新瓷器，不勝枚舉。在唐英時，釉上彩、釉下彩、顏色釉均有新的突破。在他主持下，景德鎮御窯廠創燒顏色釉幾十種，各種色彩瓷器，幾

唐英塑像

乎都能燒製。

唐英能文能詩，善書善畫，兼事篆刻，精通製瓷。有一年乾隆帝寫了一首詩，讓唐英把這首詩燒到轎瓶上，掛在乘輦中，以便邊覽轎外景觀，邊賞轎內玩物，以詩配瓶，相得益彰。唐英當即返回景德鎮。時已入冬，天寒地凍，工匠回家，窯廠停工。唐英緊急召集工匠，又急召「眾多好手」，經過十七天，而成完器十二件。南京博物院收藏一對乾隆藍錦地粉彩蝠桃如意雲紋開光詩句雙耳轎瓶，主題是福壽：瓶繪蝙蝠，寓意多福；又繪瑞桃，寓意長壽；合圖寓意，福壽雙全。蝙蝠呈紅色，旁繪雲紋，如在天空飛翔，寓意洪福齊天。下部繪山石、海浪，寓意福山壽海。在福壽環繞下開光題詩，唐英把所有美好祝願都獻給了皇上。

第二，學術創新貢獻。唐英之前，瓷器工匠沒有文化，不會著書立說；文人有文化，但不懂製瓷工藝。唐英既懂燒造瓷器工藝，又有較高文化素養，先後編寫出《陶務敘略》、《陶冶圖說》、《陶成紀事碑記》、《瓷務事宜諭稿》等著作，從而對御窯瓷器製作及其發展創新，做出了開創性的貢獻。

關於《陶冶圖說》，先是，乾隆帝命宮廷畫師孫祐、周鯤、丁觀鵬，繪製《陶冶圖》二十幅，記錄了御窯製瓷的工藝過程。乾隆帝命將此圖交給唐英，按製瓷工藝順序編排，並為每張圖畫撰寫說明。唐英完成，二十幅圖，四千五百字說明，這就是著名的《陶冶圖說》。它以圖像與文字的形式，完整地記錄了陶瓷製作工藝過程，這是中國古文獻中第一本完整記錄景德鎮製瓷工藝的專著。唐英瓷藝著作，為當時御窯燒造五十七種陶瓷產品的工藝實錄和經驗總結。

講其三，製瓷精細管理。在他任內，人事、財務、生產、工藝，方方面面，都立規矩，既約束下級，也約束自己。這裡著重講財務制度。御窯開支浩大，財務制度不清。錢花了多少，花到哪裡去了，缺乏統計；什麼錢該花，什麼錢不該花，缺乏標準。唐英制定《燒造瓷器則例章程》。唐英在兩百年前就實施成本核算，觀念超前，制度完備，切實可行，成績斐然。

清人《製瓷圖》之「畫坯」

在景德鎮，唐英受到敬重。他從粵海關調回九江關，首次巡視御窯廠：「抵鎮日，渡昌江，闔鎮士民工賈，群迓於兩岸，靡不諮嗟指點，嘆餘之龍鍾老憊者，且歡騰鼓舞，頗有故舊遠歸之意。」（唐英《重臨鎮廠感賦志事》）唐英取得重大成就、受到尊敬的同時，也有內心的萌動與肺腑的心語。

唐英心語

唐英寫過一本文集《陶人心語》，收錄他的主要文學作品。唐英的人生，在外人看來，可謂風光，一輩子工作在康、雍、乾三位皇帝身邊，創作了太多的藝術精品，官也做到「局長級」。但他自稱「蝸寄」。蝸寄，就是像蝸牛一樣寄生在硬殼裡。他為什麼會有這樣的感嘆呢？

一**是忍勞**。積勞成疾，說的就是唐英。乾隆初，唐英短暫卸去窯務，赴淮關履新，卻大病一場；乾隆十一年（一七四六），唐英已六十五歲，不辭勞苦，巡視窯廠，卻患上眼病，在鎮上療養兩個月才痊癒。後調任粵關，氣候不適，患了重病，又調回景德鎮，直到七十五歲，才准他辭職。唐英無福頤養天年，去職當月就過世了。

二**是忍怨**。唐英盡職盡責，乾隆帝並不體諒，反而經常指責。瓷器的數量少了、質量差了、破損多了、工期遲了、花錢超了，不管唐英是否有責任，都會受到指責，而且還要挨罰。有一次被罰：責令賠補二千一百六十四兩五錢三厘三絲五忽三微。唐英並未撲責一人，沒有拿屬下泄火。一切委屈，自己忍耐。

三**是忍貧**。歷朝陶官都是肥差，因為可以貪汙。唐英不僅不貪，還自掏腰包，補貼公用。他試製新器型，用工資墊付燒造費用。進項少、開支多，捉襟見肘，自然要窮。他說：「六十五年半賤貧，賤貧琢練老精神。」

四**是忍賤**。唐英身為包衣，「淵深臨戰栗，冰薄屢彷徨」，從未辦過出格事、說過出格話。即使這樣，遇到位高權重的人，他還要「冷熱面前陪色笑」，指望對方伸手不打笑臉人。這種低賤身分，必定心受煎熬。

唐英一生，酷愛讀書。他說：「予性喜讀書，每漏下四、五，披閱不休。」留下詩文編入《唐英全集》。其詩作實際有六百多首。唐英平生最快樂之事，大概是懸賞徵詩。他在九江任職時，捐款重修琵琶亭。史載：「唐蝸寄英榷九江，置紙筆於亭上，令過客賦詩，開列姓名，交關吏投進。唐讀其詩，分高下以酬之。投贈無虛日。」（梁紹壬《兩般秋雨庵隨筆．琵琶亭》）文人騷客，紛至沓來，真是：「一角琵琶亭，千秋翰墨叢。公今既往矣，何人繼高風？」著名文人袁枚曾躬逢其盛，多年後舊地重遊，對於當日置酒高會、徹夜茶敘和詩的盛況，仍然記憶猶新。

唐英把希望寄託於兒孫，考功名、有成就。長子文保，繼承父職，在內務府造辦處供奉。次子寅保，考中進士。唐英欣喜萬狀，以為從此可以擺脫包衣身分，不料乾隆帝卻讓寅保學習陶務，準備接班。眼看兩個兒子都走上自己的老路，唐英黯然神傷。

唐英一生，脫不掉包衣身分，洗不掉俗務風塵，換不掉陶人身分，忘不掉心靈宏願。唐英一生清白：「真清真白階前雪，奇富奇貧架上書。」御窯千秋史，唐英第一人。

第85講

宮中三寶

乾隆在位時間長，國家富裕，皇帝重視文化藝術，給皇宮增添不少寶貝。

保和石雕

我們都知道，故宮的中軸線上，由南而北，矗立著六座宏偉的建築，它們是太和殿、中和殿、保和殿、乾清宮、交泰殿、坤寧宮，就是前三殿、後三宮。這六座建築，是紫禁城的核心，也是皇帝、皇宮、皇權的象徵。乾清門是外朝和內廷的分界。門前有一條橫街，俗稱「天街」——往東，出景運門通太上皇的寧壽宮；往西，出隆宗門通皇太后的慈寧宮；往北，是乾清宮，往南，迎面是保和殿。

我要說的這件保和殿大石雕，就鋪在保和殿北面的臺階中路。從永樂十八年（一四二〇）皇宮啟用，數百年間，保和殿幾經大修，但殿後大石雕，卻保留著明永樂建紫禁城宮

保和殿

殿時的原物。乾隆時把石雕原來圖案鑿去約〇・四公尺厚，又重新雕刻了流雲立龍圖案。這件十分珍貴的文物，當中刻著九條蟠龍，四周為纏枝蓮花紋，下部為海水江崖，中雕流雲，氣勢磅礴。

逛一逛

交泰殿

內廷後三宮之一，位於乾清宮與坤寧宮之間中軸線上，面南，明嘉靖年間建。清沿舊制，於順治十二年（一六五五）、康熙八年（一六六九）重修。殿平面呈方形，形式與中和殿同。

這塊大石雕，長十六・七五公尺，寬三・〇七公尺，厚一・七公尺，重兩百噸，為宮中石雕之最，俗稱「大石雕」。經測算，大石雕毛坯重量約為三百噸。石料採自今北京房山大石窩。這裡距紫禁城一百多里，當時沒有起重吊車，沒有運輸機械，巨石是怎樣運來的？有學者研究運輸方法是：運道路旁，每隔一里，打一眼井，寒冷冬季，汲水潑路，結成冰道；工匠民夫們，將石料放在冰船上，用大批騾馬拉著，在冰道上往前滑動，緩慢行進，運到工地。《清聖祖實錄》記載，康熙帝聽故明太監講故事說：保和殿初建時，採買搬運巨石到京，不能運入午門，運石太監參奏此石不肯入午門，便命太監將石捆綁，打六十御棍。當然打御棍巨石也不能進午門，還是得靠智慧才運進來的。這塊巨石，在紫禁城三大殿建成之前先運到，就地雕刻，安裝到位。

三大殿御路上的石雕，最重要的有兩塊：一塊在太和殿前，另一塊在保和殿後。按常理說，太和殿前石雕比保和殿後石雕更重要、更顯眼。但這塊最大的石雕，為什麼沒有安放在太和殿前，而是放在保和殿後呢？

有一種看法是：這塊大石雕主要是給皇帝看的，安放在什麼位置，其效果最佳呢？皇帝居住在乾清宮，出了乾清門，這塊大石雕立即映入眼簾。大石雕的寬度，恰是御轎的寬度，兩旁是抬轎太監行走的小臺階。皇帝乘坐御轎，在大石雕上經過，何等氣勢，何等莊嚴！保和殿後大石雕，是紫禁城中軸線上遊客必看的一個景觀。

大禹治水

故宮的東北部有一處高牆圍護的獨立區域，這就是著名的寧壽宮區，這裡在明代曾是崇禎懿安皇后等養老處所。清康熙二十八年（一六八九）改建寧壽宮，孝惠章太后在此頤養天年。乾隆帝為歸政後養老休憩而增建為太上皇宮，但他並未入住這裡。慈禧皇太后晚年居住在這裡。明清帝后認為這塊福地是宮中養老的理想宮殿。

寧壽宮最南端是九龍壁，壁的北面有兩重門：皇極門和寧壽門。門內是獨立庭院，前為皇極殿，後為寧壽宮。這裡的樂壽堂，原來是準備作為太上皇乾隆的寢宮。在樂壽堂後門內，有一座大禹治水圖玉山。

乾隆四十一年（一七七六），乾隆帝命高貴妃的姪子高樸任新疆葉爾羌辦事大臣。距葉爾羌四百餘里，有座密爾岱山，產美玉。據說這件「大禹治水圖」玉山，就是用密爾岱山出產的青白玉料製作而成的。從和闐到北京一萬一千一百里，需製作特大專車，前用一百多匹馬拉車，後用若干夫役扶推，逢山開路，遇水架橋，冬則潑水成冰路，如果日行十里，需三年才能運到。

玉石到京後，乾隆帝選用宮中珍藏宋人名畫《大禹治水圖》為藍本，派畫師照圖摹畫在玉山上。先做玉山蠟樣，怕蠟樣融化，又刻做木樣。再經運河，載往揚州，能工巧匠，照樣雕造。

保和殿後大石雕

自乾隆四十六年（一七八一）九月開工，到乾隆五十二年（一七八七）六月完成，歷時六年零八個月。玉山從採玉到製成，長達十年，僅雕刻就用了十五萬個工。同年玉山運到北京，安設在樂壽堂。

這件玉山，高二．二四公尺，寬〇．九六公尺，重約五噸。雕刻大禹治水的壯觀情景：崇山峻嶺，古木叢立，洞壑溪澗，地勢險惡，大禹在山腰勞作，民眾鑿石開山，使水下流。這幅生動圖景，按玉材天然色彩，做藝術加工而成。背面刻有乾隆帝御製詩，歌頌大禹治水，功德萬古不朽。詩中告誡子孫，像這樣大的玉材，用來製造一般器物，會大材小用，但製成玉山，便久存不朽。如為追求珍玩，今後不要再做。這座由一塊整玉四面雕琢成的《大禹治水圖》玉山，構思巧妙，雕工精絕，充滿動感，鬼斧神工，堪稱中華藝術奇珍，也是世界文化瑰寶，顯示出清廷巧匠的智慧和藝術水準。

琺瑯佛塔

在紫禁城，東北部的寧壽宮，是太上皇的居所；西北部的慈寧宮，是皇太后的宮殿。寧壽宮，有梵華樓，為二層樓，面闊七間，一樓明間，供旃檀佛銅像，而另六間，每間供奉掐絲琺瑯大佛塔一座，共六座琺瑯佛塔。塔周圍三面牆掛通壁大幅唐卡，畫護法神像五十四尊。同樣，慈寧宮，有寶相樓，為二層樓，面闊七間，一樓明間，供釋迦牟尼佛立像，其餘六間，每間供奉掐絲琺瑯大佛塔一座，共六座琺瑯佛塔，塔周圍三面牆掛通壁大幅唐卡，畫護法神像五十四尊。

陳設在梵華樓和寶相樓的十二座琺瑯佛塔，每座高二．三一公尺，由宮廷造辦處琺瑯作，於乾隆三十九年（一七七四）和乾隆四十七年（一七八二）製造，造型各異，豪華精美。釉色均不相同，圖案富於變化，塔身結構嚴謹，結合部位不露痕跡。通體填釉飽滿，很少砂眼，充分體現出乾隆時期掐絲琺瑯精湛高超的技術，是前所未有的新成就，也成為難能可貴的寶物。

其實，在規格最高的太和殿皇帝寶座前面和兩側，有四對陳設：寶象、甪端、仙鶴、香亭各一對。寶座前端臺階上，還陳設著四件鼎爐。這些都是乾隆時期掐絲琺瑯的極品。而在皇帝的寢宮乾清宮，皇帝寶座前面和兩側，同樣陳設著掐絲琺瑯的鼎爐、香熏、仙鶴、甪端等。

中國的琺瑯工藝，是元代以後由西域和歐洲傳入的外來技術，然後融合中國的傳統文化創作而成。琺瑯，是外來名稱的音譯。在中國古代文獻中常紀錄為「佛郎」、「拂郎」、「發藍」，今人熟悉的名稱叫景泰藍。它以銅、金等金屬為胎，以多種工藝敷塗琺瑯彩料，經烘燒，而成為色彩繽紛、瑩潤華貴的琺瑯器。

乾隆時期琺瑯技術的最大成就，莫過於對大型器物的燒造，開創了琺瑯技術領域的新天地。這種大型的琺瑯製品的燒造，較之小型器物，在技術上更是造型美、工藝精、難度

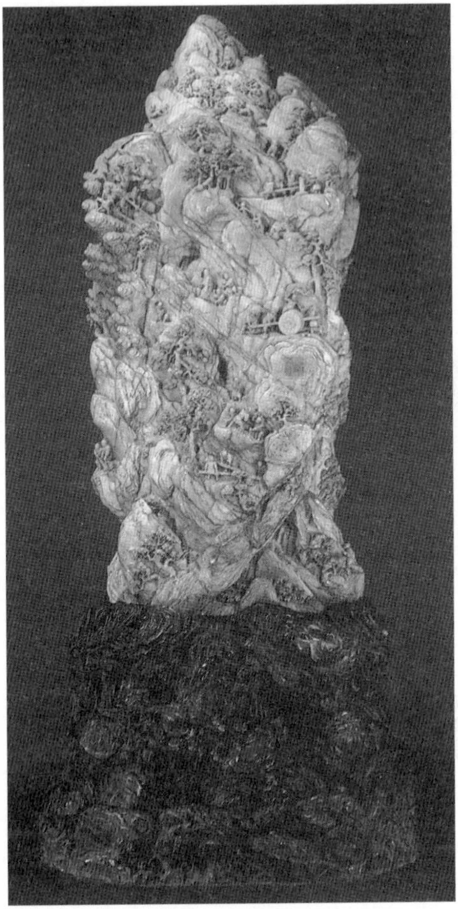

大禹治水圖玉山

梵華樓內琺瑯佛塔

大，它不僅需要大型的窯爐，還要對燒造技術的熟練掌握，控制銅胎加熱後不會變形，並要嚴格掌握通體釉料呈色一致。乾隆時期，對於這類技術的掌握和運用，可以說達到了爐火純青的程度。

金屬胎琺瑯器有著黃金和寶石般的華美和瑰麗。因其製作工藝複雜，釉料配製繁難，琺瑯顏料昂貴，燒造技術極難，生產成本太高，所以很長時期內主要作為御前用器，由宮廷內皇家御用作坊製作，除少量琺瑯器作為貴重禮物由皇帝賞賜給王公大臣和饋贈禮品送給外國使臣外，民間很少流傳，而且難得一見。所以到北京故宮一遊，不要忘記欣賞一下乾隆時期留下的大型琺瑯器。

總之，保和殿後大石雕、寧壽宮的大玉雕，梵華樓和寶相樓的琺瑯佛塔，是北京故宮珍寶的點點明珠。它們是中華藝術精華的展現，也是中華藝術苑裡的奇葩。

耄耋者說五

屈辱與覆亡

皇宮的主人是清仁宗愛新覺羅顒琰嘉慶（在位二十五年）、清宣宗愛新覺羅旻寧道光帝（在位三十年）、清文宗愛新覺羅奕詝咸豐帝（在位十一年）、清穆宗愛新覺羅載淳同治帝（在位十三年）、清德宗愛新覺羅載湉光緒帝（在位三十四年）、清末帝愛新覺羅溥儀宣統帝（在位三年），共一一六年（嘉慶元年至宣統三年）。

另，第九十六至九十九講帶有綜合性、總結性，附於本部分。

這個時期，清朝由衰轉亡。內憂外患，亂象四起。它包括：

宮之憂：嘉慶宮憂是大內兩次遇刺——這是漢唐宋明以來所未有之事件；

國之憂：五省白蓮教民變，動搖了皇清的社會根基；

外之憂：中英鴉片戰爭、英法聯軍侵入北京，並火燒圓明園。八國聯軍入侵，這標誌著清朝已近日落西山。

本部分為八十六至九十九講，重點關注清朝面臨衰亡的癥結是「心衰」——作為清朝最高統治核心的慈禧太后，帶著六歲的同治、四歲的光緒以及懿旨三歲的宣統，去面對美國林肯、英國女皇、德國俾斯麥和日本伊藤博文。朝廷頑固保守，拒絕改革，漠視民意，悖逆潮流，無能無知之輩當國，阿諛諂媚之臣主政，帝國大廈傾倒，大清國祚覆亡。

北京故宮平面圖

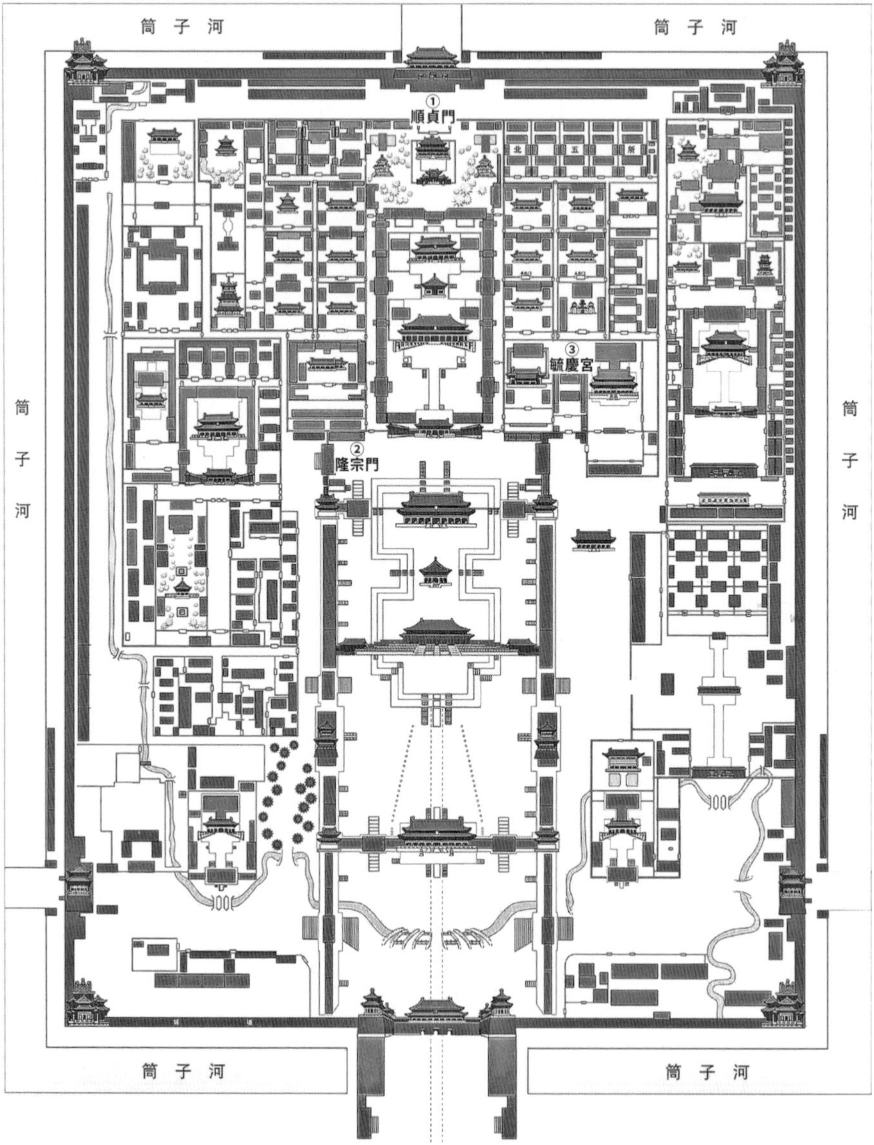

① 順貞門
② 隆宗門
③ 毓慶宮

第86講

馬戛爾尼

乾隆帝處理同近鄰的關係，很有經驗；處理同西方的關係，卻很陌生。英使馬戛爾尼來華，乾隆帝在避暑山莊接見，是他處理中外、東西關係的一次重大政治事件。

盛世危機

我在前面說到，十七世紀四〇年代，在中國和英國，發生了兩件重要歷史事件：明朝崇禎皇帝在萬歲山（今景山公園），自縊身亡。五年之後，英格蘭倫敦的上千名市民走向白廳廣場，目睹了國王查理一世被送上斷頭臺。

在中國，清承明制，中國仍沿著封建體制「路線圖」運行。到乾隆時期，進一步鞏固並開拓了中國的疆域版圖，維護並加強了中華的多民族統一，繼承並弘揚了中華傳統文化。清代的「康乾之治」，被稱為中國皇朝史上的一個「黃金時代」，但也潛藏著「盛世的危機」。

在英國，查理一世被議會判決處死後，英國歷史，幾經曲折，沿著資本主義路線圖運行。就在乾隆朝同一時期，西方世界發生了劃時代的巨大變化：一是英國發生工業革命，二是美利堅合眾國成立，三是法國大革命。這三件大事加上以前的英國資產階級革命，再加上後來一八六一年（清咸豐十一年）俄國廢除農奴制，一八六八年（清同治七年）日本明治維新，一八七一年（清同治十年）德國統一，改變了整個世界的面貌。其中，英國走在西方的最前列。

中國和英國這兩艘巨輪，在時代浪潮的航行中終於靠近。

英國先後擊敗了葡萄牙、西班牙、荷蘭，軍艦游弋，稱霸海上，成為當時世界強國。但英國是個島國，要拓展海外貿易，進行殖民擴張。英國人早在明崇禎年間，就曾抵達澳門附近的橫琴島。清初，他們將船駛向廣州，闖入虎門，聲言求市，同守軍交火。事後英國派人到廣州談判失敗後，英軍占虎門砲臺，清軍進行反擊。英艦失利，退回澳門。清廷規定：「英商永遠不許來廣州。」英國想用武力打開清朝大門的舉動失敗後，便改用外交手段，以達到在中國通商與殖民的目的。但是，清廷的閉關政策，是英國實現上述目的的障礙。

清統一臺灣後，放寬海禁，允許在廣州、漳州、寧波等四個口岸對外通商。後英國在廣州建立商館，又想在廣州以北開港。乾隆二十年（一七五五），英國武裝商船駛至寧波，引起乾隆帝的關注。乾隆帝閱兵巡防，隨後下令只准英商在廣州貿易。英國想通過同乾隆帝進行談判，取消清廷對英貿易的禁令與限制。於是，英國決定派遣以馬戛爾尼為首的外交使團訪清。

禮節之爭

馬戛爾尼（George Macartney，一七三七～一八〇六年），曾任英殖民地馬德拉斯省總督、駐俄國彼得堡公使，是一位經驗豐富的高級外交官。這個使團以向清廷「進貢」和補祝乾隆帝八十大壽為名，乘坐裝有六十四門大砲的第一流軍艦「獅子」號，載著包括祕書、翻譯、醫生、軍事、化學、天文、曆算、製圖、航海等方面的專家，以及官兵等，共八百多人，還有六百箱禮物，自英國樸茨茅斯港起航，經大西洋、印度洋和南海，於乾隆五十八年（一七九三）六月二十一日過澳門。廣東巡撫郭世勛奏報英使馬戛爾尼的到來。船隊經福建、浙江、江蘇、山東沿海北上，於八月初五日（九月九日）在天津大沽登陸，通過運河經通州到北京，應乾隆帝邀請到避暑山莊。

清帝同西方國家打過交道，如順治帝同耶穌會士湯若望交往、康熙帝同俄簽訂《尼布楚條約》、雍正帝同俄簽訂《恰克圖條約》等。但是同西歐外交使團正式接觸，乾隆帝缺乏經驗。

乾隆帝下諭隆重接待英國使團，指示直隸總督梁肯堂和長蘆鹽政徵瑞接待英國使團。

《職貢圖》之「英吉利國夷人」（臺北故宮博物院典藏）

使團沿途受到各地接待和款待，一次就給使團送去牛羊豬兩百六十頭、雞鴨兩百隻、麵粉一百六十袋、大米一百六十包、茶四十箱，以及蔬菜、瓜果、酒類等，裝了七船。

乾隆帝在避暑山莊看到英國使團的禮單，首先是覺得禮物並不像自吹的那樣，天朝原亦有之；特別是看到禮單內有「遣欽差來朝」這樣的話，認為不可。該國遣使入貢，怎麼會是欽差？於是將使團的正副使臣稱為貢使。這樣，英國禮物也就變成了貢物，是向皇帝進貢的貢物。

接著問題來了：既然是貢

使進貢，乾隆帝下諭給總督梁肯堂和鹽政徵瑞各處藩封，到天朝進貢覲見者，不特陪臣俱行三跪九叩首之禮，即國王親自來朝，亦同此禮。

梁肯堂和徵瑞在陪同使團往避暑山莊路上，勸說馬戛爾尼，先派出官員給使臣做跪拜示範，又安排傳教士當著使臣面給徵瑞行禮。經過訓練，徵瑞覺得可以了，奏報乾隆帝說，使臣連日學習，漸能跪叩。軍機處通知徵瑞：該貢使到後，先學習禮節，跪拜嫻熟，方可瞻覲。

事實上，馬戛爾尼僅答應以覲見英皇的禮節來覲見乾隆皇帝，拒絕學習三跪九叩的跪拜禮。他們為此寫了致大學士和珅的備忘錄請徵瑞轉遞。備忘錄提出，可以按照中國提出的禮節謁見乾隆皇帝，但條件是乾隆帝派一名跟馬戛爾尼同樣級別的官員，穿著朝服在英王畫像前行同樣禮節。馬戛爾尼堅持他是西方一個獨立國家所派的欽差，和中國的附庸國家所派的貢使完全不同，所以拒絕行中國的禮節。

馬戛爾尼一行到承德後，以疲勞為由，僅派代表特使謁見和珅，並把英王致中國皇帝信件的翻譯件交給和珅過目，根本不理睬徵瑞的勸告。乾隆帝對此很不高興，下諭減少供給，取消格外賞賜，在萬壽節宴會後就讓他們回去。乾隆帝說：朕於外夷入覲如果誠心恭順，必加以恩待，用示懷柔。若稍涉驕矜，則是伊無福承受恩典，亦即減其接待之禮，以示體制。

眼看使團就要被遣送出境，於是馬戛爾尼和清朝大臣密商，終於受到乾隆皇帝的接見。

錯失良機

八月初十日（九月十四日），乾隆帝在避暑山莊萬樹園，接見了英王正使馬戛爾尼、副使斯當東。清晨，盛裝的英使、王公大臣、蒙古諸王等齊集萬樹園。至時，乾隆皇帝在禮樂中升座。由禮部尚書引導馬戛爾尼到御座左首，馬戛爾尼向乾隆皇帝行雙膝跪之禮後致辭，並呈遞英王國書給乾隆帝。乾隆帝以玉如意回贈英王，又分贈馬戛爾尼和斯當東綠色如意。他們二人又以金錶和火槍回贈乾隆帝。覲見儀式完畢後，乾隆帝賜宴。第二天，乾隆帝命和珅、福康安陪英使遊覽避暑山莊。十三日，乾隆帝八十三歲生日慶典，馬戛爾尼又隨同王公大臣等到澹泊敬誠殿，向乾隆皇帝「行慶賀禮」。當天舉行八旗軍隊參加的閱兵盛典，還有歌舞雜技與燃放焰火等祝壽活動。馬戛爾尼在參加上述「萬壽節」活動後離開熱河，到京師等待乾隆帝回京。

乾隆帝回北京後，和珅同馬戛爾尼在圓明園舉行會談。馬戛爾尼提出他奉命準備作為英國大使「久駐北京」，英王政府也歡迎清朝派遣使臣到英國的建議等，和珅沒有當面答覆。會談後第三天，和珅在皇宮會見馬戛爾尼，面交乾隆帝致英王的覆信。其來信與覆信的主要內容是：英方要求派使臣常駐北京，答覆：「此與天朝體制不合，斷不可行」；英方要來寧波、珠山（舟山）、天津開口貿易，答覆：「皆不可行」；英方要求在北京設立洋行，答覆：「京城從無外人等開設貨行之事」；英方要求在珠山附近一小

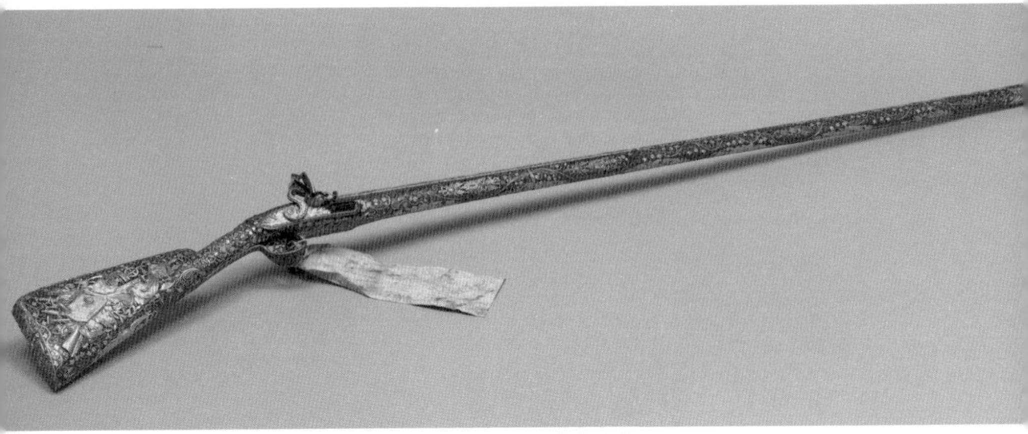

馬戛爾尼進獻的火槍

島存放貨物，答覆：天朝尺土俱歸版籍，即島嶼沙洲，亦不便准行；英方要求在廣州附近撥給一小塊地方居住英商，答覆：自應仍照定例，在澳門居住等。乾隆帝對英使提出的各項要求，逐一駁回。

九月初三日（十月七日），馬戛爾尼帶著乾隆帝回贈英王的信件與禮物，離京往廣州，返回英國。

由於中、英傳統文化不同，生活方式不同，兩國利益不同，因而導致彼此觀念的衝突，引發禮儀與貿易問題。而這種衝突的擴大與結果就是四十多年後的中英鴉片戰爭。

乾隆帝以中國歷朝防堵「夷狄」的傳統政策，來防堵西方文化的擴張，而且擴張的力量方興未艾，防堵的力量卻日漸減弱，終至會沖潰堤防而氾濫成災。中國以農立國，對工商可以富國利民的觀念早已陌生，而對科技可以富國利民的觀念更覺新奇。乾隆帝只能略窺一點西方科技的神奇，沒有了解並把握中國近代化的契機，這是中英正式接觸後，中國方面的最大損失。馬戛爾尼一行雖然沒有達到他們的直接目的，但他們獲取了清朝的各方面情報，特別是清軍裝備，尤其是海軍落後的情報，為發動侵略戰爭埋下伏筆。

得寵祕訣

一個連舉人都沒有考取的和珅，卻得到乾隆帝寵信，是近三百年清史上空前絕後的一件奇事。

和珅的官：武職——鑲藍旗滿洲都統、正白旗滿洲都統、鑲黃旗滿洲都統、步軍統領；文職——內務府大臣、御前大臣、議政大臣、領侍衛內大臣、軍機大臣、協辦大學士、文華殿大學士；戶部、吏部尚書兼辦理藩院尚書事；學職——殿試讀卷官、日講起居注官、《四庫全書》館正總裁、石經館正總裁、國史館正總裁、翰林院掌院學士；錢官——崇文門稅務監督、管理戶部三庫；內職——兼管太醫院、御藥房事務；爵位——太子太保、伯爵、公爵；「寵任冠朝列」。還是乾隆皇帝的兒女親家。

人們不禁要問，和珅如此得寵，有什麼祕訣呢？

和珅像

宮廷侍衛

和珅從一個皇帝的侍衛為起點，最後到一人之下，兆民之上，其原因在哪裡呢？

和珅出身滿洲，聰明機敏。和珅生於乾隆十一年（一七五〇），比乾隆帝小三十九歲，鈕祜祿氏，滿洲正紅旗人。家原住在北京西直門內驢肉胡同。和珅十來歲時，有幸進皇宮咸安宮官學，學習儒家經典和滿洲、蒙古文字，受到良好的教育。乾隆三十五年（一七七〇），他二十歲時參加了順天府鄉試，但沒有考中舉人。雖然如此，和珅因為出身滿洲，便做了宮廷三等侍衛，開始接近皇權的核心入口。這個差事給和珅接近乾隆帝提供了機會，是和珅人生的一個重要起點。

乾隆帝的侍衛很多，為什麼會欣賞一個低等侍衛和珅呢？野史筆記中有三段記載：

薛福成的《庸庵筆記》記載：有一次乾隆帝要出巡，突然找不到儀仗用的黃傘蓋，就問這是誰的責任？很多侍衛嚇得不敢吭聲，和珅在一旁說：「管此事者，當負此責。」這件事給乾隆帝留下一個很深的印象。

《清朝野史大觀》記載：有一次乾隆帝坐在轎子裡背誦《論語》，突然忘了下文，轎旁跟班的和珅脫口而出，就給接上了，乾隆帝由此很喜歡他。

《歸雲室見聞雜記》記載：乾隆四十年（一七七五），乾隆帝臨幸山東，和珅扈從。乾隆帝喜歡乘一種騾子駕馭的小車，「行十里，一更換，其快如飛」。有一天，碰巧和珅跟這種小騾車隨侍，於是乾隆帝與和珅君臣二人，有了下面這段交談：

上問：「是何出身？」

對曰：「文生員。」

問：「汝下場乎？」意思是你參加過科舉考試嗎？

對曰：「庚寅（乾隆三十五年）曾赴舉。」

問：「何題？」

對：「孟公綽一節。」

上曰：「能背汝文乎？」和珅便隨行隨背，矯捷異常。

上曰：「汝文亦可中得也。」意思是你可以考中啊！

這次乾隆帝同和珅的談話，成為和珅政治生涯的轉折點。和珅聰明伶俐，又幹練瀟灑，年輕身健，口齒清晰，得到乾隆皇帝的賞識和器重，官運從此亨通，青雲直上。

兩面人物

和珅既有學問、又能實幹，還會權術。

乾隆四十五年（一七八〇）正月，三十五歲的和珅接受了一項重要任務，就是遠赴雲南查辦大學士、雲貴總督李侍堯貪汙案。和珅一到雲南，首先拘審李侍堯的管家，取得實據後，迫使精明強幹的李侍堯不得不認罪。和珅從接受這個任務，到乾隆帝諭旨處治李侍堯，前後只用了兩個多月。和珅這次查辦李侍堯貪汙案子辦得很出色，確實表現了他出眾的才華和幹練的能力，所以和珅在回京的途中，就被提升為戶部尚書。

乾隆帝曾說：用兵西藏和廓爾喀時，所有的諭旨都是兼用滿、漢文下達；頒給達賴喇嘛和廓爾喀的敕書，則兼用藏文和蒙古文。只有和珅能把這些諭旨敕書，用滿文、藏文、蒙古文、漢文等各種文字撰寫出來，並把事情都辦理得很好。

和珅執掌大權愈久，對乾隆帝的心思揣摩得愈透。他就借此作威作福，凡是不順從他的人，他就找機會挑撥激怒皇帝，借皇帝的手去整那個人；而向他行賄的，他就儘量幫其打馬虎眼，或者故意把事情拖住不辦，等乾隆帝慢慢地消了火氣，再大的事也就不了了之。比如極力拉攏軍機大臣福長安。福長安是乾隆帝孝賢皇后的親姪子，他的父親傅恆和哥哥福康安都曾經任軍機大臣等高官，他本人沒有什麼本事，但對和珅言聽計從。和珅對那些正直大臣，加以排擠和打擊。如大學士松筠在和珅面前從來不屈服，所以松筠就被發配到邊遠地區任職。

乾隆帝做太上皇之後，仍緊緊把持著實權。和珅審時度勢，在乾隆與嘉慶之間採取四手：第一手是緊緊依靠乾隆太上皇，第二手是討好嘉慶皇帝，第三手是限制嘉慶皇帝的權勢，第四手是防止嘉慶日後對自己進行懲處。所以他在乾隆和嘉慶之間、在嘉慶面前和背後，都表現了「兩面派」。

投上所好

和珅在朝二十多年間，重要的升官和封爵就達五十次之多。其原因之一，是和珅對乾隆帝的四點心術：揣摩其旨意，迎合其所好，滿足其欲求，博得其歡心。

第一，陪乾隆帝和詩。乾隆帝一生喜愛作詩，和珅為迎合乾隆皇帝的這個愛好，下功夫學詩、寫詩，並造詣很深。和珅經常與乾隆帝和詩，歷史留下了當年和珅與乾隆和詩的摺子。

第二，仿乾隆帝書法。乾隆帝酷愛書法，和珅就刻意模仿乾隆的字，他寫的字酷似乾隆。乾隆帝後期的有些詩匾題字，乾脆交由和珅代筆。

第三，同乾隆修密宗。乾隆帝信奉喇嘛教，對佛教經典頗有研究。和珅也學佛經。有的書說和珅同乾隆帝一起「修持密宗」。

第四，體貼侍奉乾隆。乾隆帝是老人，喜歡別人奉承、照顧，和珅就陪伴在乾隆左右，對其照顧、服侍，體貼周到。朝鮮《李朝實錄》記載：和珅雖貴為大學士、軍機大臣，但每當乾隆帝咳嗽吐痰時，他就馬上端個痰盂去接。隨著乾隆帝愈來愈老，執政時間愈來愈長，身邊的宮女、妃嬪、太監都沒有文化，不能同他交談詩文、書畫、佛經，也不能幫他處理軍國大事、進行多種語言文字交流。所以，和珅對老年乾隆帝來說，是不可替代的。

第五，滿足乾隆奢欲。乾隆晚年生活奢華，大興土木，大張筵宴，太后六十、七十、八十大壽，自己六十、七十、八十大壽，大量犒賞，大肆鋪張，花費巨大。這都需要大量銀子。當時國庫拮据，銀子從哪裡來呢？靠和珅。和珅想盡各種辦法聚斂錢財，比如侵吞、賄賂、索要、放債、開店、加稅等。對官員也不放過，好官被強制進獻，有過失的官被收「議罪銀」，用交納罰銀代替處分，這些錢不入國庫，而是交到內務府，供乾隆享用。和珅搜刮勒索，使得原來入不敷出的內務府，很快就扭虧為盈。乾隆帝隨意享樂，對和珅就更加依賴。

以上從五個方面分析了和珅得寵的祕訣，其實說來也簡單，讓乾隆皇帝看得見、信得過、用得上、離不開。《左傳》說：「君以此始，必以此終。」和珅能登上「一人之下」的高位，靠的是緊緊地傍著皇帝，最後也是以二十大罪被皇帝賜死。

正直和奸佞相伴相生。直臣往往身遭劫難而流芳千古，佞臣往往直上青雲而被人唾棄。

嘉慶四年正月初三日（一七九九年二月七日），乾隆帝崩於皇宮養心殿。顒琰即日親政，是為嘉慶帝。嘉慶帝在辦理大行皇帝喪事期間，採取斷然措施，懲治權相和珅，舉朝上下，大為震驚。短短十五天裡，就把被先帝恩寵三十年的「二皇帝」乾淨利索地懲治了，舉措得體，取得勝利。這是嘉慶帝一生處理重大政治事件中最為精采的一筆，也是他作為政治家的唯一傑作。

第88講

大內遇刺

嘉慶二十五年的皇帝生涯，其帝王使命雖是一件一件地解決乾隆盛世留下的危機，卻也一步一步地使清朝陷入更加衰落的危機。盛世下的危機，嘉慶年間更加深重。其中一個典型例子，就是在皇宮大內，嘉慶帝居然兩次遇險。

入宮行刺

嘉慶八年閏二月二十日（一八〇三年四月十一日），嘉慶帝從圓明園回到皇宮，在進了神武門要進順貞門時，有一位壯漢突然跑來，犯駕行刺。這就是當年震驚朝野的陳德行刺嘉慶帝事件。

陳德，曾典給鑲黃旗人、山東青州府海防同知松年家為奴。松年故去後，十四歲的陳德跟隨父母在青州、濟南等地，給人服役，或做傭工，辛勞度日，勉強餬口。陳德娶妻後，

清仁宗顒琰像

神武門

攜妻子到北京，投靠到外甥、內務府正白旗護軍姜六格家。後陳德隨鑲黃旗包衣常索，在內務府服役，幫辦配送嘉慶帝妃子劉佳氏的碗盞等什物。劉佳氏是一位資深的妃子，在後宮很有地位，後來被晉封為貴妃、皇貴妃。嘉慶朝冊封為貴妃的，只有劉佳氏一位（另一位貴妃鈕祜祿氏是嘉慶帝死後尊封的）。陳德因給貴妃跑腿，而得以進出紫禁城、圓明園。

後來，陳德與妻子典給孟明家做廚役。但妻子病故，留下了兩個兒子，他又被孟家解雇。陳德生活在社會底層，貧窮苦悶，作為奴僕，跟官服役，飽嘗

順貞門

辛酸，受盡欺凌。陳德看到貴族的腐朽生活，也親歷皇室的窮奢極欲，體察到人間不平，激發起反抗情緒，精神也不太正常，時常喝酒，在院裡歌唱哭笑。就在陳德實在窮苦難過，要尋死路之時，求籤說有「朝廷福分」。他在街上看到黃土墊道，聞知嘉慶帝將於二十日進宮，便「起意驚駕」，謀刺嘉慶帝。陳德心想：犯了驚駕之罪，必將我亂刀剁死，圖個痛快，也死個明白。

陳德帶著年僅十五歲的長子陳祿兒，進入皇宮東門東華門，又繞到北門神武門，潛伏在順貞門外西廂房山牆後，等待嘉慶帝鑾輿到來。當嘉慶帝一行乘轎將要進順貞門時，陳德突然躍出，手持小刀，衝了過來。這突如其來的襲擊，嚇得嘉慶帝匆忙逃入順貞門內。在場侍衛、護軍多達百餘人，都被陳德的突然行刺嚇著了，神情驚愕，呆若木雞，竟然沒有人上前攔阻。只有御前大臣定親王綿恩、乾清門侍衛蒙古喀喇沁公丹巴多爾濟等六人，尚屬鎮定，上前捉拿。經過一番搏鬥，綿恩的袍袖被刺破，丹巴多爾濟被刺傷。陳德力竭被抓，陳德的長子陳祿兒則乘亂溜走回家。

嘉慶帝對陳德行刺事件異常震驚，命軍機大臣會同刑部尚書，日夜嚴審陳德。二十四日，陳德被處以磔刑，立即執行，其長子陳祿兒年十五，次子陳對兒年十三，被同時處絞。

紫禁城內發生陳德行刺事件十年之後，又發生了天理教眾攻入紫禁城的事件。

逛一逛

順貞門

御花園北門。始建於明初，位於紫禁城中軸線上。原稱坤寧門，明嘉靖十四年（一五三五）改稱順貞門。神武門內即順貞門，是通往宮外重要通道。明朝從此處運送病故宮人。清代皇后往先蠶壇行祭祀禮或往圓明園、壽皇殿等地由此處出入。順貞門也是清代後宮親眷奉旨會親場所。

留有箭痕的隆宗門門額

箭扎隆宗

今天參觀北京故宮，還可以看到隆宗門的門額上留有清晰的箭痕。相傳這是嘉慶十八年（一八一三）九月，天理教民眾攻入皇宮留下的歷史印記。

白蓮教起事，困擾嘉慶朝。其中一支天理教，在京畿大興縣（今北京大興區）活動，首領叫林清，他與河南滑縣的李文成相呼應，約定九月十五日同時起事，要將嘉慶帝趕出關外，恢復漢人統治。

已投靠林清的八旗漢軍正黃旗曹福昌，透露說嘉慶帝木蘭秋獮返程，將於十七日抵達白澗行

紫禁城東華門

宮，到時留京大臣會出城迎駕；建議是日乘虛而發，成功把握較大。但林清認為九月十五日的起事日期為「天定」，不宜更改。於是決定如期舉事，攻打皇宮。

林清倚恃內應太監熟悉宮廷，派二百人分作兩隊——東隊進東華門，太監劉得才、劉金為嚮導；西隊進西華門，太監張太、高廣福為嚮導；太監王得祿等則居中應援。並約定以「白帕」為標誌，在十四日化裝成小商販等，各備兵器混雜於酒肆、行商中，分別在菜市口、珠市口、鮮魚口等處會合，待十五日

紫禁城西華門

午時一到，即向皇宮發動進攻。林清則在黃村坐鎮。

十五日早晨，二百多名天理教教眾由宣武門潛入，然後分成東、西兩隊，潛伏在東華門、西華門外。午時一到，由宮內太監接應，開始分別攻闖東華門和西華門。

東華門一路，被守門官兵察覺，只有五名起事者闖入東華門內。雙方展開激烈搏鬥，天理教教眾全被擒殺。西華門一路約五十人，衝入門內後，反閉城門，向裡衝進，沿咸安門、武英門、右翼門到隆宗門。守軍發現後，關閉隆宗門，於是在隆宗門外激戰。

正在上書房讀書的諸皇子聞變，皇次子綿寧（後更名為旻寧，即後來的道光帝）「急命進撒袋、鳥銃、腰刀，飭太監登垣以望」，發現有起事者由廊房越牆，手舉白旗衝向養心殿，已經靠近養心門。旻寧「發鳥銃殪之，再發再殪」。皇三子綿愷緊隨皇兄之後，衝到蒼震門，也發槍射擊。留京的禮親王昭槤等聞警，急率禁兵，自神武門入衛。一千多名火器營等官兵，調入皇宮內，投入戰鬥。教眾退至武英殿前，寡難敵眾，全被擒殺。後經過一番搜索，內應太監也全被擒獲。十七日晨，林清在黃村宋家莊被捕。至此，天理教教眾進攻皇宮的舉事失敗。

嘉慶帝在結束木蘭圍獵後，原定回鑾去遵化謁其父乾隆帝裕陵，驚聞宮內之變，改變行程，徑直回京。十九日回到北京城，諸王大臣迎駕於朝陽門內。嘉慶帝感慨地說：「此實非常未有之變！寇賊叛逆，何代無之？今事起倉猝，擾及宮禁，傳之道路，駭人聽聞！」

嘉慶十八年（一八一三）是癸酉年，這一事件又稱為「癸酉之變」。

心有餘悸

如果說十年前的陳德行刺案，只是個案，具有一定的偶然性，那麼癸酉之變使清朝皇帝第一次認識到自入關一百七十年來，大清的江山，發生了危機。

嘉慶帝在回宮的路上就頒布〈遇變罪己詔〉，稱此為「漢、唐、宋、明未有之事」！然「變起一時，禍積有日」。就嘉慶帝的〈遇變罪己詔〉，可做幾點分析：

第一，態度尚好。嘉慶皇帝這個人，遇到大的事變，總是反省自己。不像有的人，文過飾非，功勞歸己，過錯責人，甚至不惜偽造文件，表明自己一貫正確。

第二，表彰功者。他說：「綿寧係內廷皇子，在上書房讀書，一聞有警，自用槍擊斃二賊，餘賊始紛紛潛匿，不敢上牆，實屬有膽有識……綿寧身先捍禦，實屬忠孝兼備，著封為智親王。」

第三，批評臣工。他說：「當今大弊，在因、循、怠、玩四字。」這四個字——因上、循舊、怠惰、玩職，道出其時官場的普遍現象。提出要麼「赤心報國」，要麼「掛冠致仕」，而不要尸位素餐，誤國誤民。

第四，淚隨筆下。天理教教眾，手無寸鐵，兩百餘人，攻紫禁城。他說：這是漢、唐、宋、明以來所未有之事，並為此而「筆隨淚下」。真是動了心！但作為政治家，在重大事變面前，哭天抹淚，不算英雄。要有氣魄、有格局、有毅力、有辦法，勇於克服積弊，敢於進行改革。

後嘉慶帝在中南海豐澤園，親自審訊林清和太監劉得財、劉金，命將劉得財、劉金兩人夾打後處決；繼審林清，命將林清淩遲處死，並將其首級送到直、魯、豫地區示眾。此後，處決林清的姊姊、妻子等。

嘉慶帝加強皇城的防衛措施：嚴密執行保甲法；對太監嚴加管束，禁止隨便出入紫禁城；不准八旗宗室、旗人居住城外；在京師城內及紫禁城、圓明園增設哨卡，添置、整修防禦工事和設備，增加駐防軍隊；嚴守紫禁城內值班大臣的交接班制度；等等。

這一年嘉慶帝五十四歲生日，他也沒有心思過了。他說：「十月初六日，為朕壽辰，國家典禮，自初三日至初九日，俱穿蟒袍補褂；正日，御正大光明殿受賀，此定例也。今歲突遇此禍，若仍照常年典禮而行，朕實無顏受賀。況軍書交馳，邪氛未靖，尚有何心宴樂乎！」（《清仁宗實錄》卷二七五）

直到臨終的前一年，他還在大臣奏摺中朱批：「有天良之大臣，永不忘十八年之變；喪盡天良之輩，早已付之雲煙之外！」

皇帝在大內遇刺，大內被外人攻入，這在明清五百年紫禁城宮廷史上，先例沒有，後例也無。這預示著大清皇朝正在迅速走向衰敗。

第89講

道光繼位

清道光帝旻寧，原名綿寧，三十九歲登極，在位三十年，享年六十九歲。年號道光，意為道統光大。他在歷史上有兩個第一：清朝唯一以嫡子身分繼承皇位的皇帝；中國兩千年帝制史上，第一個同西方殖民者簽訂喪權辱國條約的皇帝。

有福皇子

道光帝旻寧的生母孝淑睿皇后喜塔拉氏，為副都統、內務府總管大臣和爾經額之女。乾隆三十九年（一七七四），被乾隆帝冊為永琰福晉，這年永琰十五歲。乾隆四十七年八月初十日（一七八二年九月十六日），喜塔拉氏在擷芳殿中所，生下一位皇子，名旻寧（綿寧），就是後來的道光皇帝。

旻寧六歲開始讀書，受到儒家教育，「經史融通，奎藻日新」，以此自詡，學而有成。

清宣宗旻寧像

旻寧十歲那年，有一件吉祥的事。這年，他初次隨祖父乾隆帝木蘭秋獮。他引張小弓，射獲一鹿。乾隆帝大喜，賦詩一首：

堯年避暑奉慈寧，樺室安居聽敬聽。
老我策驄尚武服，幼孫中鹿賜花翎。
是宜志事成七律，所喜爭先早二齡。
家法永遵綿奕葉，承天恩貺慎儀刑。

這詩說的是乾隆帝十二歲時，隨同祖父康熙帝前往木蘭行圍，初圍得熊，此次旻寧則初圍就獲鹿，比當年乾隆還小兩歲。

旻寧十四歲，祖父乾隆帝宣諭永琰為皇太子，全家大喜。十五歲，雙喜臨門。正月初一日，嘉慶帝在太和殿登極，成為清朝入關後第六代皇帝，這是一喜。另一喜是嘉慶帝為他娶親成婚。新娘鈕祜祿氏，是戶部尚書布彥達賚之女。因為父親做了皇帝，自己的妻子便被冊封為嫡福晉。

旻寧十六歲，家裡發生了大不幸，生母皇后喜塔拉氏病故。但他成長很快，舉止得體。

旻寧十八歲，嘉慶帝遵照祕密建儲家法，「親書上名，緘藏鐍匣」，旻寧成為祕密立儲的皇太子。從此，「壽皇展拜，則命隨行；裕陵敷土，則命恭代」，皇父對他格外教育和關懷。旻寧被密建皇儲之後，嘉慶帝經常囑咐他「屏窺測，杜猜疑」，要他靜心讀書，修身養性。旻寧更加嚴格要求自己，「日與詩書相砥礪」，寫成了《養正書屋詩文》四十卷。他親筆書寫了「至敬」、「存誠」、「勤學」、「改過」四個條幅，掛在屋中，以提示自己要修身養性，也是向嘉慶帝表露心跡。

旻寧三十二歲，發生了天理教教民攻入皇宮的突發性事件。他機智勇敢，登牆上房，射死兩名天理教徒。這使他在內廷上下、朝野內外，威望大增。嘉慶帝在回京途中得到奏報後，即封旻寧為智親王。

儘管旻寧有出色的表現，又被祕定為儲君；但在皇位繼承時，仍出現了風波。

鐍匣風波

嘉慶二十五年（一八二〇）七月，旻寧隨駕嘉慶帝到熱河秋獮。二十四日，嘉慶帝身體不適。二十五日，病危。《清宣宗實錄》記載：「是日，仁宗疾大漸。召御前大臣賽沖阿、索特納木多布齋，軍機大臣托津、戴均元、盧蔭溥、文孚，總管內務府大臣禧恩、和世泰，公啟鐍匣，宣示御書：嘉慶四年四月初十日卯初，立皇太子（旻寧）朱諭一紙。戌刻，仁宗崩。」

當然，嘉慶和道光兩部《實錄》，都是事後精心編纂的。如果真同上面的記載，就不

乾清宮「正大光明」匾

存在麻煩。事實上當時確實發生了一場風波，這場風波是由裝著立儲諭旨的鐍匣引起的。

按照雍正帝的諭定，皇帝立儲的御書，緘封在鐍匣裡，懸放在乾清宮「正大光明」匾額的後面。乾隆帝當年繼位，就是從「正大光明」匾額之後取下鐍匣，得到立儲諭旨的。道光帝的祕密立儲御書，自然也應該放在那裡。嘉慶帝在避暑山莊崩逝後，本應立即派大臣急馳北京，到皇宮取下乾清宮「正大光明」匾後的鐍匣。但是，當時並沒有這樣做。

第一，太后懿旨。嘉慶

帝的孝和睿皇后在皇宮驚悉嘉慶帝崩於熱河行宮的噩耗，傳下懿旨：「皇次子智親王，仁孝聰睿，英武端醇，見隨行在，自當上膺付託，撫馭黎元。但恐倉卒之中，大行皇帝未及明諭，而皇次子秉性謙沖，予所深知。為降諭旨：傳諭留京王大臣，馳寄皇次子，即正尊位。」（《清史稿．宣宗本紀》）本來皇后就在宮裡，應該派人去取正大光明匾後面立儲諭旨，但是皇后卻直接傳下懿旨，這說明鐍匣御書不在正大光明匾後面。

第二，宗室建議。《清史稿．禧恩傳》載述：「仁宗崩於熱河避暑山莊，事出倉猝，禧恩以內廷扈從，建議宣宗有定亂勛，當繼位。樞臣托津、戴均元等猶豫。禧恩抗論，眾不能奪。會得祕匱朱諭，乃偕諸臣奉宣宗即位。」

禧恩是睿親王淳穎之子，由頭等侍衛、御前侍衛晉為內務府大臣。禧恩出身宗室，地位重要，但他本來並無權力建言皇儲大事，所以他的建議未得軍機大臣認同，他雖抗論，但不能定。這說明當時禧恩等跟隨在嘉慶帝身邊的大臣，並沒有聽到嘉慶帝對儲位的安排。

第三，金盒御書。包世臣所撰〈大庾戴公墓碑〉，記載當時尋找並開啟鐍匣的情狀。其碑文說：嘉慶二十五年春，戴均元拜文淵閣大學士，晉太子太保，管理刑部。七月，「公（戴均元）偕滿相托文恪公（托津）扈灤陽圍。甫駐蹕，聖躬驟有疾，不豫。變出倉猝，從官多皇遽失措。公與文恪（托津）督內臣檢御篋十數事，最後近侍於身間小金盒，鎖固無鑰。文恪擰金鎖，發盒得寶書。公即偕文恪（托津）奉今上即大位，率文武隨瑞邸（綿忻）成禮。乃發喪，中外晏然。」原來裝御書小金盒，由嘉慶帝隨行攜帶。經過周折，總算找到。大學士托津偕戴均元，開啟金盒，宣示御書。立旻寧為皇太子，奉嗣尊位，然後發喪。

在找不到鐍匣御書的情況下，皇后鈕祜祿氏明明有綿愷、綿忻兩個親生皇子，但她下懿旨由不是己出的旻寧繼位；而宗室禧恩也斗膽建議由旻寧繼位，這些都說明旻寧繼位是人心所向的。

喪權辱國

道光帝執政三十年，既算是勤政，也算是節儉。他做了不少事情，如懲治貪汙、整頓吏治、治河通漕、清釐鹽政、開通海運等，都或多或少有所成績。他一生中，最大的政績，是鞏固了新疆的社會秩序；最大的悲苦，是鴉片戰爭失敗，並簽訂喪權辱國的《南京條約》。

道光帝面對英國的鴉片侵略，禁煙銷煙，搖擺不定；應對英國入侵的鴉片戰爭，主戰主和猶豫不定，首鼠兩端；最終，簽訂《南京條約》，喪權辱國。

道光二十二年（一八四二）七月初七日，欽差大臣耆英到達江寧（今江蘇省南京市）。英艦已駛至南京下關江面，陳兵南京城下。十五日，耆英同璞鼎查在英艦「康華麗」號上會見。十九日，耆英同璞鼎查又在靜海寺會談。二十四日，欽差大臣耆英、伊里布受道光皇帝之命，與英國全權代表璞鼎查，簽訂結束鴉片戰爭的中英《江寧條約》（即《南京條約》）。八月初二日（九月六日），道光帝批准《南京條約》。《南京條約》共十三款，主要內容有：

（一）中國向英國賠款二一〇〇萬銀圓；

（二）割讓香港島；

（三）開放廣州、福州、廈門、寧波、上海五處為通商口岸；

（四）中國進出口稅率由中英雙方共同議定等。

《南京條約》是中國近代史上第一個喪權辱國的不平等條約。從此，西方侵略者用武力打開了中國的大門，使中國逐步地淪為半殖民地半封建社會。道光帝是中國兩千年帝制史上，第一個同西方殖民者簽訂喪權辱國條約的皇帝。

第90講

梅妻鶴子

「梅妻鶴子」這個題目，讀者會覺得奇怪，怎麼會以梅花做妻子、以仙鶴做兒子呢？這是個神話吧！不，這不是神話故事，而是一個真實的故事。

真實故事

北宋有個名士林逋（九六七～一〇二八年），字君夏，浙江錢塘（今杭州）人。他少年失去雙親，生活極端艱難，但學習很努力。

他的學習，不重文章，而重詩畫；他的為人，不重名利，而重友善；他的性格，不好張揚，而尚恬靜；他的脾氣，不急不躁，溫文爾雅。

家裡雖然貧苦，缺衣少食，但林逋毫不在乎，讀書自樂。稍長，在長江、淮河之間，樂山樂水，遊蕩交友。後回到杭州，他在西湖孤山，搭巢居閣，避風雨，夜寢居。林逋很奇特，整天在孤山，不仕不娶，賦詩作畫，觀梅放鶴，長達二十年未到杭州城裡。

林逋有一件怪事，常人很難理解。一般人是「男大當婚，女大當嫁」，林逋卻是不結婚也不生子。他常說：梅是我的妻，鶴是我的子。所以，人們說他是「梅妻鶴子」。那麼林逋是怎樣打發日子呢？看書，寫詩，撫琴，舞墨，繪畫，種地，採藥，養梅，育鶴，仰觀藍天，俯視綠地，觀賞孤山，蕩槳西湖，被范仲淹戲稱「山中宰相」。

林逋，清幽的生活，恬淡的性情，寫出詩來，自有韻味。他的詠梅詩〈山園小梅〉有句：「疏影橫斜水清淺，暗香浮動月黃昏。」有人評論說，這不僅把梅品與人品，而且把梅花的清影和神韻寫絕了。這麼好的詩，現代人會把它放到網上，讓其流布天下。但林逋寫出佳作名句，剛寫完，就拋棄。朋友問他：「為什麼不謄清，傳於後世？」他說：「我隱逸山林，並不想以詩名一時，況後世乎！」有的好事者，往往暗自記下，後來集結為傳世的三百一十三篇。《宋史．藝文志》記載《林逋詩》七卷，又《詩》二卷，還有《句圖》三卷。

林逋的事蹟傳到宋真宗趙恆那裡，他「命賜杭州草澤林逋粟、帛」（《宋史．真宗本紀》）。杭州知府薛映、李及等，也常去拜訪，每到林逋住處，清談終日而去。林逋養了兩隻仙鶴。有時，林逋自蕩小舟，游放西湖，觀青山，賞游魚。來了客人，怎樣通報？書童一面待客，一面開籠——放飛仙鶴。林逋見鶴，知道來客，槳舟而歸。林逋死後五十多年，蘇軾到杭州，因仰慕林逋植梅養鶴，脫俗高節，造訪林逋遺跡。他讚揚林逋：以湖光

杭州放鶴亭

為呼吸，以山綠為飲食，神清骨冷，雙眸如燭。他讚嘆林逋詩文清淨而富意蘊，書法秀逸而藏勁健；甚至自我期望化作修竹、寒泉和秋菊，與林逋為伴。蘇軾在林逋遺詩後的詩跋，現藏於北京故宮博物院。

在兩宋三百二十年間，官場傾軋，日處險境，清逸之士，尋求超脫，避喧趨靜，居山水之間，觀日出日落。《宋史》列傳中的隱逸之士傳四十三人，喧囂宮殿之外，構築學林小景。宋朝士林，重君子，鄙小人：「言其所善，行其所善，思其所善，如此而不為君子者，未之有也；言其不善，行其不善，思其不善，如此

而不為小人者，未之有也。」（《宋史・徐積傳》）

今孤山有舞鶴賦刻石、放鶴亭、林逋墓和乾隆行宮遺跡，是為「西湖十八景」之一。

乾隆傾慕

林逋的清逸生活，引起厭倦宮廷生活的乾隆帝的興趣。乾隆帝六下江南，其中有五次攜帶林逋詩卷，在杭州孤山行宮，他熏香品茗，展卷欣賞，尋訪遺跡，冥思懷古。詩中寫道：

乘閒試步孤山陰，一泓碧水浸群玉。
其間知有處士墳，無神道碑已絕俗。
依然梅樹護墓門，千秋地下安漆燭。
……
攜來卷冊相印證，朗潤那借招隱曲。
徘徊半晌命歸與，掃塵跡動清風竹。
竹風拂徑菜花黃，雖弗柴桑亦疑菊。

在這個過程中，乾隆帝又得到了林逋的《手札二帖》，他喜出望外，視如珍寶，從此將詩卷和手札一併帶在身邊，每下杭州西湖，必訪林逋遺跡。

乾隆四十九年（一七八四）第六次下江南的乾隆皇帝，年逾古稀，仍到孤山尋訪林逋遺跡，第五次賦詩：

> 幸哉孤山山之陰，又得重來撫松竹。
> 卻惜柴桑未經到，淵明孤醉東籬菊。

值得深思的是，乾隆帝攜林逋的《自書詩》卷和《手札二帖》，到杭州孤山尋訪、賦詩，連續五次，延續二十八年，並將其著錄於《石渠寶笈續編》，珍藏在自己養老之所的寧壽宮。

逛一逛

孤山

杭州西湖中一座小孤島，在西堤以東，西泠印社之旁，沿孤山路可達。西湖海拔十三公尺，孤山海拔三十五公尺，所以孤山高二十二公尺，面積約二十萬平方公尺。諺語說：西湖有三怪——斷橋不斷，長橋不長，孤山不孤。林逋的遺跡，在孤山西麓，主要有放鶴亭、林逋墓、乾隆行宮遺跡等。

人們不禁要問，乾隆皇帝對林逋為什麼會如此動情、動真？其一，林逋史蹟，為世代文人景仰，亦為乾隆皇帝心之所動。其二，林逋和蘇軾詩書相和（林為蘇所敬仰，並不是同時代人），詩書並美，文人雅興與風骨，為乾隆皇帝情之所鍾。正如他所寫：「頃來湖上，重展是卷，緬高風於千載，抒雅興以重賡。」

林逋「梅妻鶴子」的隱士生活，是中國古代知識分子追求的一種理想模式，雖有消極遁世的一面，但淡泊寧靜、超凡脫俗、不慕虛榮、不求利祿的高潔情操，千年以來受到文人雅士的追慕，包括蘇軾，包括乾隆帝，也包括林則徐。

千年相通

林則徐的父親林賓日，仰慕同族遠祖林逋，也在家中養鶴，並繪《飼鶴圖》，以陶冶性情。他給第一個兒子起名「鳴鶴」。父親淡泊高雅的品格，對林則徐影響很深，成為林氏家風的一個重要特徵。林則徐在父親去世後，不僅把父親所繪《飼鶴圖》帶在身邊，而且又添繪第二圖、第三圖。在二十年間，先後有六十五位名宦、名士、名友，在這三幅高雅的《飼鶴圖》上留下墨寶。林則徐為此賦詩：

我從塵海感升沉，何日林泉遂此心。

墓表大書前處士，家風遙愧古長林。
湖山管領誰無負，梅鶴姻緣已漸深。
便似攜鋤種明月，結廬堤上伴靈襟。

林逋祠、墓在杭州孤山。林則徐任職杭嘉湖道時發起修葺、補種梅樹三百六十株，並購二鶴豢養於墓前，還為墓表題額。他為林逋祠題寫柱聯：

我憶家風負梅鶴，天教處士領湖山。

「梅妻鶴子」的林逋，在林則徐幼年時就進入他的心田，在為學、為官的人生旅途中，一直影響著他。林逋孤高自好、清潔高雅的情操，甚至隱士的生活方式，都為林則徐所景仰。

林則徐在國難之時，以身許國，慷慨赴義，他的骨子裡有一種什麼樣的精神？這就是我講的「梅妻鶴子」的精神。

林則徐出生於福州左營司巷。他回憶小時候「每際天寒夜永，破屋三椽，朔風怒號，一燈在壁，長幼以次列坐。誦讀於斯，女紅於斯，膚粟手皸，恆至漏盡」（《雲左山房文鈔．先考行狀》）。林則徐剛四歲，就被父親帶到其任教的羅氏試館，坐在父親腿上讀書。

家境雖然清寒，但他的父親林賓日是一位品德高潔的讀書人，他為家庭樹立了榜樣——就是同為林姓的宋朝隱士林逋。

道光十八年（一八三八），鴻臚寺卿黃爵滋請禁鴉片煙，下中外大臣議。林則徐請用重典，他慷慨激昂言：「此禍不除，十年之後，不惟無可籌之餉，且無可用之兵。」道光帝聽了之後，雖然心裡不高興，卻暗表讚賞。隨後，命林則徐朝見，先後在紫禁城召對十九次。這十九次，史無前例。後命林則徐為湖廣總督、欽差大臣，馳往廣東，嚴厲禁煙。林則徐向座師沈維僑（鼎甫）辭行時，慨然表示：「死生，命也；成敗，天也。苟利社稷，不敢不竭股肱以為門牆辱！」「師生相顧，遂出都。」（《續碑傳集》卷二四）前往廣東途中，他給妻子鄭夫人寫信：「明知禁煙妨礙奸夷大利，必有困難，而毅然決然，不敢稍存畏葸之心者，蓋以身許國，但求福國利民，與民除害。自身生死且尚付諸度外，毀譽更不計及也。」（《林則徐家書・致鄭夫人》）

道光朝的重臣林則徐，以欽差大臣於虎門銷煙的壯舉，維護了中華民族的尊嚴，向世界宣示了中華民族反對外來侵略的堅強意志。虎門銷煙，不僅成為中國近代史的開端，而且影響至今。聯合國將虎門銷煙結束翌日即六月二十六日，定為「國際禁毒日」。而林則徐更是「名節播宇內、彪炳煥史冊」。

林則徐的名句：「苟利國家生死以，豈因禍福避趨之。」這成為中華文化的名句，激勵多少英雄豪傑披荊斬棘，拋頭顱灑熱血，為國為民，死而後已！

第91講

愛國英雄

前面講到林則徐仰慕宋朝隱士林逋「梅妻鶴子」的精神境界，在任職杭嘉湖道時，修葺林逋墓。在杭州，林則徐還修葺了明朝于謙墓；而在福州任職時，他修葺了宋朝李剛墓。林則徐用這些舉動，來追慕英雄，教育後人，而他自己，也成為中國近代史上著名的愛國英雄。

銷煙壯舉

清代康熙帝御書「慎、勤、清」三個大字，刻石賜內外諸臣，清代各衙署公堂多寫這三個字作匾額。林則徐以一生三十餘年的為官實踐，踐行這三字官箴。

林則徐從二十八到三十五歲，在京師做了七年小京官。他刻了一枚閒章：「讀書東觀，視草西臺」八個字，概括了他這段時間的為官之道，即勤於學習，善於觀察，清要

林則徐像

之職，重在「清」字。

嘉慶二十五年（一八二〇）至道光十八年（一八三八），林則徐三十五到五十三歲的官場生涯進入上行道。林則徐為官，多在江浙等富庶之區，官職也多為肥缺。他先後任浙江杭嘉湖道、署浙江鹽運使、江南淮海道、江蘇按察使、署江蘇布政使、陝西按察使、江寧布政使、湖北布政使、河南布政使、東河河道總督、江蘇巡撫、署兩江總督、湖廣總督。可以看出，道光帝對林則徐一度是比較看重的。

道光十八年（一八三八）十一月，道光帝命林則徐入覲，召對十九次，授欽差大臣，赴廣東禁煙。五天之後，林則徐前赴廣州，查禁鴉片。當時有忌阻者，也有為他擔憂者。

道光二十年（一八四〇）正月初一日，林則徐接任兩廣總督，投身禁煙第一線。他派人翻譯外文書報，編成《四洲志》。主張對外商分別對待，孤立煙販。與總督鄧廷楨協力查辦，嚴令英、美煙販繳出鴉片兩百三十七萬多斤。六月，在虎門海灘當眾銷毀；並積極籌備海防，倡辦義勇，屢次打退英軍挑釁。鴉片戰爭爆發後，嚴密設防，使英軍在粵無法得逞。

林則徐虎門銷煙的壯舉，維護了中華民族的尊嚴，向世界宣示了中華民族反對外來侵略的堅強意志。

九月，林則徐、鄧廷楨被嚴加議處，接著被革職。道光二十一年（一八四一）五月，林則徐被遣戍伊犁。

遣戍新疆

林則徐從事業的巔峰跌入谷底，忍辱負重，遠戍新疆。短暫的氣餒之後，在五十七歲到六十五歲，他生命的最後八年裡，他遠在新疆以及中國的西北、西南，仍然做出了重大貢獻。

道光二十二年（一八四二）二月，林則徐由河南治河工地發往伊犁，七月由西安登程赴戍。林則徐寫下〈赴戍登程口占示家人〉詩二首，其中，就有傳頌千古的詩句：「苟利國家生死以，豈因禍福避趨之。」意思是如對國家有利，我願犧牲自己生命，難道會躲避危險、迎趨好處嗎？

十一月初九日，林則徐帶領十九歲的聰彝和十七歲的拱樞兩個兒子，經連續四個月艱苦跋涉，終於抵達新疆首府伊犁惠遠城（今新疆維吾爾自治區伊犁州霍城縣）。老友鄧廷楨陪同進城，一同來到伊犁將軍府拜見將軍布彥泰和參贊慶昌等。

道光二十三年（一八四三）年底，林則徐向伊犁將軍布彥泰提出捐資興辦惠遠城東阿齊烏蘇廢地墾務的要求，並即開始籌備。墾復，須開挖一條大灌渠。林則徐提出「分段承修」的施工原則，並主動捐資承修整個工程中最困難的龍口首段，歷時一年完工。其間，林則徐帶領他的兩個兒子，日夜奮戰在工地上。大渠全長四百三十餘里，橫貫伊犁河北岸的農田灌溉區約二十餘萬畝。這是清代伊犁開屯以來最大的水利工程，也是乾嘉兩代未竟之業，被當地人民稱為「林公渠」，至今還在發揮作用。

道光二十四年（一八四四）夏，林則徐的舊友金眉生等發動淮、揚一帶同官舊屬，為他捐資納贖，很快便集白銀巨萬。林則徐給舊友一一郵書婉謝，表示寧願繼續在新疆建功立業。

道光二十五年（一八四五），林則徐的足跡踏遍南疆八城及吐魯番、哈密，行程三萬里。其間，浚水源，開溝渠；父子扯繩，進行測量，墾田近六十九萬畝，提議給當地民眾耕種，得到允准，為新疆開發建設做出貢獻。同時，林則徐以政治家的敏銳，研究西部局勢，提出海防和塞防並重，並預見：「為中國患者，其俄羅斯乎！」

後清廷起用林則徐，任陝西巡撫、雲貴總督。道光二十九年（一八四九），他因病辭職回籍。第二年，居福州，進行反英人入城活動。九月，清廷任林則徐為欽差大臣往廣西，途中病逝。

良師益友

林則徐重視交友，以正直的人格結交正人君子為友，肝膽相照，相互感召，志同道合，同舟共濟。這種君子之交，為當時渾濁的官場注入汩汩清流。

第一，鄧廷楨（一七七五～一八四六年），江寧（今江蘇省南京市）人，道光十九年（一八三九）與林則徐協力整頓海防，查禁鴉片。二十年（一八四〇）調閩浙總督。六月，率軍擊退進犯廈門的英國艦隊。九月，與林則徐同奪職。翌年四月，與林則徐同戍伊犁。二十二年（一八四二）十月，迎接並陪同林則徐進入伊犁惠遠城。二十三年（一八四三）閏七月召回任甘肅布政使。鄧廷楨被起用後，林、鄧和詩，希望林則徐也被起用。鄧廷楨離開伊犁後，林則徐搬到他的宅子居住。

第二，魏源（一七九四～一八五七年），清末思想家、史學家、文學家。道光二十一年（一八四一）七月，林則徐在遣戍伊犁途經鎮江時，會見魏源。二人夜間，同宿一室，對榻傾談。林則徐把有關《四洲志》的全部資料交給魏源，希望他編纂《海國圖志》。當魏源聽聞林則徐改役河工時，又趕來再度相會，作詩回憶兩人「乘槎天上事，商略到鷗梟」，定下《海國圖志》之約，表達肝膽相照的情誼，「不辭京口月，肝膽醉輪址」。後《海國圖志》成書。魏源主張「師夷之長以制夷」，學習西方技藝，抵抗外國侵略。

第三，王鼎（一七六八～一八四二年），今陝西蒲城人。少貧，力學，性耿直，尚氣節。嘉慶元年（一七九六）進士，以才幹和品行得到嘉慶帝的信任，逐步晉升，屢任要職。早在嘉慶二十一年（一八一六），年輕的林則徐到南昌充江西鄉試副主考官，便與時任江西學政的王鼎結識，得到王鼎器重。後王鼎得到道光帝信任，先後任左都御史、軍機大臣、直上書房、東閣大學士。道光二十一年（一八四一）八月，黃河在開封祥符決口。道光帝命原擬赴疆的林則徐折回治河工地效力，同時派大學士、軍機大臣王鼎前往督辦河工。經過半年的艱苦努力，到次年二月，工竣。王鼎晉太子太師，而林則徐則仍發往伊犁效力贖罪。王鼎相送於河干，依依不捨，老淚縱橫，涕泣不已。林則徐賦詩安慰他：「幸瞻巨手挽銀河，休為羈臣悵荷戈。」「塞馬未堪論得失，相公且莫涕滂沱。」

王鼎憤憤不平，還朝力爭。道光帝慰勞之，命休沐養痾。越數日，王鼎自草遺疏，劾大學士穆彰阿誤國，閉戶自縊，冀以尸諫。但遺疏被軍機章京陳孚恩毀滅。道光帝對王鼎突然死去雖有懷疑，但沒有證據，便給予優詔憫恤。史載：「鼎清操絕俗，生平不受請託，亦不請託於人。卒之日，家無餘貲。」（《清史稿．王鼎傳》）

第四，布彥泰（一七九一～一八八〇年），滿洲正黃旗人。他的一生幾乎在西北邊陲度過，先後任喀什噶爾參贊大臣、烏什辦事大臣、喀什噶爾總兵、哈密辦事大臣、塔爾巴哈臺參贊大臣、陝甘總督、葉爾羌幫辦大臣、伊犁將軍等，偕將軍奕山會議俄羅斯通商事宜。直至咸豐四年（一八五四）才回京。享年九十歲。林則徐、鄧廷楨等被遣戍新疆，受到伊犁將軍布彥泰的關照。布彥泰經常向他們虛心諮詢，在生活上儘量給予照顧。他幫助林則徐完成捐資修渠開墾，又上疏朝廷為林則徐表功。

第五，左宗棠（一八一二～一八八五年），清末洋務派和湘軍首領。道光二十九年（一八四九）十一月，林則徐由滇歸閩途中，特意將行船在長沙嶽麓山下湘江邊拋泊，派人招左宗棠來舟中見面。左宗棠和林則徐在舟中徹夜暢飲傾談。時林則徐六十五歲，左宗棠三十七歲，兩人神交已久，素未謀面，但一見如故。「湘江夜話」的經歷對左宗棠產生很大影響，後來他經略西北，反抗沙俄侵略，做出重要貢獻。林則徐逝世後，左宗棠寫下長聯悼念：

> 附公者不皆君子，間公者必是小人，憂國如家，二百餘年遺直在；
> 廟堂依之為長城，草野望之若時雨，出師未捷，八千里路大星頽。（《左文襄公全集·聯語》）

林則徐生逢中國社會大變革時代。他睜眼看世界，挺身抗侵略，以錚錚鐵骨維護國家獨立和民族尊嚴，是偉大的愛國民族英雄。

最後，我們要記住林則徐的名言：苟利國家生死以，豈因禍福避趨之。

第92講

辛酉政變

咸豐十一年七月十六日（一八六一年八月二十一日），咸豐皇帝在避暑山莊煙波致爽殿召見怡親王載垣等八人，諭：「立皇長子載淳為皇太子。」又諭：「著派載垣、肅順等八位顧命大臣，贊襄一切政務。」咸豐帝此時因病在身，已不能握筆，遂命廷臣承寫朱諭。隨之，咸豐帝又授予皇后鈕祜祿氏「御賞」印章，授予皇子載淳「同道堂」印章，由葉赫那拉氏執掌。咸豐帝的意思是，在他死後，由皇后鈕祜祿氏、懿貴妃葉赫那拉氏與八大臣聯合執政，避免出現八大臣專權的局面，也避免出現皇后鈕祜祿氏或懿貴妃葉赫那拉氏一人專權的局面。第二天清晨，咸豐帝病逝。

咸豐帝臨終前所做的精心安排，很快就被打破，這就是「辛酉之變」。

三股勢力

當時，朝廷的主要政治勢力，分為三股。

第一，朝臣勢力。其集中代表是咸豐臨終顧命、贊襄政務的八大臣。主要為兩部分人：載垣、端華、肅順等三人，為宗室貴族，景壽為額駙，係姻親貴族；穆蔭、匡源、杜翰、焦佑瀛四人，為朝廷大員、軍機大臣。

第二，帝胤勢力。咸豐帝死時，道光帝九個兒子中，健在的還有五阿哥惇親王奕誴（過繼）、六阿哥恭親王奕訢、七阿哥醇郡王奕譞、八阿哥鐘郡王奕詥、九阿哥孚郡王奕譓等。恭親王奕訢這時三十歲，正年富力強。當大敵當前，咸豐帝和一干大臣都逃到避暑山莊，沒有一個人身臨前線。恭親王奕訢是空有爵位的閒散親王，既不是大學士，也不是軍機大臣，更不是御前大臣，卻要挺身在第一線，處理那麼一個爛攤子；提出到承德奔喪又遭到拒絕；作為咸豐帝的血親而未列入顧命大臣。於是，奕訢就同諸位兄弟們聯合起來，同帝后勢力聯合。

第三，帝后勢力。就是六歲的同治皇帝和兩宮太后——慈安太后和慈禧太后，雖然他們是孤兒寡母，卻是帝制時代皇權的核心。咸豐帝在臨終之前，將「御賞」章，交皇后鈕祜祿氏收掌；而將「同道堂」章，交皇太子載淳收掌，實際上是由其生母慈禧皇太后掌管。持有這兩枚印章，就是掌握了最後否決權。如果她們不加蓋這兩枚印章，八位顧命大臣是發不出「詔書」和「諭旨」的。因此，帝后勢力是朝廷中最為重要的政治勢力。

在對待顧命大臣的態度上，帝后一方同帝胤一方的利益是共同的，他們聯合起來共同對付顧命大臣，這就在三個政治集團的力量對比上，以二對一，占有優勢。

發動政變

這時，朝廷大臣實際上分為兩半：一半在承德，另一半在北京。因此，主要分為兩個派別：以肅順為首的「承德集團」和以奕訢為首的「北京集團」。在北京的大臣，又發生了分化，一部分傾向於顧命大臣，大部分則傾向於帝胤和帝后勢力，從而出現錯綜複雜的局面。「承德集團」隨駕，主要人物有贊襄政務八大臣載垣、肅順等。「北京集團」以恭親王奕訢為首，其支持者除了奕誴、奕譞、奕詥、奕譓之外，還有軍機大臣文祥、桂良、寶鋆等人。

「北京集團」的特點，一是漢儒老臣多，二是正直不阿之臣多，三是對西方了解之臣多，四是力議咸豐在京主政者多，五是主張議和後請皇帝回鑾者多，六是官員年富力強者多。特別是他們得到兩宮皇太后與同治皇帝的支持。

以上兩個朝廷集團，在咸豐承德駕崩之日，便是開始較量之時。

咸豐十一年（一八六一）八月：

清文宗奕詝像

初一日，恭親王奕訢獲准趕到承德避暑山莊，叩謁咸豐的梓宮。《我的前半生》記載：相傳奕訢化裝成薩滿，在行宮見了兩宮皇太后，會面約兩個小時，密商決策與步驟後，返回北京，準備政變。此時，咸豐皇帝剛駕崩十三天。

初五日，醇郡王奕譞為正黃旗漢軍都統，掌握實際軍事權力。

十一日，兩宮太后召見八大臣，討論御史董元醇所上請太后權理朝政、簡親王一、二人輔弼的奏摺。肅順等以咸豐遺詔和祖制無皇太后垂簾聽政故事，擬旨駁斥。雙方激烈辯論。《越縵堂國事日記》記載：肅順等人恣意咆哮，「聲震殿陛，天子驚怖，至於涕泣，遺溺後衣」，小皇帝嚇得尿了褲子。相持逾日，八大臣只好先答應兩宮太后，回到北京再說。

九月：

初四日，醇郡王奕譞任步軍統領，掌握了京師衛戍的軍權。不久，奕譞又兼管善捕營事。

二十三日，大行皇帝梓宮由避暑山莊啟駕。同治帝與兩宮皇太后，奉大行皇帝梓宮，從承德啟程返京師。第二天以皇帝年齡小、兩太后為年輕婦道為藉口，從小道提前趕回北京。

二十七日夜，肅順等被醇郡王奕譞等抓摶。肅順咆哮不服，械繫，下宗人府獄，見載垣、端華已先在。

二十九日，同治帝奉兩宮太后回到北京皇宮，即在大內召見恭親王奕訢等。

三十日，發動政變。同治帝與兩宮皇太后，宣布載垣等顧命大臣罪狀，把英法聯軍入侵北京、圓明園被焚掠、皇都百姓受驚、咸豐皇帝逃到熱河的政治責任全扣到載垣等八大臣頭上。

十月：

初一日，同治帝與兩宮皇太后命恭親王奕訢為議政王、軍機大臣，命大學士桂良、戶部尚書沈兆霖、侍郎寶鋆、文祥為軍機大臣。

初三日，大行皇帝梓宮到京。兩宮太后和恭親王利用提前到京的四天，完成了這場政變。

初五日，改年號「祺祥」為「同治」。翌日，詔賜載垣、端華在宗人府空室自盡，肅順被處斬，褫景壽、穆蔭、匡源、杜翰、焦祐瀛職。據記載：「將行刑，肅順肆口大罵，其悖逆之聲，皆為人臣子所不忍聞。又不肯跪，劊子手以大鐵柄敲之，乃跪下，蓋兩脛已折矣。遂斬之。」（薛福成《庸庵筆記》）

初九日，載淳在太和殿即皇帝位。

後，同治帝奉慈安皇太后、慈禧皇太后御養心殿垂簾聽政。垂簾聽政設在養心殿東間，同治帝御座後設一黃幔（初為黃屏），慈安皇太后與慈禧皇太后並坐在垂簾後面，恭親王奕訢立於左，醇郡王奕譞立於右。

養心殿東暖閣太后垂簾聽政處

這次政變，因載淳登極後擬定年號為祺祥，史稱「祺祥政變」；這年為辛酉年，又稱「辛酉政變」；因政變發生在北京，也稱「北京政變」。其時，發動政變的四個主要人物——慈安皇太后二十五歲，慈禧皇太后二十七歲，恭親王奕訢三十歲，醇郡王奕譞二十二歲。

機智果敢

發動政變的以上四人中，兩宮太后年輕新寡，深居宮中，王爺年輕氣盛，孤立無援，同治帝只齡孩童，本來處於劣勢。但是他們機智果敢，乾脆俐落地取得辛酉政變的勝利。其主要原因是：

第一，抓住並利用官民對英法聯軍入侵北京、火燒圓明園的強烈不滿，對咸豐皇帝和「承德集團」不顧民族、國家危亡而逃到避暑山莊的不滿，把全部歷史責任都推到顧命八大臣頭上，取得政治上的主動，顧命八大臣則成了替罪羊。

第二，充分利用掌握「御賞」、「同道堂」兩枚印章的否決權。

第三，帝后勢力與帝胤勢力結合，合二為一，占據優勢。

第四，利用顧命大臣的麻痹思想，搶占先機，先發制人，果斷出手，一網打盡。

辛酉政變是君權與相權的一次大衝突，表現了兩宮皇太后和恭親王奕訢的機智果敢，深邃謀略。它的重大結果是清朝體制的一大改變。經過辛酉政變，否定由顧命大臣贊襄政務，而由兩宮太后垂簾聽政，由帝胤貴族擔任議政王、軍機大臣，這個體制最大的特徵是皇太后與奕訢聯合主政，後來演變為慈禧太后獨攬朝政的局面。隨之產生一個制度：軍機大臣領班由親貴擔任，軍機大臣滿籍兩人、漢籍兩人，在同治朝大體維持這種五人軍機結構的局面。不久，便開始推行同治新政。

第93講

同治新政

同治朝遇上難得的歷史機遇：在國內處於「太平天國」與「義和團」兩次重大社會動盪之間，在國際處於英法聯軍與八國聯軍兩次入侵之間，如同處在兩次大風暴中間的緩衝地帶。同治之前的道光、咸豐，之後的光緒、宣統，都沒有這樣有利的條件。這就給同治朝實行新政提供了一個難得的機遇。這幾乎與日本明治維新同時。

兩宮太后垂簾聽政，議政王奕訢主持政務，互相配合，推行新政，史稱「洋務運動」，又稱「同治新政」。新政的主要措施是：成立專門處理洋務的總理各國事務衙門，開辦洋務教育，開展洋務事業等。這標誌著清朝開始邁出開放和近代發展的一小步。

辦理洋務

同治元年（一八六二）二月，清朝成立總理各國事務衙門，這是兩千年來第一個專門處理外事的中央機構。它不僅掌管清廷與各國間的外交事務，而且總攬「新政」的所有洋務事務，所以實際上它是清廷的內閣兼外交部。

總理各國事務衙門下設英國股、法國股、俄國股、美國股和海防股等機構。其中，俄國股，兼理俄、日兩國；英國股，兼理奧地利；美國股，監理美、德、秘魯、義大利、瑞典、挪威、比利時、丹麥、葡萄牙；法國股，兼理法國、荷蘭、西班牙、巴西等國外交事務；海防股，掌管南北洋海防等。可以看出，當時清朝外交的視野還是比較開闊的。

當時清朝海關總稅務司由英國人赫德擔任，同治五年（一八六六）春天，赫德要請假回國結婚，建議帶幾位同文館學生去西方考察，這促成了派員出國考察的破天荒的事情發生。

官員們對出國考察都不願去、也不敢去，而六十三歲的斌椿報名應徵。斌椿，漢軍正白旗人，曾做過知縣等低級官員，後給赫德做祕書。同治五年正月二十一日（一八六六年三月七日），斌椿率三名同文館學生，從上海乘輪船出洋，在歐洲遊歷一百一十多天，訪問了法國、英國、荷蘭、丹麥、瑞典、芬蘭、俄國、普魯士、比利時等國。斌椿寫出《乘槎筆記》，記錄下親眼所見諸如歐洲博覽會、芭蕾舞、大英博物館、國家議會、近代報社、高等學院，法國凡爾賽宮、凱旋門，以及火車、輪船、電報、電梯、機器印刷、蒸汽機、攝影、鋼琴、起重機、顯微鏡、幻燈機、紡織廠、兵工廠等，同行學生張德彝也著《航海述奇》，將他們所看到的西方近代科技與文明介紹給國人。

學習西方

清政府著力培養洋務人才，總理各國事務衙門下屬的京師同文館，實際上就是新式外國語學校。由京師八旗子弟挑選十人入學，聘請英國教士包爾騰教授外語，請徐樹琳教授儒家經典。後奕訢請在同文館開設天文、算學館，引起了京師內外的軒然大波。京師流傳對聯：「鬼計本多端，使小朝廷設同文館；軍機無遠略，誘佳弟子拜異類師。」於是傳稱奕訢為「鬼子六」。更嚴重的是大學士、同治帝師傅倭仁上書反對。他認為：「立國之道，尚禮義不尚權謀；根本之圖，在人心不在技藝。」由於兩宮皇太后態度明朗，攻擊同文館招生之風才被壓下去。然而同文館的招生受到很大影響，原報名者九十八人，但參加考試者僅有七十二人，其中三十人是為有優厚獎學金而報考。半年後只餘下十名學員尚能跟上學業，遂與原來在館八旗子弟合為一班。同文館後來聘請美國人丁韙良為總教習，開設化學、數學、天文、物理、國際法、外國史地、醫學、生理學、政治經濟學等課程，畢業年限改為八年。同文館初具一所綜合性高等學府的規模。到光緒二十八

總理各國事務衙門舊影

年（一九〇二）併入京師大學堂。

除了開辦學堂，還派出留學生。容閎（一八二八～一九一二年），香山（今廣東省中山市）人。道光二十一年（一八四一），容閎入澳門馬禮遜教會學堂讀書，後跟隨該校美國教員布朗去了美國，成為近代早期留學生。他在美國讀完中學後進入大學，獲得耶魯大學文學學士學位。回國後，給直隸總督曾國藩做幕僚和譯員。同治九年（一八七〇），清政府批准曾國藩等派留學生的奏章，在上海成立留學出洋局。後以陳蘭彬、容閎為正副委員，常駐美國，經管留學生事務。

當時招生工作極難進行，幼童

父母都不願把孩子送到遙遠的大洋彼岸去。如詹天佑，他的鄰居在香港做事，勸其父送詹天佑報名。這位鄰居再三說明去美國留學比科舉進士有出息，並提出如果詹天佑去美國留學，就把女兒許配給他，他父親才同意了。當時詹天佑才十二歲。後來詹天佑學成回國，修築京張鐵路，建灤河大橋，都是稱著世界的創舉。

留學幼童先受預備班半年教育，學習簡單英語，了解美國情況。同治十一年（一八七二）夏，經過考試選拔，第一批幼童三十名，在上海乘輪船出洋。從同治十一年到光緒元年（一八七五），每年出國一批，每批三十人，共有四批一百二十人赴美國留學。

光緒七年（一八八一）五月，清政府將出洋學生一律調回。留美學生自同治十一年（一八七二）首批出洋，至光緒七年（一八八一）撤回，最長者達九年。出國時的十二歲到十六歲的少年，歸來時已是二十多歲的青年。他們在美國雖未完成計畫的學業，但都受到西方的教育。這些留學歸國的青年，許多人後來成為中國政界、軍界、學界、工商界、科技界等方面的知名人物，為中國近代建設做出貢獻。據不完全統計：從事行政和外交者二十四人，其中成為領事、代辦者十二人，外交次長、公使二人，成為總長一人、內閣總理一人；加入海軍者二十人，其中成為海軍將領者十四人；從事教育者五人，其中成為大學校長者二人；從事實業者三十人，其中成為工礦負責人者九人、工程師六人、鐵路局長三人等。

採西學，求洋器，成為一時風氣。曾國藩、李鴻章、左宗棠等走在前列，興辦近代軍

清穆宗載淳像

工廠，編練新式軍隊，購買英國、德國軍艦。近代軍事工業的出現，引進了比較先進的科學技術和大機器生產，對學習西方先進科學技術和培養科技人才，起到積極作用。

痛失機遇

中國的近鄰日本在一八六八年（同治七年）實行「明治維新」，走上國家富強之路。而清朝維新圖強的新鮮空氣，卻伴隨著軍機大臣奕訢的五任五罷而宣告夭折。清朝再一次堵塞了中西交流的渠道，又一次失去了向西方借鑒、學習和吸納的機會。

在此之前，清朝已經多次放棄發展的歷史機遇。

康熙學習西方科技是真誠的，也是認真的。康熙對歐洲主要國家的地理、人文、科技等都比較了解。但康熙帝僅作為個人興趣、個人求知，而沒有上升到國家政策和政府行為。因而，康熙之後，人亡政息。可以痛惜地說，康熙帝失去了一次發展的歷史機遇。

乾隆帝晚年，英國使臣馬戛爾尼來華，提出「交使通商」的請求，但乾隆帝故步自封，持盈保泰，陶醉於天朝上國的迷夢之中。他看不到世界發展的潮流和工業科技的進步，完全拒絕了英國的要求，堵塞了交流的渠道，又失去了一次發展的歷史機遇。

二十三年之後，英國國王第二次派遣了訪華使團，再次提出英國通商的要求。因為英使拒絕向嘉慶帝行三跪九叩禮，而被驅逐出境。清朝再一次堵塞了中西交流的渠道，並再次失去了向西方借鑒、學習和吸納的機會。

鴉片戰爭，清政府吃了敗仗，簽訂喪權辱國的《南京條約》。然而，道光帝卻拒絕吸取教訓，拒絕進行反思，拒絕改革圖新。

同治新政失敗之後，還發生了光緒朝的戊戌變法，結果又被戊戌政變所葬送。這是歷史給清朝最後一次圖強維新的機會，但被慈禧太后等頑固派所葬送。宣統初，清政府曾想做一點改良，但為時已晚，革命派已經對清朝的改革失去信心，也失去耐心，歷史做出抉擇：給予多次機會而不肯進行改革的清朝，將其淘汰出局。

清朝同中國歷史上其他皇朝不同，其時，英、美、法、德等西方列強，已經完成資本主義工業化、資產階級民主化；日本、俄國也逐漸強大。清朝面臨生死存亡的問題。大清帝國卻依舊故我，或換湯不換藥，「因循廢墮，可謂極矣！」

道光四子

道光帝有九個兒子，其皇四子奕詝繼承皇位為咸豐帝，其孫子為同治皇帝；皇五子奕誴出繼，皇六子奕訢被封為親王，先後預政咸豐、同治和光緒兩代三帝；皇七子奕譞，慈禧時封為醇親王，兒子為光緒帝，另一個兒子載灃為攝政王，孫子為宣統帝；還有皇八子奕詥、皇九子奕譓、皇五子奕誴的孫子溥儁被慈禧選為皇儲，預備取代光緒帝，後被廢。道光帝的兒孫們，對晚清歷史影響深遠。

咸豐帝奕詝大家比較熟悉。我重點介紹奕訢、奕譞和奕誴這三位道光帝的兒子。

老六奕訢

恭親王奕訢（一八三三～一八九八年）和皇四兄奕詝是同父異母兄弟。奕詝從小由奕訢母親撫養。奕詝母親死後，就完全由奕訢的母親養育。奕詝與奕訢共同生活了十七年，同在書房，讀經書，習騎射，共制槍法二十八勢、刀法十八勢，道光帝賜槍名「棣華協力」，刀名「寶鍔宣威」，並以白虹刀賜奕訢。同時，他倆僅相差一歲，都曾經是皇位的候選人。最後奕訢以仁孝的表現取得道光帝的青睞。奕訢一生，在咸豐、同治、光緒三朝大起大落，從一位文武雙全的睿智青年，到從容威嚴的外交官，最後成為唯唯諾諾的病人。奕訢的人生經過六次大起大落。

一起一落。咸豐三年（一八五三）九月，洪秀全兵逼畿南，咸豐帝起用奕訢，形勢好轉。五年（一八五五）七月，罷其職務，仍在內廷行走，在上書房讀書。

二起二落。咸豐十年（一八六〇）八月，英法聯軍逼近京師，咸豐帝逃往熱河，授奕訢欽差大臣，督辦和局；和議告成，回報奕訢：一要議處，二不見面，三排除在顧命大臣之外。

三起三落。咸豐十一年（一八六一）七月，咸豐帝崩，奕訢與兩宮太后舉行辛酉政變，為議政王、軍機處大臣，王爵世襲，食親王雙俸。同治四年（一八六五）三月，兩宮太后命奪議政王號及一切差使。王入謝恩，痛哭引咎。

四起四落。同治七年（一八六八）二月，西捻軍逼近京畿，命奕訢節制各路統兵大臣。十三年（一八七四）七月，同治帝諭責奕訢，降為郡王，奪世襲罔替，仍在軍機大臣上行走。

五起五落。光緒帝即位後，再次起用。光緒十年三月十三日（一八八四年四月八日），

奕訢像

奕訢等全體軍機大臣突然被一體罷免。慈禧皇太后令奕訢停止雙俸，家居養病。慈禧撤換了以奕訢為首的軍機處，成了不受任何約束的擁有絕對權威的太上女皇。

六起六落。光緒二十年（一八九四），日本侵朝鮮，復起奕訢管理總理各國事務衙門，並總理海軍，會同辦理軍務，內廷行走；後又命督辦軍務，節制各路統兵大臣。十一月，授軍機大臣。但此時的奕訢已經是六十二歲的老人，疾病纏身，銳氣全消。此前領略了慈禧太后淫威手段的奕訢，現在一味聽命於慈禧，主張求和。二十四年（一八九八）四月薨，年六十七。奕訢之死，使慈禧與光緒帝之間失去了一個重要的中間調解人。這就使慈禧與光緒之間的矛盾激化，最終導致了戊戌政變。

恭親王奕訢經歷六起六落，每當國家陰雲密布，就受到信任起用；雨過天晴，就遭到貶斥冷落。恭親王奕訢，用不辭勞，罷不生懟，有純臣之器度。

老五奕誴

奕誴，道光皇帝的第五子。他的母親鈕祜祿氏，被道光封為貴人，進為嬪，又降為貴人。咸豐繼位後尊為皇考祥妃。

道光二十六年（一八四六）奕誴過繼給皇叔惇恪親王綿愷為後，襲郡王。咸豐即位，命在內廷行走。奕誴屢以失禮獲譴。咸豐五年（一八五五）三月，降貝勒，罷一切職任，上書房讀書。六年（一八五六）正月，復封惇郡王。十月，進親王。同治即位，諭免叩拜稱名。同治七年（一八六八）正月，捻軍逼近畿，奕誴陳防守之策。同治十一年（一八七二），同治帝大婚，賜紫內大臣班及帶豹尾槍。同治十三年（一八七四）十二月，賜紫禁城乘四人肩輿。

奕誴有八個兒子，其中有爵位的有五位：載濂、載漪、載瀾、載瀛、載津。其中，載漪值得說一下。光緒十年（一八八四），奕誴第二子載漪，過繼給瑞懷親王綿忻的兒子奕誌，襲貝勒。光緒十五年（一八八九），加郡王銜。十九年（一八九三）九月，授為御前大臣。二十年（一八九四），進封端郡王。為什麼連連升遷？因為載漪福晉，承恩公桂祥之女，是慈禧的姪女。光緒二十五年十二月二十四日（一八九九年一月二十四日），光緒帝承太后命，溥儁入為光緒帝後，號「大阿哥」，命在弘德殿讀書，以承恩公尚書崇綺、大學士徐桐為師傅。明年元旦，大高殿、奉先殿行禮，以溥儁代。京師傳言，光緒帝將下詔禪位，大學士榮祿與慶親王奕劻以各國公使有異議，諫止。

光緒二十六年（一九〇〇），義和拳亂起，載漪篤信，以為義民，亂勢益張。五月，命充總理各國事務大臣。八月，八國聯軍自天津逼京師，光緒奉太后出逃，載漪及溥儁跟隨。到大同，命載漪為軍機大臣，不久罷免。命奕劻與大學士李鴻章議和，諸國指載漪為首禍。十二月，奪爵，戍新疆。光緒二十七年（一九〇一）十月，光緒和慈禧太后返回途經開封，諭：「載漪縱義和拳，獲罪祖宗，其子溥儁不宜膺儲位，廢『大阿哥』名號。」最後落得獲罪，奪爵，歸宗。

老七奕譞

道光帝第七子奕譞，咸豐帝即位後，封醇郡王。咸豐九年（一八五九）三月，分府，命仍在內大臣。同治帝即位後，授都統、御前大臣、領神機營。同治三年（一八六四），加親王銜。四年，兩太后命弘德殿行走，稽察課程。同治十一年（一八七二），進封醇親王。同治十二年（一八七三），同治帝親政，罷弘德殿行走。

同治帝突然病死後，奕譞之子、四歲的載湉被慈禧太后指定為帝，就是光緒帝。醇親王奕譞奏兩太后，說因同治帝去世，兒子被定為嗣皇帝，五內崩裂，倉猝昏迷，不知所措；舊疾肝病復發，請求辭去一切職務。慈禧太后同意，命王爵世襲。光緒帝在毓慶宮入學，命他照料。後賜親王雙俸。

逛一逛

毓慶宮

始建於清康熙十八年（一六七九），位於奉先殿與齋宮之間，爲明代奉慈殿舊址。乾隆五十九年（一七九四）擴建一座大殿，嘉慶六年（一八〇一）繼續擴建，光緒十六年（一八九〇）和二十三年（一八九七）各加以修繕，原有大量藏書，清末民國時期被移出。

咸豐十一年（一八六一）九月，設海軍衙門，命醇親王奕譞總理，節制沿海水師，定議操練海軍，自北洋水師開始，並派李鴻章專管此事。翌年三月，賜醇親王與福晉杏黃轎，王疏辭，不許，但不坐。李鴻章經畫海防，於旅順開船塢，築砲臺，為海軍基地。

奕譞像

北洋有大小戰艦凡五艘，還有蚊船、雷艇等，逐漸組成水師。命奕譞同李鴻章等，出天津大沽口，經威海、煙臺，到旅順，巡視北洋水師及水師學堂（《清史稿・奕譞傳》）。

光緒帝親政後，王奏：太平湖賜第為皇帝發祥地。世宗以潛邸升為宮殿，高宗諭子孫有自藩邸紹承大統者，應用其例。慈禧從之。別賜第即醇親王北府（今宋慶齡故居），發帑十萬兩修葺。光緒十五年（一八八九）正月，大婚禮成，賜金桃皮鞘威服刀，增護治邸第未竟，復發帑六萬。並進封諸子。

毓慶宮

光緒十六年（一八九〇）正月，以光緒帝二十歲萬壽，增加護衛官兵五十人。十一月，醇親王發病，光緒帝親往探視。不久，醇親王奕譞薨，年五十一。定稱號日皇帝本生考。配享太廟。光緒帝繼承皇位後，醇親王奕譞謙卑謹慎，翼翼小心，十餘年間，殫竭心力，恪恭盡職。每有憂敘，涕泣懇辭，賜杏黃轎，不敢乘坐。自古攝政，何以過此？

奕譞有七個兒子，除了光緒帝外，還有一個兒子也是大名鼎鼎，就是載灃。載灃的兒子，也就是奕譞的孫子、光緒的姪子溥儀，被慈禧

清德宗載湉像

太后指定為宣統皇帝。載灃襲醇親王，宣統帝即位後，命為監國攝政王，直到宣統三年（一九一一），宣統帝遜位，清朝結束。

清朝十二位皇帝，共有皇子一一三人。道光皇帝有九位皇子，除三人早死外，其中六位影響清朝最後半個世紀的歷史。

載灃是清朝、也是中國皇朝史上最後一位攝政王。民諺說：清朝自攝政王多爾袞始，又以攝政王載灃終，是偶然耶，還是必然耶？

第95講

國師懿榮

清朝光緒年間，光緒帝的南書房有一位翰林入值，兼任國子監祭酒，他就是王懿榮。王懿榮，為後人永久記憶的，是他的學問和氣節兩件事。

三任祭酒

王懿榮（一八四五～一九〇〇年），福山縣（今在山東省煙臺市）人。他三次擔任國子監祭酒。國子監是明清北京最高學府，祭酒是官名，就是國子監的最高領導者。當時北京國子監是全國唯一的最高學府——大學，王懿榮就是這所大學的校長。王懿榮連著三次任國子監祭酒，為人師表，師生敬佩。

王懿榮的先祖王忠，明初到福山做官。這裡依山傍海，風景優美，物產豐富，民風樸實，王忠最後定居在這裡。王家世代讀書，出了不少文化名人。他的先祖王鷲，清順

王懿榮像

治進士。康熙年間，他在四川做官，「不取民間粒米、束草，日費取給於家」，非常清廉。時重修太和殿，需要大量楠木。王騭上〈請停止解運楠木疏〉，說：四川在戰亂後，民生凋敝，滿目瘡痍，攀藤側立，運木更難。通省戶口不過一萬八千餘丁，抽撥五千入山採木，耕作全廢，國賦何徵，奏請上裁。康熙帝採納，改用東北松木。王騭官做到江西巡撫、閩浙總督、戶部尚書。他曾書寫對聯：「有子能文何必貴，為官致富不如貧。」刻苦讀書，體恤民生，嚴以律己，為人正直，成為王氏的家風。

王懿榮出生在世代官宦、詩書溢香的門第，自幼讀書，參加科考。雖讀書用功，卻科場不順。王懿榮參加鄉試，一試不中，二試不中，三試不中，四試還不中。在他科考屢受挫折時，先祖「父子三翰林」的事蹟，激勵他屢挫不餒，繼續科考。他的夫人黃氏，每次鄉試發榜時，都期待佳音，卻總是失望。後來在病中竟不能聽外面叫賣刊印科考榜上有名「題名錄」的聲音，便用被子蒙著頭、捂著耳朵。到第七次鄉試中舉，他的夫人卻在一個月前病逝，永遠看不到、聽不到金榜題名的喜訊。來年，王懿榮考中進士，時三十六歲。

王懿榮中進士後，一路東風，順順利利。考入庶吉士（讀研），三年後散館（畢業），進入翰林院。這年他三十九歲。任翰林院編修，後入值南書房，兼任國子監祭酒。

甲午戰起，日據威海，又陷榮城，登州大震，王懿榮請歸練鄉團。和議成，回北京，又做國子監祭酒。凡三任，共七年。

王懿榮著述很多，這裡不一一介紹。他還有一個特殊的重大貢獻，就是發現了甲骨文字。

甲骨文字

光緒二十五年（一八九九），王懿榮在中藥「龍骨」中首先發現甲骨文刻辭，並斷為古代文字，是中國第一位甲骨文字學家。

在王懿榮之前，大家都知道最早的漢文字刻或寫在竹簡或木簡上，叫作簡書。如馬王堆漢墓中出土了大量的簡書。其實，早在春秋時代，孔子就「韋編三絕」。「韋」，就是皮條。一部書那麼多的竹簡或木簡，怎麼讀呢？用皮條穿起來，一簡一簡地閱讀。翻的遍數太多，皮條斷了三次。這說明孔子讀書非常刻苦用功。還有金文，就是把文字鑄在鐘鼎等器物上。春秋戰國，還有書寫在絹帛上，稱作帛書，等等。那麼，更早呢？如商朝，把文字刻在或寫在龜甲或獸骨上，後來稱作甲骨文。

那時人們不知道這是甲骨文，而把地下挖出來的、地上撿拾到的帶文字的龜甲和獸骨，賣給藥鋪，當成中藥。那麼，王懿榮是怎樣發現甲骨文的呢？王懿榮泛涉書史，酷嗜金石，「篤好古彝器、碑版、圖畫」，是著名的金石文字學家。

一天，王懿榮得病，派人到北京菜市口達仁堂中藥店抓藥，買回藥來開包一看，發現「龍骨」上的刻痕，既不像大篆字，也不像小篆字。王懿榮對金石文字素有研究，便覺得好奇，仔細觀看，反覆琢磨，認為這不是一般的刻痕，很像古代文字。他派人趕到這家藥店，把藥店刻有符號的龍骨全部買下，後來又廣泛搜購，共收集了一千五百多片。王懿榮經過初步對比和研究，認為是一種新的文字，就叫甲骨文。他斷定是殷墟古文字。

王懿榮的兒子王崇煥有一段記載：河南彰德府安陽縣小商屯地方，發現殷代卜骨龜甲甚多，上有文字。估人攜至京師，公審定為殷商故物，購得數千片。是為吾國研究殷墟甲骨文字開創之始（《王文敏公年譜》）。這一年是光緒二十五年（一八九九）。學界公譽王懿榮是甲骨文之父。甲骨文發現後，經文字學家、金石學家、考古學家和歷史學家等共同研究，證實殷朝確實存在。後經《老殘遊記》作者劉鶚並羅振玉等收集整理，拓片成書。再經王國維等研究，識別更多的字，並將甲骨文記載與司馬遷《史記．殷本紀》記載，互相對照，於是將殷商王朝世系大致排列出來，確證商朝就有文字記載的歷史是信使。

目前，已出土甲骨文十五萬餘片，其中單字約四千五百個，已識讀兩千餘字。這就將中國有文字記載的歷史提前了將近一千年，從此，商朝結束了神話和傳說的歷史，開始了有文字記載的歷史，為中華文明研究做出了重大貢獻。而這一成就的發端者，就是被譽為甲骨文之父的王懿榮！

可惜，王懿榮發現甲骨文後的第二年，抗擊外敵，以身殉國。

以身殉國

王懿榮所處的時代，正是東西方列強瘋狂侵略中國的時期。清朝一仗敗一仗，一辱連一辱，割地、賠款、喪權、辱國……

八國聯軍侵入時，國子監祭酒王懿榮被任命為京師團練大臣。王懿榮面奏：「拳民不可恃，當聯商民備守禦。」但是，事態危急，已不可為。

光緒二十六年（一九〇〇），慈禧太后、光緒帝從皇宮倉皇出逃，離開北京。七月，八國聯軍進攻北京城東直門，王懿榮等率領義團，奮不顧身，進行抵抗。然而，眾寡懸殊，抵抗失利。見勢危急，王懿榮急速回到東城錫拉胡同十一號住宅。此前，院裡有一口又大又深的井。王懿榮早就命人把井挖深。家人問他為什麼？他笑道家人：「此吾之止水也！」意思是這是我終身止水的地方。

他跟家人說：「吾義不可苟生！」意思是我不能苟且求生！家人圍著他長跪，一邊哭泣，一邊勸說。王懿榮決心已定，喝下毒藥，沒有立即死，遂在牆壁上，寫下絕命詞：

主憂臣辱，——意思是：（皇上憂愁，大臣受辱。）
主辱臣死。——意思是：（皇上受辱，大臣死節。）
於止知其所止，——意思是：（死，知道為什麼死。）
此為近之。——意思是：（我要為國而死！）

王懿榮寫完絕命詞，決然擲筆，赴井而死。王懿榮投井殉國後，他的夫人謝氏、寡媳張氏，共同殉難！

事後，國子監太學生打撈遺體，集資掩埋。這年王懿榮四十六歲。後朝廷贈侍郎，謚文敏。

王懿榮自殺殉國，捨身成仁，大節凜然，既體現了士人的高風亮節，也體現了其人的愛國精神。

第96講

皇帝稱謂

明清二十八位皇帝，先後有二十四位皇帝成為北京皇宮的主人，在帝制時代，皇帝才是皇宮的主角。那麼，當時其他人該怎樣稱呼皇帝呢？我以清朝為例，簡單介紹一下。

皇帝名字

每一位清朝皇帝（宣統帝除外）都有五種稱謂，就是皇帝的名字、他的年號、他的廟號、他的謚號、他去世之後入葬之前的稱謂等。這五種稱謂使用的時間、地點、場合，都有嚴格規定，既不能亂用，也不能混用。在清朝如果疏忽錯用，輕者受到申斥、降罰，重者可能被革職，甚至於論斬。但是，影視劇中常遇到皇帝廟號、謚號、年號、名字相混淆的現象。有的觀眾也提出這方面的問題。

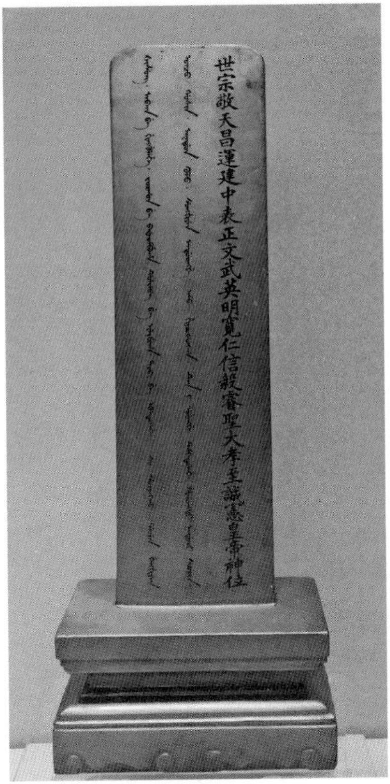

寫有全部謚號的雍正帝神位

名字：這個比較簡單，皇帝的名字，都是出生後不久，多由他的父親起的，伴隨他的終生。清朝皇帝遵循滿洲傳統，只有名，不冠姓。比如：清太祖，名努爾哈赤；清太宗，名皇太極。他們不姓「努」或「皇」，而姓愛新覺羅。入關後，順治帝給皇子取名，雖然還是只有名不冠姓，但是用滿語取名，再音譯成漢字，比如玄燁。康熙二十年（一六八一）以後，康熙帝一方面堅持滿洲只取名不冠姓的傳統，同時正式採用漢人的取名方法，規定他的皇子皇孫取名，第一個字表示排行，第二個字採用同樣偏旁。如皇子輩，第一個字用「胤」字排行，表示輩分，第二個字用「示」字偏旁。如皇太子，胤礽；皇四子，胤禛。皇孫輩，第一個字用「弘」，第二個字用「日」字偏旁。如弘曆、弘晳。曾孫輩，第一個字用「永」字排行，第二個字，以「王」（玉）字為偏旁，如永琰、永琮。

皇帝三號

清朝皇帝都有三「號」——年號、廟號、謚號。

年號：用來紀年。中國古代是用干支紀年，如甲午、己巳、戊戌、辛酉，但干支紀年有一個缺陷，就是每六十年一輪回，所以六十年一重複；另一種辦法就是用帝王的年號紀年；或者兩者兼用。明清紀年，用皇帝年號，就是每一個皇帝有一個（個別有兩個）年號，用它來紀年。我們常說的永樂、崇禎、康熙、雍正、乾隆，就是年號。現在通行將年號和名字等同，如康熙就是玄燁，雍正就是胤禛，乾隆就是弘曆等。嚴格說來，康熙、雍正、乾隆等都是年號，不是名字。但大家已經習慣，約定俗成。這樣，清朝十二個皇帝共有十三個年號（皇太極有天聰、崇德兩個年號），十三個年號也稱十三朝，所以有的書說《清宮十三朝演義》，就是這個意思。

明萬曆四十八年（一六二〇）七月，萬曆皇帝去世。八月初一日，光宗泰昌帝繼位，九月初一日，泰昌帝就死去。九月初六日，天啟帝繼位。在同一年裡，先後有三位皇帝的年號存在，該如何紀年？經過廷議，決定：萬曆四十八年八月初一日以前，為萬曆四十八年；八月初一以後為泰昌元年，第二年為天啟元年。

廟號：《辭源．廟號》解釋說：「帝王死後，在太廟立室奉祀，並追尊某祖、某宗的名號，稱廟號。始於殷代……其後歷代封建帝王，都有廟號。」廟號是皇帝死了之後，給他追尊的名號，因為要寫在太廟的牌位上，所以稱為廟號。如康熙帝的廟號是聖祖，雍正帝的廟號是世宗，乾隆帝的廟號是高宗。宣統帝死於辛亥之後，所以沒有廟號。廟號是皇帝死了之後才有的，皇帝生前沒有廟號。影視劇中皇帝活著就被大臣稱廟號，這是有悖常理常識的。

謚號：謚號是對死去皇帝具有評價意義的稱號。清代皇帝的謚號，由繼任的皇帝恭上。其謚號字數很多，太祖二十七字，太宗、世祖、聖祖、世宗、高宗、宣宗各二十五字，仁宗、文宗、穆宗、德宗各二十三字。常用簡稱，就是取「皇帝」之前的一個字，如，康熙帝謚號是「仁」，雍正帝謚號是「憲」，乾隆帝謚號是「純」。宣統帝死於辛亥之後，所以沒有謚號。

皇帝的廟號和謚號在正式冊文中寫全稱。比如清太祖努爾哈赤的廟號和謚號，是清朝皇帝中字數最多的，共二十九個字：

太祖　承天廣運　聖德神功　肇紀立極　仁孝睿武　端毅欽安　弘文定業　高皇帝

這二十九個字，關鍵是三個字，即廟號「太祖」和謚號「高」。這三個字是努爾哈赤獨有的。

清帝謚號的前四個字，都有一個「天」字，也都有一個「運」字（皇太極除外），如康熙為「合天弘運」，雍正為「敬天昌運」，乾隆為「法天隆運」。

明朝皇帝謚號的前四個字，也都有一個「天」字，不同的是沒有「運」字，而是「道」字。如明太祖朱元璋為「開天行道」，明太宗朱棣為「啟天弘道」等。

大行皇帝：皇帝死後入葬之前，稱作大行皇帝。

新皇帝登極，大行皇帝入葬、定了廟號和謚號之後，就稱廟號、謚號，如康熙帝稱「聖祖仁皇帝」，雍正帝稱「世宗憲皇帝」，乾隆帝稱「高宗純皇帝」等。

皇帝名諱

中國皇帝的名諱，歷史悠久。清承明制，實行名諱。清帝的名字，是不可以隨便叫的，也不可以隨便寫的。清帝的名字，從他登上皇位那天開始是要避諱的，別人不能使用皇帝名字的讀音，不能用也不能寫皇帝名字的字。但清帝的名諱，不同時期有不同規定。

天命、天聰、順治時期：清朝太祖、太宗、聖祖三朝，還沒有實行皇帝名諱。如「努爾哈赤」、「皇太極」、「福臨」出現在正式典冊（如「實錄」、「玉牒」）時，在名字上貼上黃籤，以示敬避。他們的名字不可以寫，也不可以讀；但組成這三個皇帝名字的字，分解開來，可以寫，也可以讀。

康熙、雍正時期：康熙朝開始將皇帝的名字作諱筆。如康熙的名字「玄燁」，避諱時諱缺末筆，「玄」字、「燁」字書寫時都諱缺最後一筆。遇到「玄」字，缺末筆，就是「玄」字最後一筆的「、」不寫。我統計過，康熙二十四年（一六八五）編修的《康熙順天府志》，全書的「玄」字和帶「玄」部首的字，如「鉉」、「炫」、「玹」、「弦」、「絃」、「泫」等字，都諱缺末筆，總計七十處。皇宮後門明朝叫「玄武門」，康熙時避諱「玄」字，改為「神武門」。

雍正時，雍正的名字為「胤禛」，「胤」字、「禛」字寫的時候要諱缺末筆，同時他的兄弟「胤」字都改成「允」字。所以，出現「允礽」、「允祉」、「允禩」、「允禟」、「允祥」等。他的十四弟胤禎則兩個字都改了，第一個字改成「允」，第二個字「禎」因為讀音跟雍正胤禛的「禛」接近，所以改為「禵」。

乾隆、嘉慶、道光時期：恢復康熙的做法，只將皇帝的名字作諱筆。

乾隆時，乾隆帝名弘曆。「弘」字諱缺末筆。

嘉慶朝，嘉慶帝名永琰。因「永」字為常用字，所以將御名上一字「永」改為「顒」

字。在寫「顯」字與「琰」字時，也要諱筆。

道光朝，道光帝原名綿寧，為「綿」字輩。將御名上一字「綿」改為「旻」，避諱時「文」字缺一點；將御名下一字「寧」字諱缺末筆，寫作「寍」等。北京廣寧門，改名為廣安門。

咸豐、同治、光緒、宣統時期：皇帝名字兩個字，規定前一個字不避諱，只是後一個字諱筆。

咸豐名奕詝，將御名上一字仍舊書寫，毋庸改避，下一字著缺寫末一筆；同治名載淳，「載」字不諱，「淳」字寫成「湻」字；光緒名載湉，「載」字不諱，「湉」字諱缺末筆；宣統名溥儀，「溥」字不避諱，將「儀」字缺末筆。

以上可見，清帝名諱逐漸簡化。從入關前不太講究名諱，到康、雍、乾嚴格名諱制度，再到嘉、道皇帝名字避諱常用字，復到咸、同、光、宣更加簡化的名諱制度，以方便大眾。

隨著帝制的覆亡，這些有關皇帝的名號稱呼，也都進入故紙堆。但是，作為古代文化的基本知識，也是應當了解的。還可以利用這些知識，鑒定文物真偽、書籍朝代版本。

第97講

皇位繼承

在中國帝制時代，皇帝是國家、民族的最高象徵，掌握國家最高的立法、行政、軍事、祭祀和司法大權。皇帝個人的素質、才能、品德、喜好等，對於國家、民族至關重要。因此，皇帝的選擇、皇位的繼承，於皇朝的盛衰，關係至為重要。明朝的皇位繼承制度，繼承了唐宋傳統，實行父死子繼、兄終弟及。而清朝皇帝更有東北漁獵文化的滋養，所以在皇位繼承制度上幾經變革。

演變軌跡

讓我們對清朝皇位繼承演變的軌跡，做個簡單的歷史回顧。

第一，貴族公推制。清朝皇帝的選擇，太祖、太宗時是由貴族會議推選。清朝的奠基者太祖努爾哈赤、太宗皇太極，是當時天下之精英，是各路英雄之俊傑。努爾哈赤十三副遺甲起兵，開始稱雄。但是，各部首領不服。努爾哈赤將建州五部——蘇克素護河部、哲陳部、董鄂部、完顏部、渾河部逐部征撫，又將長白山三部——鴨綠江部、珠舍里部、納殷部征撫。再將東海女真、黑龍江女真逐個部落征撫。還將海西女真扈倫四部——哈達部、輝發部、烏拉部、葉赫部逐個臣服。同時，要東對朝鮮、西對蒙古、南對明朝。最後，努爾哈赤是歷史的勝利者。所以，努爾哈赤黃衣稱朕，是經過長期激烈較量後勝利的結果。蒙古貴族、滿洲貴族共同推舉努爾哈赤為崑都侖汗，後稱天命汗。

皇太極、順治的登極，都是經過諸王貝勒大臣認真討論、反覆醞釀、彼此協調、政治平衡的結果。雖然順治六歲登極，但真正掌握實權的是攝政睿親王多爾袞。多爾袞在當時清朝統治階層中，是最傑出的人物。

第二，皇帝遺命制。順治皇位繼承後開始改為遺命制。康熙繼位，由順治帝遺命；雍正繼位，由康熙帝遺命（當然其中仍有歷史疑案）；同治帝繼位，由咸豐帝遺命。考據，在皇帝遺命之前，順治帝臨終前，皇太后同順治帝商量由八歲的玄燁繼承皇位，此事還同耶穌會士湯若望說過。康熙帝立皇太子，還請大學士、尚書等朝臣各陳自己的意見。可見這時的皇位繼承還有一定的透明度，有一點民主味兒。

第三，祕密立儲制。雍正朝實行祕密立儲制，就是皇帝生前確定皇位繼承人，而不宣布，祕密立儲。這樣做的好處是：一是避免被指定的皇太子放鬆對自己的嚴格要求；二是避免皇太子周圍結黨，威脅皇權；三是避免其他皇子之間爭鬥廝殺，以奪取皇太子的地

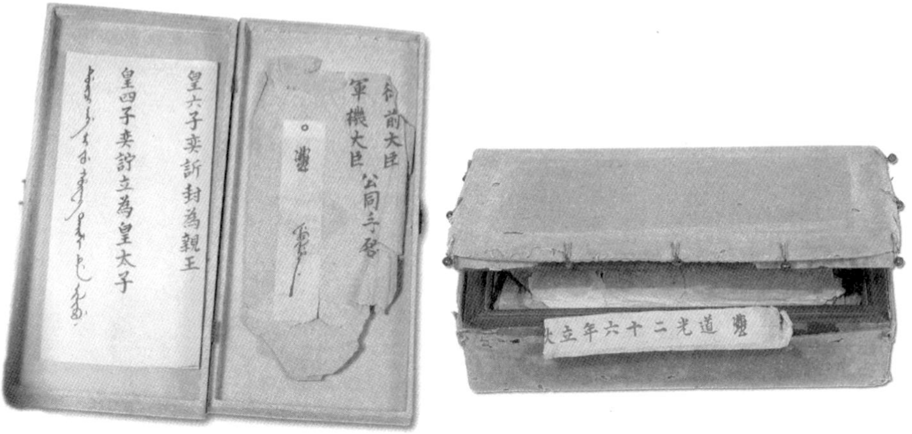

道光帝祕密立儲御旨

位；四是激發皇子們都嚴以律己，爭取向上。這項制度實行於乾隆、嘉慶、道光、咸豐四朝，實際上只有乾隆、道光、咸豐三朝實行過，因為嘉慶帝繼位是乾隆帝禪讓。祕密立儲制最大的缺陷是：皇位繼承人的選擇，完全由皇帝一個人暗箱操作，如道光祕密立咸豐為太子，選人不當。

第四，懿旨定儲制。同治帝身後，光緒帝載湉、大阿哥溥儁、宣統帝溥儀，都是由慈禧懿旨決定。皇帝不予參與，朝廷大臣不予議論，而由慈禧皇太后獨斷專行決定。載湉和溥儀兩任皇帝繼承皇位，既不是滿洲貴族會議推舉，也不是用遺詔形式，更不是祕密立儲，而是由皇太后「一言而定」。其選擇標準，一是幼童，便於太后垂簾；二是愛新覺羅氏與葉赫那拉氏兩個家族交叉點，以維持這兩個家族的統治。這在明清是沒有先例的。

清朝皇位繼承制度，貴族參與程度愈來愈少，直至一人獨斷；從皇帝獨斷，又到皇太后獨斷。這同世界發展的民主潮流是完全相悖的。

輔政大臣

再看輔政大臣演變的軌跡。

幼帝繼承皇位，必有大臣輔政。順治六歲繼位，由鄭親王濟爾哈朗、睿親王多爾袞先為輔政王，後為攝政王。他們是當時統治集團中最優秀的人才。

康熙八歲繼位，由索尼、蘇克薩哈、遏必隆和鰲拜四大臣輔政。他們都是身經百戰、閱歷豐富的老臣。

同治六歲繼位，定載垣、端華、肅順、景壽、穆蔭、匡源、杜翰和焦祐瀛八大臣贊襄政務。八大臣只「贊襄政務」，不是「輔政大臣」。後由兩宮太后垂簾聽政，議政王奕訢輔政。

光緒帝四歲繼位，沒有輔政王、攝政王、輔政大臣、贊襄政務大臣以及議政王輔政，而只有皇太后垂簾聽政。慈禧太后逐步將滿洲貴族中異姓貴族、軍功貴族、宗室貴族和帝胤貴族都排斥在外，實行個人獨裁，所謂「一人治天下，天下奉一人」。慈禧太后將皇權緊緊地抓在個人手中，創造了清朝極權體制的極致。這種慈禧太后極權的局面，持續近五十年。在世界政治日趨民主化的大潮中，大清帝國的皇權卻日益高度極權。這是釀成晚清歷史悲劇的一個重要原因。

國際競爭

晚清時的世界，六歲的同治、四歲的光緒、三歲的宣統，面臨的對手都是誰呢？

美國：實行總統制。林肯（一八〇九～一八六五年），美國第十六任總統（一八六一～一八六五年），恰與同治帝同時，以反對蓄奴的政治綱領贏得大選。他主張廢除奴隸制度，發表《解放黑人奴隸宣言》，平定南方叛亂，進一步掃蕩了奴隸制度，捍衛了國家統一。

英國：實行首相制、國會制。維多利亞女王（一八一九～一九〇一年），其任英國女王時期（一八三七～一九〇一年），與慈禧太后大致同時。英國的工商業快速發展，號稱「日不落帝國」。英國有女王，也有國會。維多利亞女王在任期間嚴格遵守憲法原則，決不逾越法定權限。

德國：俾斯麥（一八一五～一八九八年），擔任普魯士和德意志第二帝國首相（一八七一～一八九〇年），與同治、光緒同時。他通過三次王朝戰爭，統一德意志；對內推行高壓政策，被稱為「鐵血宰相」。

日本：伊藤博文（一八四一～一九〇九年），先後幾次擔任日本首相（一八八五～一八八八年，一八九二～一八九六年，一八九八年，一九〇〇～一九〇一年），大體與光緒同時。曾在英國學習海軍。在任期間，他起草明治憲法，在廢除日本封建制度、建立現代國家中起過重大作用；發動甲午戰爭，並取得勝利，迫使清政府簽訂《馬關條約》。

俄國：亞歷山大二世（一八一八～一八八一年），任俄國皇帝（一八五五～一八八一年），大體與同治、光緒同時。他於克里米亞戰爭期間即位，之後廢除農奴制度，並進行財政、文化、司法、軍事等方面的一系列改革，其任期被譽為「大改革時代」。俄國與中國簽訂《瑷琿條約》、《中俄北京條約》、《中俄勘分西北界約記》，強占中國約一百五十萬平方公里土地。

慈禧太后及其傀儡皇帝同治、光緒、宣統，恰與美國林肯、英國女王、德國俾斯麥、日本伊藤博文、俄國亞歷山大二世等同時代，這些孤兒寡母，怎麼可能與之相匹敵呢？

努爾哈赤、皇太極、多爾袞都是當時天下最優秀的人才。後來康熙、雍正、乾隆三帝，是憑藉前三帝功業的基礎，利用西方尚未東漸的時勢，並具有個人素質與才能的優勢，而成為中國歷史上傑出的英君、能君、名君。嘉、道以後，清朝不自覺地或被迫地參與了世界範圍近代社會的競爭。然而，皇帝卻一代不如一代——嘉慶帝為庸君，道光帝為愚君，咸豐帝為懦君，同治帝為頑君，光緒帝為哀君，宣統帝則為幼君。特別是慈禧太后，不懂軍事、不懂政治、不懂文化，不懂工農商學兵，不會弓馬騎射，更不懂近代科技，憑一點小聰明、小權術，卻成為中華四萬萬民眾的「女皇」，怎能不敗於世界列強！

司馬遷有句名言：「究天人之際，通古今之變。」天，天時也；人，人意也；古，鑒戒也；今，通變也。其時，西方許多國家已經工業化、民主制，清朝還是家天下、君主制。清末同、光、宣三朝，慈禧太后通過「聽政—訓政—親政」實行專政，長達半個世紀之久，逆天時，拂民意，不鑒古，拒通變。因此，清朝的覆亡，民國的興起，既是歷史的必然邏輯，也是民意的自然選擇。

第98講

皇帝之壽

皇帝不僅是皇宮的主人，也是當時天下之主。可謂呼風喚雨，改天換地，隨心所欲，這麼自在，這麼得意，這麼任性，他們的壽命一定很長吧？下面我們就來探討一下。

得壽不長

明朝十六位皇帝中，在北京皇宮君臨天下的有十四位，壽命最長的是永樂帝朱棣，六十五歲；壽齡最短的是天啟帝朱由校，二十三歲，平均壽齡四十一．二歲。

壽齡在六十到六十九歲的，也只有二位，永樂帝六十五歲，嘉靖帝六十歲。

壽齡在五十到五十九歲的，只有一位，萬曆帝五十八歲。

壽齡在四十到四十九歲的，有兩位，洪熙帝四十八歲和成化帝四十一歲。

壽齡在三十到三十九歲的，有八位，宣德帝三十八歲、英宗三十八歲、弘治帝三十六歲、正德帝三十一歲、隆慶帝三十六歲、泰昌帝三十九歲、崇禎帝三十四歲、景泰帝三十歲。

壽齡在二十到二十九歲的，有一位，天啟帝二十三歲。

十四位皇帝中，壽齡在四十歲以上的五位，其餘九位壽齡都在三十九歲以下。

清朝入關後十位皇帝，壽齡最長的是乾隆帝，八十九歲；壽齡最短的是同治帝，十九歲，平均壽齡五十二歲。

壽齡在八十歲以上的，只有一位，乾隆帝八十九歲。

壽齡在六十到六十九歲的，有四位，康熙帝六十九歲、嘉慶帝六十一歲、道光帝六十九歲、宣統帝六十二歲。

壽齡在五十到五十九歲的，有一位，雍正帝，五十八歲。

壽齡在四十到四十九歲的，沒有。

壽齡在三十到三十九歲的，有兩位，咸豐帝三十一歲、光緒帝三十八歲。

壽齡在二十到二十九歲的，有一位，順治帝，二十四歲。

還有一位壽齡不到二十歲的，同治帝，只活了十九歲。

十位皇帝中，壽齡在五十歲以上的六位，其餘四位壽齡在三十九歲以下。

從統計數字可以看出，清代皇帝比明代皇帝，平均壽齡長十一歲，但是以當代的眼光看，顯然明清皇帝的壽齡並不長，至少比一般人想像的要短。正好應了那句老話：「人生七十古來稀」。

冬夏兩季

皇帝去世的原因，屬於宮廷機密，後人只能通過一些史料加以分析推斷，多有歷史疑案。但是明清皇帝死去的時間，都是有記載的。學者經過研究，發現一個有趣的現象，就是明清皇帝多數在冬、夏兩季去世。

明朝十四位皇帝，崇禎帝不是病死的，景泰帝和泰昌帝是春、秋季去世，其餘十三位皇帝都在冬、夏兩季去世，其中宣德帝和正統帝都是正月去世，大年還沒過完。

清朝入關後十位皇帝，死於春、秋季的只有光緒帝和宣統帝，其中光緒帝很有可能是被毒死的，而溥儀死時已經不是皇帝。其餘十位皇帝，都死於冬、夏兩季。其中，順治、乾隆、道光三位皇帝，都是正月去世。

就皇帝去世的季節而言，明朝和清朝的皇帝竟然驚人地相似。

中國現存最早的醫學典籍《黃帝內經》中說：「非其時則微，當其時則甚」；「非其時則生，當其時則死。」意思是說，病患之體，陰陽失衡，在與季節相剋時，其病則重、則死。冬至到立春之時，氣候嚴寒，正值陰極陽生，陰陽交替，此時患病之體，難以順應自然之勢，天人不應，陰陽隔絕，是故死亡率最高。明清皇帝死亡時間的歷史資料表明，在冬三月裡，正月死亡率最高，如明清有五位皇帝死於正月。當然，中國地域遼闊，氣溫差異較大，不同地區，情況不同。明清皇帝主要生活在北京。皇帝也是人，其病死與季節氣候的關係，同平民百姓基本一致。

心理因素

雖然皇帝的死因往往是宮廷疑案，並不是很清晰，但還是有一定的規律性。我重點講一下心理因素對壽命的影響。

第一，強勢皇帝陰影下的繼承人。明朝有兩位皇帝在位時間非常短，一位是仁宗洪熙帝朱高熾，四十七歲繼位，四十八歲去世，在位九個月。他的父親就是永樂帝。他十七歲被爺爺朱元璋封為燕王世子，二十六歲被永樂帝立為皇太子，在此後的二十一年裡，永樂帝對他忽冷忽熱，兩位親王弟弟也覬覦爭鬥，朱高熾終日不安，長期壓抑，拖垮了身體。另一位光宗泰昌帝朱常洛更是處境煎熬，他的父親萬曆帝遲遲不安排他出閣讀書，讀了書又很快讓他輟讀，直到十九歲才被立為太子。可以說在他繼位前的三十八年中，一直生活在孤獨、恐懼和苦悶之中，結果繼位才一個月就死去了。

清朝的光緒帝，長期生活在慈禧太后的陰影中，特別是大婚之後，他渴望施展才能、實現抱負、婚姻幸福，但都被慈禧太后碾得粉碎。他即使不是被毒死的，也已經病入膏肓。

康熙帝雖然壽命不算短，但如果不是晚年糾結於立廢太子這個難題而患中風，他應該有更長的壽命。

從這幾位皇帝的經歷看出，心理因素對於壽命至關重要。生氣、著急、糾結和恐懼，是生命的三大殺手。

第二，肆無忌憚與節制有常。皇帝深居皇宮，權力至高無上，靠什麼來節制和約束自己呢？明武宗正德帝就是一位肆無忌憚的人，他的豹房政治，他的荒淫酒色，都創造了歷史之最，最後在三十一歲就喪了命。明熹宗天啟帝則是缺乏教育的典型。他到十六歲繼位時還是個無知頑童，沒有出閣讀書，當了皇帝以後更不好好讀書。他任性，暴躁，結果二十三歲就死去了。

乾隆帝是這些皇帝中壽命最長的。我曾經介紹過他的膳單，通過他的吃飯，可以感覺到他是一個有節制的人，有理想、有抱負、有愛好、有約束。乾隆把政餘精力，放在讀書、作詩、寫字、繪畫等文化方面，修養心性。僅就吃飯來說，他在位時間那麼長，國家經濟狀況又好，頓頓大吃大喝也是具條件的，但他吃飯無非是有葷有素、有粗有細、有涼有熱、有湯有點心，營養均衡，這對健體延壽，應該是有幫助的。乾隆帝回憶說：「予五十五年之間，無一日因微疾而不理事者。求仙素所鄙，即醫理並不識，亦惟慎起居、節飲食，以為養生之常道耳。」

第99講

海洋之殤

海洋，大家可能都很熟悉；海洋文化，大家可能不太熟悉。我這裡和大家討論海洋文化的三個相關問題。

文化限制

我先從海洋文化說起。中國是一個地域遼闊、歷史悠久的大國。中華文明是多元文化的，主要由五種文化組成：一是中原農耕文化，二是西北草原文化，三是東北森林文化，四是西部高原文化，五是沿海暨島嶼海洋文化。

中原農耕文化，主要是在黃河、淮河、長江、錢塘江、珠江中下游等地區，以農業所產為衣食之源，這是中華文明的基礎、主體與核心。農耕文化產生的皇帝，秦始皇以來，長期在中國居於主尊地位。

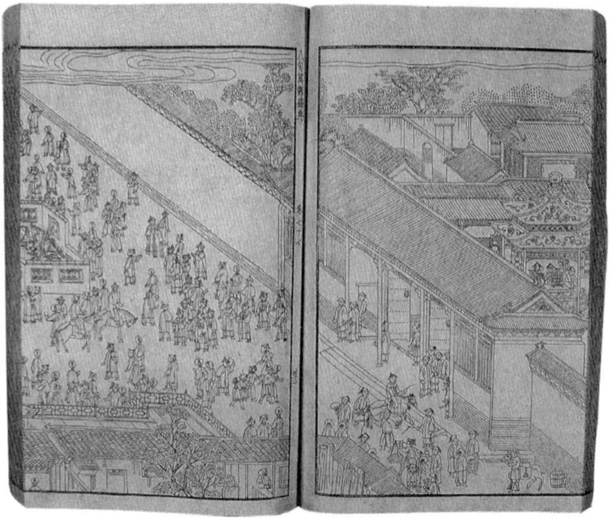

乾隆刻本《八旬萬壽盛典》

草原文化主要分布在北部和西北部的草原地區，以游牧的牛羊為衣食之源。秦漢匈奴、隋唐突厥、元明蒙古等都屬草原文化。草原文化產生的成吉思汗建立地跨亞歐的蒙古帝國，忽必烈建立的元朝，在一段時間內居於中國的主要地位。

森林文化主要分布在東北地區，大興安嶺以東到海，長城以北到外興安嶺、庫頁島（今薩哈林島）以南等廣闊地域。人們擅長弓馬騎射，以狩獵的飛禽走獸、捕獲的魚類、採集的果實等為衣食之源。森林文化產生過唐朝渤海政權、與南宋對立的金朝，特別是清朝。

屬於高原文化的南詔、吐蕃等都是區域性的政權，沒有建立全國性的皇朝。而海洋文化呢？

中國在明清強盛時，海域從黑龍江入海口的韃靼海峽、日本海、渤海、黃海、東海、南海——東沙群島、中沙群島、西沙群島、南沙群島，直到曾母暗沙，包括今黑龍江、吉林、遼寧、天津、河北、山東、江蘇、上海、浙江、福建、廣東、廣西、海南，以及臺灣、香港、澳門等沿海地區，廣大沿海暨海島居民，以捕撈海產品和海上運輸所得為主要衣食之源。但海洋文化沒有產生過皇帝，更沒有建立過全國性政權。

上面說的五種文化分區，只是大概的劃分，事情是複雜的，經濟是交錯的，不能做簡單化、片面化的理解。

中國不像亞洲的日本、菲律賓、印尼等，歐洲的英國、希臘、羅馬、荷蘭、西班牙、葡萄牙等海洋國家，以海洋的捕撈、運輸、貿易等為主要衣食之源，雖然他們也有或農耕經濟、或放牧經濟、或森林經濟等，但仍以海洋文化、海洋經濟為主。

在中國，從秦始皇到宣統帝，兩千多年間，歷朝皇帝都沒有海洋文化基因，都不重視海洋文化，所以海洋文化成為中華五種文化中的一個文化弱點。

到了十五世紀，世界開始進入大航海時代。西方海洋國家，西班牙、葡萄牙率先崛起，稱霸海上。繼之，荷蘭等國崛起。早在明代，而後在清初，西班牙、葡萄牙、荷蘭、義大利都到了中國，而後英國崛起，四處擴張，建立所謂的「日不落帝國」。這個時期的清朝執政者，仍沉醉於「天朝上國」、「持盈保泰」的自我感覺之中。中華農耕文化的海洋文化弱點，遇上被西方列強海洋文化的堅船利砲，打了敗仗，吃了大虧。中華國門被西方叩開，蒙受了歷史的奇恥大辱。

中國近代文化之殤，從哪裡開始呢？從海洋文化受辱開始。

第一，鴉片戰爭（一八四〇～一八四二年）。英國發動鴉片戰爭，其堅船利砲，從海上打來。英軍攻廣州，林則徐等官民抵禦，沒能得逞；轉攻廈門，鄧廷楨等率官民抵禦，也未得逞；北上攻定海，則清軍失敗。道光二十二年（一八四二），簽訂不平等的中英《南京條約》。條約內容之一是賠款兩千一百萬銀圓。一次戰爭失敗，並不那麼可怕，可怕的是沒能從中吸取歷史教訓。其實，林則徐已有疏陳：「自道光元年以來，粵關徵銀三千餘萬兩，收其利必防其害。使以關稅十分之一製砲造船，制夷已可裕如。」（《清史稿》卷三六九）道光皇帝既沒有頒「罪己詔」，反省抵禦英軍失敗的責任，也沒有採納正確的意見，更沒有研究歷史的原因，而是將抵禦外侵、打了勝仗的湖廣總督林則徐、閩浙總督鄧廷楨做替罪羔羊，把他們遣戍到新疆伊犁。

第二，英法聯軍（一八五六～一八六〇年）。英法兩萬多人，又從海上打來。咸豐十年（一八六〇），聯軍攻占天津大沽砲臺，簽訂中英、中法、中美、中俄《天津條約》。後進攻北京。咸豐皇帝帶領后妃和八大臣等逃到避暑山莊，照樣歌舞昇平，日夜驕奢淫逸。後聯軍控制北京，簽訂《北京條約》。此期，俄國逼簽中俄《瑷琿條約》，之後又逼簽《中俄勘分西北界約記》等。中國領土和主權等蒙受重大損失。如：

清康熙朝地球儀

賠款白銀八百萬兩；俄國先後割占黑龍江以北、外興安嶺以南，烏蘇里江以東到海以及新疆惠遠（今新疆維吾爾自治區伊犁州霍城縣）以西到巴爾喀什湖，總計約一百五十萬平方公里土地；圓明園遭到焚掠；中國喪失重大主權等。如此中華奇恥大辱，咸豐帝等既沒有頒「罪己詔」，也沒有採納正確意見，更沒有研究歷史教訓。咸豐帝死後，慈禧太后等將八大臣解職，並處死肅順等，將這次戰爭失敗的責任，推到肅順等身上。慈禧太后等並未從英法聯軍攻略北京的失敗中吸取教訓，而是忙著搞垂簾聽政，掌握皇權，鞏固皇權。

第三，甲午海戰（一八九四～一八九五年）。日軍還是從海上打來，攻占丹東、旅順、大連、威海等，北洋艦隊覆沒，清軍失敗，簽訂《馬關條約》。條約規定：賠款白銀二萬萬兩；割讓臺灣島、澎湖列島給日本（第二次世界大戰勝利後中國收回）；等等。慈禧太后只顧著忙自己的六十大壽，也沒有研究海洋文化這個弱點，更沒有傾力加強海洋建設的決心和韜略。

第**四，八國聯軍**。八國聯軍於一九〇〇年還是從海上打來，清軍失敗。英、美、法、德、俄、日、義、奧八國組成聯軍，先攻陷天津，繼攻占北京，並進入紫禁城。慈禧太后帶光緒帝等先期離京，明明是出逃，卻美其名曰「西狩」，前往西安。翌年，簽訂《辛丑條約》，條約十七款，其中一款是：中國賠款銀四億五千萬兩，分期還清，最終賠款加上利息共計九億八千多萬兩！並將北京東交民巷劃為使館區。慈禧太后殺了幾個「主戰派」了事，也沒有下「罪己詔」，更沒有對海洋文化建設做出根本性的改變。

以上四例，發生在道光帝、咸豐帝和慈禧太后統治時期，應當說：道光帝旻寧、咸豐帝奕詝、慈禧太后葉赫那拉氏，應負歷史主要責任。

第五，清朝結束，民國建立。日本侵華軍，從海上打來。民國政府比清朝重視海洋文化，但仍然不夠。如海軍總噸位六．五萬噸，日本「大和號」戰艦的噸位卻有六．九萬噸。本來淞滬之戰，國民軍占有優勢，可日本海軍在杭州灣登陸，海陸夾擊，國民軍失敗。接著，三個月之間：一失上海，二失南京，三失武漢，四失長沙，五失廣州！

以上五例，歷史之辱，沉痛說明：海洋文化之弱點使中國吃了大虧。這些事例表明，歷來的皇帝、太后、總統都有個人責任，但從文化來看，是中國兩千年來忽視海洋文化，忽視海防建設，忽視建立強大海軍的一個結果。

新的良機

《清史稿．兵志．海軍》說：「中國初無海軍」。到光緒十一年（一八八五年）九月初四日，才成立海軍衙門（《清德宗實錄》卷二一五）。這時，距鴉片戰爭爆發已經過了道光、咸豐、同治三朝，達四十五年之久。直到宣統初，清朝軍艦能出海作戰的，只有「海籌」「海圻」等巡洋艦四艘，「楚泰」、「楚謙」、「江元」、「江亨」等砲艦十餘艘而已（《清史稿》卷一三六）。

一部沉痛的中華文明的海洋文化弱點史，驚醒中國人。歷史進入二十一世紀。中華已經跨入新時代。中國要走向世界，走向海洋——太平洋、印度洋、地中海、大西洋，中國發展有了新的機遇。其中的一個重要內容，就是要全民重視海洋文化。中華海洋文化，面臨新的機遇和新的目標——重視海洋文化，制定海洋方略，建立強大海軍，發展海洋經濟，研究海洋科技，建設海洋強國。中華海洋文化，面臨新的機遇和新的目標。

耄耋者說六

君享與民享

辛亥革命，清帝退位。昔日清朝皇宮，變成今日故宮。而後，開啟北京故宮博物院的百年歷史。故宮，由君有而為民有，由君享而為民享。

中華文明五千年的歷史，夏、商、周的王制時期，秦到清的帝制時期，民國以降的民制時期，國之主、宮之主、故宮之主，發生了巨大變化。

本部分的第一百講，是《故宮六百年》的最後一講。歷史翻開新的一頁，由明朝和清朝皇宮，變成為故宮博物院。一百年來，故宮開啟了民有、民用、民享、民護的新時代。六百年的故宮，既是中國的，也是世界的。故宮——它的建築、珍翠、人物，文化、歷史、藝術，成為中華傳統文化之瑰麗珍寶，人類歷史文明之璀璨明珠。

北京故宮平面圖

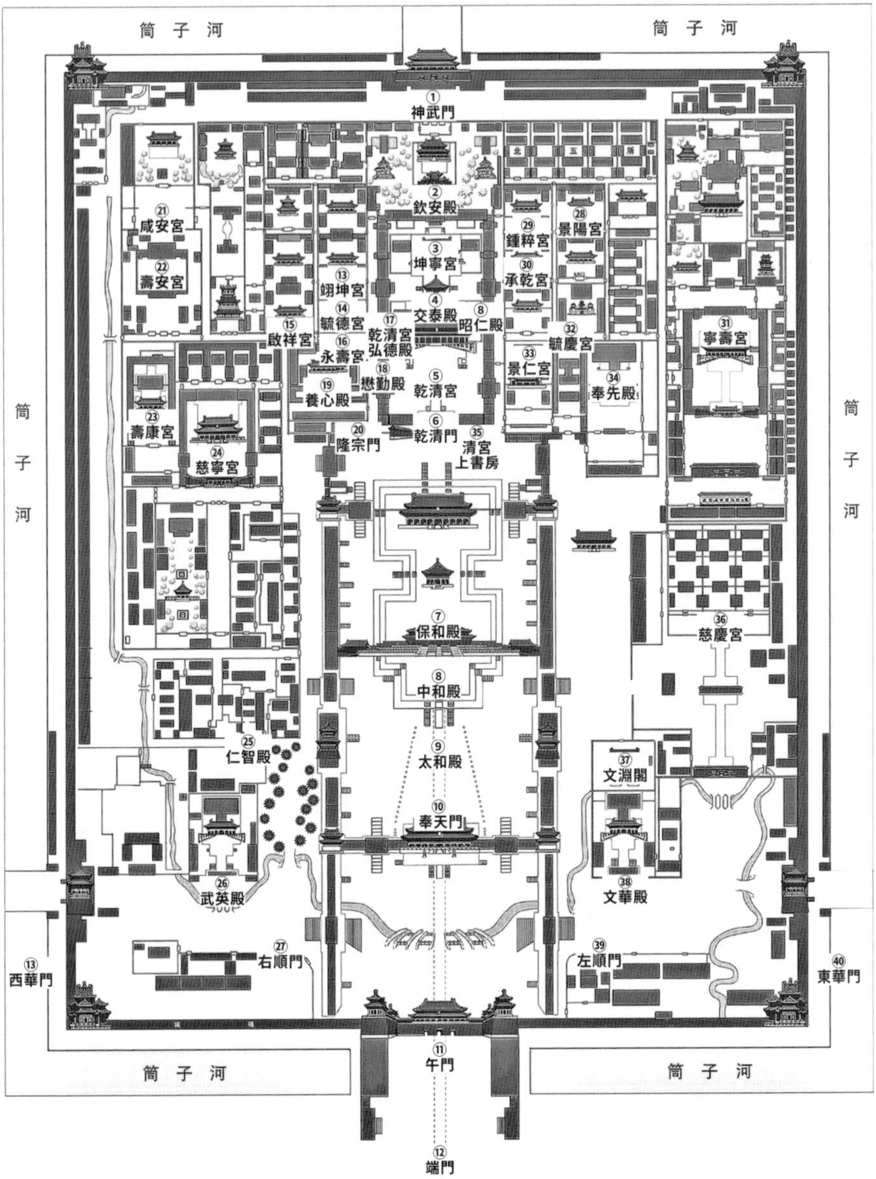

① 神武門	⑨ 太和殿	⑰ 乾清宮弘德殿	㉕ 仁智殿	㉝ 景仁宮
② 欽安殿	⑩ 奉天門	⑱ 懋勤殿	㉖ 武英殿	㉞ 奉先殿
③ 坤寧宮	⑪ 午門	⑲ 養心殿	㉗ 右順門	㉟ 清宮上書房
④ 交泰殿	⑫ 端門	⑳ 隆宗門	㉘ 景陽宮	㊱ 慈慶宮
⑤ 乾清宮	⑬ 翊坤宮	㉑ 咸安宮	㉙ 鍾粹宮	㊲ 文淵閣
⑥ 乾清門	⑭ 毓德宮	㉒ 壽安宮	㉚ 承乾宮	㊳ 文華殿
⑦ 保和殿	⑮ 啟祥宮	㉓ 壽康宮	㉛ 寧壽宮	㊴ 左順門
⑧ 中和殿	⑯ 永壽宮	㉔ 慈寧宮	㉜ 毓慶宮	㊵ 東華門

第100講

故宮新生

故宮六百年是輝煌的，也是曲折的。它經過從明皇宮到清皇宮，從故宮到故宮博物院，幾經蟬蛻，幾度新生。

從宮到院

一九一一年，辛亥革命，清朝滅亡；一九一二年民國建立，歷經艱難。從清朝皇宮演變為故宮博物院，紫禁城所收藏和帝王享用的寶物，成為博物院的藏品，從而成為屬於人民的國寶。從「宮」到「院」，這條道路，走了百年。

辛亥革命以後，故宮一分為二：後宮仍為舊皇家禁地，前廷於一九一四年二月四日，成立國家古物陳列所，將瀋陽故宮和避暑山莊等處文物，集中轉運過來，暫存於武英殿等處。並將武英殿西配殿開放。

一九二五年十月十日，故宮博物院開院典禮現場

一九二四年十一月五日下午四時十分，溥儀等清皇室成員，搬離故宮。十一月七日，臨時執政府發布命令：清理原宮內公產私產，昭示大眾。善後委員會由政府和清室雙方人士組成。點查清宮物品，以宮殿為單位，逐件編號，依序登錄。各宮殿按「千字文」編號，如乾清宮為「天」字號、坤寧宮為「地」字號等。經五年多時間，清宮物品清點結束，隨後出版《故宮物品點查報告》，共六編二十八冊，載錄每一件文物的編號、品名、件數，以及參點人員、監視人員姓名。清宮遺留物品，有一一七萬件

之多，留下完整記錄。這些文物成為一九二五年成立故宮博物院的藏品。（鄭欣淼《天府永藏》）

一九二五年十月十日，故宮博物院成立，在乾清宮前舉行隆重典禮。這一天，神武門上鑲嵌李煜瀛手書顏體大字「故宮博物院」青石匾額。當天故宮正式開放。自永樂建宮，五百多年來，人們第一次可以遊覽故宮中路三大殿和後三宮等處，兩天內前來參觀的多達五萬人。

故宮博物院成立後，故宮又一分為三，後宮部分為故宮博物院，前朝部分為古物陳列所，午門外兩廡及端門為國立歷史博物館。避暑山莊文物交故宮博物院，瀋陽故宮文物仍移交故宮博物院瀋陽分院（現為瀋陽故宮博物院）。之後，故宮逐漸合而為一，古物陳列所併入故宮博物院，午門外兩廡及端門建築也交故宮博物院。另建歷史博物館和革命博物館，後合並為國家博物館。這項分割與合並，直到二〇〇八年才結束。

百川歸海

六百年故宮既依靠中華文化養育，又成為中華文化寶庫。

從宋宮到元宮，中國歷朝帝王都重視文物的搜集和珍藏。殷商文物多集中於宮廷和宗廟。周朝文物珍品收藏於「天府」、「玉府」。秦朝阿房宮匯聚戰國七雄的珍寶。漢朝「天祿」、「石渠」，則是漢宮貯藏珍貴文物及圖書之所。到宋徽宗時，收藏尤為豐富。北京故宮的直接收藏，可以上溯到北宋汴梁，曲折歷程，已有千年。宋代宮廷收藏豐富，靖康之亂，典籍寶器，悉歸於金；宋高宗遷都臨安，又廣泛收藏。蒙元興起，先滅金朝，再滅南宋。南宋滅亡，元定鼎大都（今北京），宮廷收藏的這批文物也運到大都。元亡明興，明大將徐達將元朝內府所藏，運到南京；永樂帝遷都北京，寶物回到北京。明亡清興，明朝宮廷藏品，又為清廷所有。所以，清宮承接的文物，是中國歷代宮廷收藏的總匯。清遷鼎北京後，對故明宮殿既沿襲其原狀，又做增減改建。

從文物層面說，故宮藏品所承載的，是中國獨特的文化符號。論時代，上自新石器時代，下至宋元明清；論地域，囊括了古代中國各個地域的文明精華；論人文，包容了漢族和古代各少數民族的藝術精粹；論類別，包含了中國古代藝術品的幾乎所有門類。

從精神層面說，這些文化的精神表現，忽必烈建大都城的恢宏胸懷，永樂帝治理帝國的雄才大略，康熙帝「皇輿全覽」的宏博氣魄，農耕、草原、森林、高原、海洋文化融合，才有了北京城，也才有了紫禁宮殿。

在世界四大文明古國中，以一種語言、一種文字為主體文化，延續五千年，連綿不斷，起伏演進，只有中華民族，也只有中華文明。因此，明清皇宮及其文物，是中華多民族、多元文化融合的集中體現。一脈相承，百川歸海，是北京故宮最突出的文化特色。

走向世界

宮廷文物，歷盡滄桑，幾散幾聚，留傳至今。故宮博物院的成立，象徵著宮廷文物從君有到民有、從君愛到民愛、從君享到民享的劃時代的轉變。

從君有到民有。在古代中國，掌握著至高權力的帝王，必然是全社會中最高端、最精美、最稀缺、最珍貴物品的擁有者、收藏者、享用者。經過歷代傳承和融匯，這些國寶最終為國家所有、民眾共享。

一九四九年，改天換地，發展空前。一九一二年以來，幾代中國人，對故宮古建和文物的守護、利用與研究，都做出了各自的重大貢獻。不少社會賢達，以愛文物、愛國家之心，從文物市場以重金購買文物，捐獻給國家。僅以張伯駒為例。張伯駒（一八九八～一九八二年），曾以重金購藏被溥儀攜帶出宮的西晉陸機《平復帖》、隋展子虔《遊春圖》、元趙孟頫《千字文卷》收藏。《平復帖》是中國傳世最早的一件名人墨跡，他愛惜如身家性命，抗日戰爭中曾把此帖縫在隨身穿的棉襖裡避難。隋展子虔《遊春圖》是中國現存卷軸山水畫中最古老的一幅，張伯駒變賣房產並搭上夫人的首飾才將其買來。後張伯駒將《平復帖》、《遊春圖》和《千字文卷》等書畫巨品，無償地捐獻給國家，使這些珍品成為北京故宮博物院的藏品。故宮博物院在景仁宮特設景仁榜，將捐獻者姓名鐫刻於牆上，並出版《捐獻銘記》，以做永久紀念。

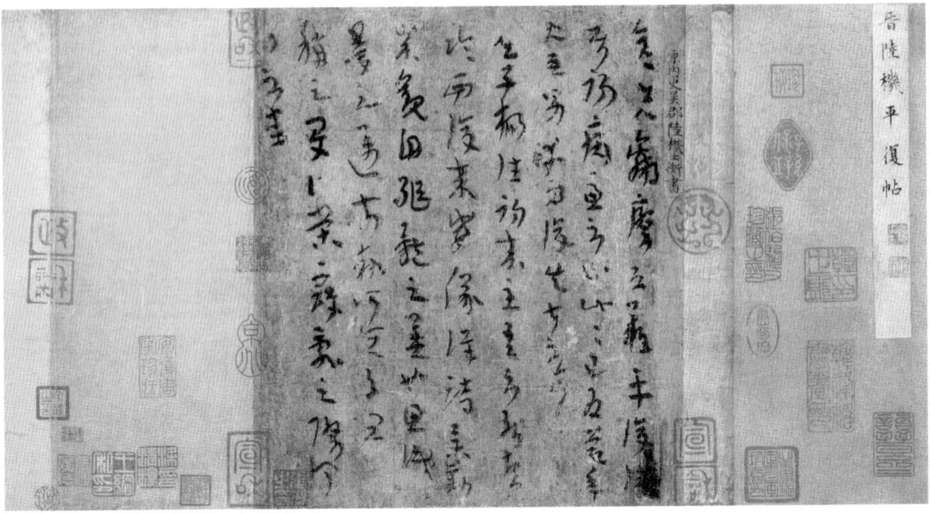

陸機《平復帖》

從君享到民享。昔日民眾不能涉足的皇家紫禁城，已成為今天民眾可以暢遊的故宮博物院，故宮和故宮博物院受到國人和世人的空前關注和熱愛。參觀故宮，共享故宮，這個現象，日趨鮮明。以二〇一一年巴黎羅浮宮和北京故宮博物院為例，羅浮宮全年接待遊客總數為八百六十萬人次，北京故宮博物院全年參觀人數為一四一一萬餘人次，近羅浮宮參觀人數的兩倍。據統計，二〇一六年北京故宮接待國內外觀眾達一六〇二萬餘人次。《京華時報》評論說：「故宮成為迄今世界上參觀人數最多的博物院。」二〇一八年，參觀北京故宮的人數達到了一八〇〇萬人次。

故宮博物院於一九八七年被列入世界文化遺產。偉大的故宮，不僅是明清

展子虔《遊春圖》

時代中華文明無價的歷史見證，而且是綿延五千年、融合多民族多種文化形態的中華文明無價的歷史見證。

故宮的建築、人物、器物、服飾、瓷器、書畫、典籍、檔案等，早已不是皇家的財富，而都是士人、匠師、能工、夫役等用鮮血、智慧、汗水和生命凝聚的，是中華民族的珍貴財富。後人對中華文化遺產，既應抱以敬畏之心、讚頌之意、驕傲之情、欣賞之趣，更應行以守護之職、關愛之舉、學習之實、弘揚之責。

故宮既是中華的，故宮更是世界的。六百年來，中華民族，中國智慧，對於人類，做出貢獻，其重要例證，就是故宮。北京故宮，不僅是中華文明的驕傲，而且是世界文明的寶珠。故宮六百年的歷史證明：中華民族對人類文明發展做出過輝煌的貢獻！而且正在做著積極的貢獻！

中華文明具有原生性、悠久性、連續性、多元性、融合性、日新性和國際性。而這七大特點綜合體現於一個大國，是不多見的。世界四大文明古國中的古埃及、古巴比倫、古印度文明都中斷過，只有中國五千年文明沒有中斷。而中華五千年文明的建築之壯麗、文物之精粹、文化之輝煌，集中在故宮和故宮博物院。隨著國際現代化的發展，也隨著國際文化的交流，中華文明對於世界將產生更加巨大的影響。

故宮六百年的歷史表明，故宮已經走向世界，還將繼續走向世界。有六百年歷史的北京故宮，就其歷史與文化而言，既是中國的，更是世界的。

附錄
明朝皇帝簡表

序號	年號	廟號	姓名	在位時間	元年	即位年齡	生卒年	享年	陵寢
1	洪武	明太祖	朱元璋	31年	1368	41歲	1328-1398	71歲	明孝陵(南京)
2	建文	明惠帝	朱允炆	4年	1399	22歲	1377-？	？	？
3	永樂	明成祖	朱棣	22年	1403	43歲	1360-1424	65歲	明長陵
4	洪熙	明仁宗	朱高熾	1年	1425	47歲	1378-1425	48歲	明獻陵
5	宣德	明宣宗	朱瞻基	10年	1426	28歲	1399-1435	38歲	明景陵

6	正統	明英宗	朱祁镇	14年	1436	9歲	1427-1464	38歲	明裕陵
	天順			8年	1457	31歲			
7	景泰	明代宗	朱祁鈺	7年	1450	22歲	1428-1459	30歲	北京西山
8	成化	明憲宗	朱見深	23年	1465	18歲	1447-1487	41歲	明茂陵
9	弘治	明孝宗	朱祐樘	18年	1488	18歲	1470-1505	36歲	明泰陵
10	正德	明武宗	朱厚照	16年	1506	15歲	1491-1521	31歲	明康陵
11	嘉靖	明世宗	朱厚熜	45年	1522	15歲	1507-1566	60歲	明永陵
12	隆慶	明穆宗	朱載坖	6年	1567	30歲	1537-1572	36歲	明昭陵
13	萬曆	明神宗	朱翊鈞	48年	1573	10歲	1563-1620	58歲	明定陵
14	泰昌	明光宗	朱常洛	1個月	1620	39歲	1582-1620	39歲	明慶陵
15	天啟	明熹宗	朱由校	7年	1621	16歲	1605-1627	23歲	明德陵
16	崇禎	明毅宗	朱由檢	17年	1628	18歲	1611-1644	35歲	明思陵

附錄

清朝皇帝簡表

序號	年號	廟號	御名	在位時間	元年	即位年齡	生卒年	享年	陵寢
1	天命	清太祖	努爾哈赤	11年	1616	58歲	1559-1626	68歲	福陵（瀋陽）
2	天聰	清太宗	皇太極	10年	1627	35歲	1592-1643	52歲	昭陵（瀋陽）
	崇德			8年	1636				
3	順治	清世祖	福臨	18年	1644	6歲	1638-1661	24歲	孝陵（清東陵）
4	康熙	清聖祖	玄燁	61年	1662	8歲	1654-1722	69歲	景陵（清東陵）